VON BARBARA 21.5.80

Über dieses Buch

Haben wir es noch nötig zu sterben? Oder sterben wir nur, weil wir *glauben,* daß wir es müssen?

Sollten wir nicht lieber *leben* lernen – denn richtig leben wird sterben überflüssig machen!

Durch eine Vielzahl köstlicher Essays zieht sich wie ein roter Faden diese Aufforderung: doch von unserem Kleinmut und unserer geistigen Enge zu lassen und uns statt dessen aufzuschwingen zu der Freiheit und der Macht des Bewußtseins, das wir in Wirklichkeit sind und das unseren Traum vom ewigen Leben – im Körper auf der Erde – Wirklichkeit werden lassen kann.

Der Autor

Prentice Mulford lebte von 1843–1891. 1885–90 erschienen seine Essays in 4 Bänden unter dem Titel ›Your forces and how to use them‹. Sehr bald wurden sie von einer kongenialen Frau – Berta Diener, die unter dem Pseudonym *Sir Galahad* schrieb, ins Deutsche übertragen.

Mulford war in seinen Erkenntnissen seiner Zeit weit voraus – und vielleicht ist heute die Zeit reif genug, daß eine Vielzahl von Menschen seine Botschaft aufgreift: unsere Gedanken, die reale Kräfte sind, bewußt auf das Ziel zu richten, den alten Traum der Menschheit von der Unsterblichkeit – einem ewigen, glücklichen Leben auf dieser Erde – zu verwirklichen.

PRENTICE MULFORD

Unfug des Lebens
und
des Sterbens

Fischer Taschenbuch Verlag

Aus dem Englischen übertragen und bearbeitet
von Sir Galahad

Fischer Taschenbuch Verlag

1.–15. Tausend	Juli 1977
16.–22. Tausend	Mai 1978
23.–30. Tausend	Januar 1979
31.–40. Tausend	November 1979

Ungekürzte Ausgabe
Umschlagentwurf: Jan Buchholz / Reni Hinsch
Fischer Taschenbuch Verlag GmbH, Frankfurt am Main
Lizenzausgabe mit freundlicher Genehmigung
des S. Fischer Verlages GmbH, Frankfurt am Main
Gesamtherstellung: Hanseatische Druckanstalt GmbH, Hamburg
Printed in Germany
680-ISBN-3-596-21890-x

Inhalt

I. Der Unfug des Sterbens

Vorrede 9
Einige Gesetze der Kraft und Schönheit 15
Positive und negative Gedanken 20
Einige praktische geistige Rezepte 24
Gott in den Bäumen 30
Der praktische Wert der Träumerei 33
Das Mysterium des Schlafes oder
Unsere doppelte Existenz 37
Mentale Ströme 43
Wer sind unsere Verwandten? 49
Der innere Arzt 55
Die Religion der Kleider 58
Das Gesetz der Ehe 61
Tyrannei oder
Wie wir einander mesmerisieren 67
Wie man seine Unternehmungen fördert 73
Beichte 79
Die Kirche des schweigenden Verlangens 85
Die heilende und regenerierende Kraft des Frühlings . . . 88
Die Unsterblichkeit im Fleische 92

II. Der Unfug des Lebens

Einführung 99
Alpha 104
Grundsteinlegung 106
Werkzeuge kaufen –
und über das Kaufen im allgemeinen 109
Von meinen Hennen 111
Mentale Schwierigkeiten 113
Was ist Besitz? 115
Religion in unserem Tun 118
Die Sorgen der Welt 121
Dieses hohe Bord 125

Jedes an seinem Platz 127
Ein Geplänkel mit einem Baum 132
Der Mob in der Seele 138
Ein Schubkarren voll Gram 140
Omega 145

III. Das Ende des Unfugs

Statt einer Vorrede 148
Lügen brüten Unheil, Wahrheit macht gesund 149
Der Gott in dir 160
Das Gesetz des Erfolges 170
Eine Methode, Mut zu züchten 178
Über Spiritismus 186
Die Geburt der Gedanken 196
Die hohe Kunst des Vergessens 207
Die ziehende Kraft des Gemüts 210

Verzeichnis der wichtigsten Sach- und Fremdwörter 231

Der Unfug des Sterbens

Bessere Amerikaner sterben nicht mehr – sie sagen, es sei eine mindere Gewohnheit – freudlos und zeitraubend! – Etwas für zurückgebliebene Europäer allenfalls, sie aber streiken – bilden einen Trust – wollen nicht – tun einfach nicht mehr mit – Punktum!

Auch gute Christen, die ohnehin ihr unsterbliches Teil haben, und gute Theosophen, denen Millionen Wiederverkörperungen durch den Mitgliedsbeitrag garantiert scheinen, schließen sich voll Eifer der Bewegung an! Das Offert ist zu günstig! Weg mit dem Tod wie mit der Matura. – Ohne Angst und Krampf soll künftig in die höhere Daseinsklasse aufgestiegen werden.

Außerdem – Zeit ist Geld, auch zwischen den Inkarnationen; – und scheint es nicht überhaupt entschieden sicherer, das Bewußtsein gleich mit hinüberzunehmen?? – Endlich – soll man denn jedesmal immer wieder die »Verba auf mi« lernen und welches die beste Zahncreme ist und wie man Flanellwäsche behandelt – wirklich zu fad!

So spricht mancherlei dafür, mit dem Unfug des Sterbens endgültig zu brechen, und in Amerika hat sich auch während der letzten zwanzig Jahre ein förmliches Rastaqueritum der Unsterblichkeit herausgebildet, das banditenhaft dem Schicksal die Pistole vorhält, aber statt: »Geld oder Leben« – unbescheidener: »Geld und Leben« fordert!

Mannigfach an Art, an Namen und Methoden ist der neue Weg.

Revolverheilige verkünden einer aufhorchenden Elite, wie durch die Macht des menschlichen Blicks der Geschäftsfreund hypnotisiert und erwerbsunfähig gemacht wird – wie jedoch die gleiche Kraft, nach innen gewandt, die Zellen des eigenen Leibes unbegrenzt zu erneuern vermag. Verdauungsmystiker hinwiederum suchen durch den Magensaft des ewigen Lebens teilhaftig zu werden. Ganze Sekten aber stellen ihre Betten in den magnetischen Meridian des Ortes, um von den Erdströmen zu profitieren. Andere wieder tragen zur Isolierung gläserne Sohlen und werden noch extra zweimal in der Woche elektrisch geladen wie die Leidener Flaschen. Viele sitzen Tag und Nacht in der Zugluft, das Prana aus dem Äther saugend; wieder andere machen sich total passiv und lassen herrenlose Gedanken und Gefühle in sich strömen wie in einen Gasometer. Auch Christian science tut, was sie kann – zehnbis zwanzigpferdekräftige Gebete sind selbst minderbegabten Schülern der Mrs. Eddy ein Leichtes!

Jeder Tag bringt neue Lebenselixiere!

Dazwischen schießen immer neue religiöse Sekten auf – immer noch ein christliches Glaubensdetail, über das die Geister nicht zur Ruhe kommen, stets verquickt mit einem Heilverfahren! Von beiden Seiten, zugleich physisch und psychisch, wird der Tod wie ein Tunnel angebohrt!

Inbrünstiger Schwachsinn durchglüht die Gemüter, gestählt durch den Mut der Unwissenheit!

Alle aber verbindet ein *Ingenieur-Pantheismus!* Die Vorstellung vom lieben Gott als einem unendlich pferdekräftigen Dynamo; es kommt nur darauf an, sich durch einen Gebets- oder sonstigen Transmissionsriemen mit dieser Urmaschine in Verbindung zu setzen, und das kleine Pumpwerk »Ich« bleibt ewig im Gang!

Überschäumende Gläubigkeit – kritiklos wohl und vielfach kindisch – liegt diesem Treiben zugrunde, das aber beglänzt scheint von Lebendigkeit – der hochgemuten Lebendigkeit eines religiösschöpferischen Volkes.

Der gute Europäer ist für dergleichen wohl zu gebildet!

Die einzig höhere Macht, an die er glaubt, ist das Doktorat – macht's und glaubt auch weiterhin daran – das eine Dauerwunder dieser subalternen Ära!

Fiele Manna vom Himmel, kein Gebildeter rührte es an, ehe nicht ein Hofrat und vier Professoren in beglaubigtem Attest seine völlige Unschädlichkeit dargetan hätten!

Keine Sorge!

Von lebenslänglicher Bildung erdrückten Völkern fällt kein Manna vom Himmel; da versiegen die Quellen der Unmittelbarkeit!

Was Bildung sein sollte: von den Gipfeln aller Erfahrung, von dem Kronengrat aller Erkenntnis auffliegen mit ungebrochenen Schwungfedern zu eigenstem Erschauen.

Das ist sie den wenigen – Erlesenen. Die vielen fallen in die Bildung hinein wie in eine Gletscherspalte, um nie wieder die lieben Sterne zu schauen – sei diese Spalte nun, der Mode der Zeit entsprechend, die Weltanschauung des Aristoteles, die Lehren der Kirchenväter oder die Dogmen der Aufklärer.

Wenn sich aber in einem hochrassigen Volk mit wildwachsenden Instinkten ein Willenswirbel ins Metaphysische bildet, welcher Art er auch sei, da sollte der Hellhörige hinhorchen. Mögen die Formen der Bewegung noch so roh und plump und materiell erscheinen – im ewigen Rhythmus, gleich einer ungeheueren Litanei brandet hier das *Peinen nach Vergottung* empor. Der Schrei nach andersartiger Erfahrung aus inneren neuen Sinnen heraus! Der Mut zum *Anderswollen*, dem immer noch ein Weg zum *Anderskönnen* entsprang! Es gibt Formen der Mystik, die man »Heliotropismus« des Menschen nennen könnte. Wie wir an den Verkrümmungen von Pflanzen, die im Dunkeln wachsen, nicht an den sonnenvollen, die Gesetze des Heliotropismus erkennen, so weisen sich an oft grotesken Verrenkungen, an Irrnissen der Suchenden die Wege, auf denen ihre Seelen ins Licht wachsen! Organe der Sehnsucht ringen sich aus dem Sein wie Tastranken ins Werden.

Im Zentrum eines jeden metaphysischen Willenswirbels aber steht – der Eine, in dem die Sehnsucht einer ganzen Zeit sich niederschlägt zu reiner, großer Form, eh' diese Sehnsucht wiederum verroht – versandet – versinkt. Auch in Amerika war dieser Eine der Wellenerreger. Doch Ätherwellen pflanzen sich bisweilen leider auch in gröberer Materie fort, und hinter einem Wirbel von Humbug verschwand dieser Einzige.

Er hieß Prentice Mulford und war – Journalist !!! Der Erleuchtete ist nämlich immer genauso, wie man ihn nicht erwartet. Nach Zeit und Ort wird ihm die Maske gewählt. Suchte man ihn nach Buddhas Beispiel unter Königssöhnen – war er ein Zimmermannskind! Hält man seit Jakob Boehme ein Aug auf den Schuster – wird er plötzlich Journalist. Der nächste Heiland ist vielleicht in seinem bürgerlichen Beruf Chauffeur!

Prentice Mulford ist ein Heiliger »full of go«, einer von der Rasse Johannes V. Jensens, ein Durchschiffer spiritueller Ozeane, einer, der in geistigem Kosmos so taghell sieht, mit solchen Falkensinnen wie Jensen auf unserer Erde! Er ist das *Genie der Pietätlosigkeit!* Seine Weisheit wuchert wild wie ein Dornbusch – der brennende Dornbusch seiner Weisheit! Nie wird ihm eine Erkenntnis aus zweiter Hand. Wollte unser Herr Jesus Christus ihn in eine längere Offenbarung verwickeln, er würde vielleicht höflich, jedenfalls entschieden ablehnen und zöge es vor, sich seine Informationen vom lieben Gott direkt zu holen.

Die schweigende Kraft inbrünstiger Sehnsucht ward ihm zur Wünschelrute, die zu den lebendigen Quellbrunnen seines Inneren führt. Nun tritt er die Pilgerschaft an ins eigene Ich und wird der Entdecker, der Eroberer neuer Welten; jede Fiber ist erkennendes Subjekt geworden, in jedem Ganglion brechen Gehirne ins Bewußtsein, und jedes spiegelt einen neuen Kosmos – jedes ein lodernder Wegweiser auf dem Pfad der Freude!

Und er beginnt zu winken, trunken von Magie – alle heranzuwinken auf diesen Pfad der Freude.

Gerne stelle ich ihn mir vor unter kalifornischem Himmel – ausgestreckt –, die nackten Füße an die Rinde eines Riesenbaumes stemmend –, wie er seine Botschaft hinausschreit, monoton und inbrünstig wie ein Vogellied – wie die Amsel ihren Schrei in die Sonne – stark und gleich!

Er beginnt Essays zu schreiben, und sie tragen seltsame Namen: Die Kirche des schweigenden Verlangens. – Die hohe Kunst des Vergessens. – Die Religion der Kleider. – Was sind spirituelle Gaben? – Das Tischgebet oder die Wissenschaft des Essens. – Ehe und Auferstehung. – Wohin wir wandern, wenn wir schlafen. – Der Bann oder die Gesetze der Abwechslung. – Der Zweck eines Zimmers. – Der innere Arzt. – Wie man neue Gedanken erlangt. – Unsterblichkeit im Fleische. – Und so weiter.

Jedes Wort ist mit jenem Fluidum ethischer Kraft geladen, das aus Intuitionen von unbeschreiblicher Macht und Süße fließt. Immer derselbe Rhythmus – gleich einem basso ostinato: Gedanken sind Dinge, Gedanken sind so wirklich wie Wasser und Luft und Metall, sie wirken in- und außerhalb des Körpers, sie gehen von uns zu anderen, nah und fern, ob wir wachen oder schlafen, sie bauen und zerstören unaufhörlich unsern Leib; und darin liegt unsere wahre Stärke. Denn alles, was wir klar, wirklich, unverrückbar wollen, ist unser – jedes Zweifeln, jedes Schwanken *zerstört den Kristall der Wirklichkeit, der sich aus der Gedankenlösung um uns zu bilden beginnt.* Der Quellbrunn ewiger Jugend, Jugend des Leibes und Jugend des Geistes, fließt aus einer Stimmung des Gemüts – the serene mood – dem *Halkyonischen* –: wer *das* in seinem Herzen halten kann, unverrückbar, ist Herr über das Leben. Es ist der Stein der Weisen; was es berührt, muß sich wandeln zu Gold und Unsterblichkeit.

Für Prentice Mulford ist »Wirklichkeit« nur eine imaginäre Grenzlinie im Fluß des größeren Seins – einfach eine Hilfskonstruktion gleich der Abszisse und Ordinate in der analytischen Geometrie –: wenn die Kurve des Geschehens die Abszisse schneidet, heißt sie Wirklichkeit, im anderen Fall Gedanke, die Kurve selbst aber ist kontinuierlich, es gibt keine Trennung beider Erscheinungsformen, die durch Ursache und Folge wechselseitig verknüpft scheinen und unaufhörlich ineinander übergehen.

Sie ineinander überleiten – mühelos, nach Willkür –, lehren Mulfords Essays. Das Leben in seiner Größe hat ja geheime Gesetze, die nur der kennt, der wirklich das Leben lebt. Ihnen entgegenhorchen, ihren leisesten Zeichen folgen – hemmungslos – ist oberstes Gebot! Sie wirken, ob wir sie leugnen oder nicht; wer wider sie verstößt, wissend oder unbewußt, ist abgeschnitten von den Pfaden der Höhe – kehren sich doch die Folgen unserer Fehler nicht daran, ob wir sie absichtlich begehen oder nicht! Krankheit, Unglück, Verfall und Tod sind Folgen solcher Fehler wider ein verborgenes Gesetz. Phänomene sagen leider nicht: »Pardon, wir sind noch nicht erklärt – also schnell zurück ins Unerschaffene!« In letzter Linie aber läuft eben alles immer wieder auf die sokratische Grundanschauung zurück: Schuld ist mangelndes Wissen – daher ist Gutsein mit Weisesein identisch und weise mit glücklich – und als allgemeine Folgerung reiht sich hieran: Die Tugend ist lehrbar (Tugend natürlich im weitesten Sinne gefaßt).

Dem Profanen kann es in bestem Falle gelingen, das »Beast« Leben zu bändigen und an die goldene Kette zu legen – Prentice Mulford ist Herr über die magische Gebärde, die es zum Märchenprinzen wandelt, um ewig eins zu sein mit dem Erlöser.

Und nun ist es entzückend zu sehen, wie ihm kein Ding zu niedrig und gering erscheint, um nicht als einer der unzähligen Keime zu dienen, aus dem dereinst unbeschreibliche Kraft und Schönheit entspringen mag! Spricht er doch zu den Menschen der Welt, zu Goldgräbern, Kaufleuten, Cowboys und Millionären! Was hülfe es, ihnen zu sagen: Konzentriert euch auf das Absolute! Nicht beim Absoluten – bei den Schuhriemen läßt er die Konzentration beginnen, lehrt bei jeder noch so kleinen Tätigkeit nur *diese* denken, nicht zugleich die vierzig anderen Dinge, die dann zu tun sind! Wer beim Schnüren seiner Schuhe jeden anderen Gedanken auszuschließen vermag, steht auf der ersten Stufe zu seinem Glück – er hat die Fähigkeit des *Wegdenkens* nach Willen; von Qual und Traurigkeit löst er sich frei, ist Herr über den Inhalt des Bewußtseins! Und er lehrt die Stetigkeit des Wunsches, sich in Gedanken immer an den Platz zu stellen, an dem man dereinst stehen will, und die Kunst, schädliche Gedankenströme von sich abzulenken; er zeigt, wie jedes Verweilen bei den Fehlern anderer eben diese Fehler in uns selbst hineinprägt, denn jeder unfreundliche, bittere Gedanke ist eine schädliche materielle Substanz, die wir in unseren Körper einlassen; und Schritt für Schritt kommt die Erkenntnis, wie wir immer wieder falsche Überzeugungen sozusagen in unseren Leib einbauen, wie wir förmlich darauf warten, in einem bestimmten Alter der Schwäche und dem Greisentum anheimzufallen, hoffnungslos und ergeben. Wie wir lernen sollten, die millionenjährige Todeserfahrung des Organischen, die in unserem Blute kreist, zu bannen; denn durch alle Wunder, auf allen Hochwegen der Vererbung schleicht uns dieses nach – dies Wissen –, nein, bloß dies *Erinnern* an den endgültigen Zerfall der Zellen.

Prentice Mulford selbst ist leider noch gestorben – aber gewiß zum letztenmal; und auch das war sicher pure – Schlamperei!

Bittet, so wird euch gegeben, klopfet an, so wird euch aufgetan. Wie zu bitten, wo anzuklopfen – das hat er gelehrt. Er führt uns bis an das verhangene Allerheiligste des Selbst. – Eintreten muß jeder allein.

Sir Galahad

Einige Gesetze
der Kraft und Schönheit

Unsere Gedanken formen unser Antlitz und geben ihm sein persönliches Gepräge. Unsere Gedanken bestimmen Gebärde, Haltung und Gestalt des ganzen Leibes.

Die Gesetze der Schönheit und der vollendeten Gesundheit sind identisch. Beide hängen völlig von dem Zustande des Gemütes ab, oder mit anderen Worten von der Beschaffenheit der Gedanken, die am häufigsten von uns zu anderen und von anderen zu uns strömen.

Häßlichkeit der Mienen entspringt stets der unbewußten Übertretung eines Gesetzes, bei jung und alt. Jedes Zeichen von Verfall in einem menschlichen Körper, jede Form von Schwäche, alles, was die persönliche Erscheinung eines Menschen für uns abstoßend macht, hat seine Ursache in der dominierenden Stimmung seines Gemütes. Die Natur hat das in uns gepflanzt, was man Instinkt nennt – ich möchte es als *höhere Einsicht* bezeichnen, denn wir operieren mit subtileren Sinnen, wenn wir verabscheuen, was – häßlich und verformt – Spuren des Verfalls trägt! Es ist der eingeborene Trieb der menschlichen Natur, das Unvollkommene zu meiden – das relativ Vollkommene zu suchen. Unsere höhere Einsicht hat recht, wenn sie Runzeln und Gebrechlichkeit aus dem gleichen Grunde scheut wie ein besudeltes und zerrissenes Gewand! Der Leib ist das lebendige Kleid und zugleich das Instrument des Geistes.

Generationen vor uns ist – von Zeitalter zu Zeitalter immer wieder – von Kind an eingeprägt worden, es sei unvermeidliche Notwendigkeit, es sei Gesetz und von Ewigkeit in der Ordnung der Natur begründet, unsern Leib nach einer bestimmten Zeit verblühen, reizlos werden zu sehen, und auch der Intellekt müsse mit zunehmenden Jahren versiegen. Uns ist gesagt worden, der Geist hätte keine Macht, dem zu steuern, keine Macht, den Leib zu regenerieren, ihn von inneren Kräften heraus immer neuer und lebendiger zu gestalten!

Es liegt aber ebensowenig im unvermeidlichen Lauf der Natur, daß menschliche Körper verfallen, wie sie bisher verfallen sind, wie es im Lauf der Natur liegt, daß die Menschen nur mit der »Post« fahren sollen, statt im Automobil, wie vor sechzig Jahren, oder daß Briefe nur mit Boten befördert werden können, statt durch den elektrischen Funken. –

Es ist die Impertinenz einer dumpfen Unwissenheit, Behauptungen darüber aufstellen zu wollen, was im Gesetz der Natur liegt und was nicht! Es ist der verhängnisvolle Irrtum, auf das Stückchen Vergangenheit, das uns offensteht, zurückzublicken als den untrüglichen Wegweiser für alles, was in alle Ewigkeit geschehen wird.

Wenn unser Planet das war, was die Geologie uns lehrt – nämlich eine wogende Masse wilder, ungezähmterer, brutalerer Kräfte, wenn auch die Formen des pflanzlichen, tierischen, später menschlichen Lebens gröber waren –, ist das nicht der Wink, die Hoffnung, der Beweis einer größeren Verfeinerung und Vervollkommnung, der wir entgegengehen – nein, *in der wir schreiten, jetzt, in dieser wie zu jeder Stunde!* Und bedeutet nicht Verfeinerung gesteigerte Macht, wie die Kraft des Eisens im Stahle steigt? Und sollten nicht die höchsten, bisher fast unerkannten Kräfte aus dem feinsten organischen Komplex, den wir kennen, dem Menschen, sich entfalten?

Innerlich, im geheimen fragen sich die denkenden Tausende aller Länder: »Warum müssen wir so verfallen und das Beste verlieren, das dem Leben Wert verleiht, gerade dann, wenn wir jene Erfahrung und Weisheit gewonnen haben, die uns für das Leben am geeignetsten erscheinen läßt! Sommeranfang – siehe, da werden schon die Tage kürzer!«

Der Ruf der vielen ist am Anfang stets ein Flüstern. Gebet – Wunsch – Bitte der Massen ist immer erst ein heimliches Flehen! Der erste wagt es kaum dem Nachbarn zuzuraunen – er *scheut die Lächerlichkeit!* Aber dieses liegt tief begründet in der Erfahrung: *Jeder Wunsch, gedacht oder geäußert, bringt das Gewünschte näher, und zwar im Verhältnis zur Intensität des Wunsches und der wachsenden Zahl der Wünschenden;* diese lenken geistige Funktionen in bestimmte Bahnen; dadurch wird jene schweigende Kraft des Willens in Bewegung gesetzt, die, noch immer unbeachtet von der Schulweisheit, dem Gewünschten zur Form verhilft. So sehnten sich Millionen im stillen nach rascheren Verkehrsmitteln – da wurden Dampf und Elektrizität dienstbar gemacht. Bald darauf wird ein anderes Fragen und Begehren Antwort und Erfüllung heischen – innerliches Fragen – innerliches Begehren; und in diesen ersten Versuchen, Wünsche, die uns Visionen dünken, der Wirklichkeit zu nähern, wird es Irrtümer und Fehlwege und Sackgassen geben, wie es am Anfang unserer technischen Errungenschaften Eisenbahnzusammenstöße, Kesselexplosionen usw. gab.

Unser Alter ist von zweierlei Art. – Das Alter unseres Leibes und das Alter unserer Geistigkeit. Diese ist durch unzählige Leiber und Daseinsformen in Jahrmillionen herangereift zu ihrer jetzigen Bewußtseinsstufe, und viele junge Leiber hat sie ausgetragen wie

Gewänder. Und was wir »Tod« nennen, ist nur die Unfähigkeit, das Kleid der Leiblichkeit instand zu halten, unsern Körper aus vitalen Elementen immer wieder zu regenerieren. Je älter, je reifer die Geistigkeit, um so befähigter wird sie sein, den Leib zu beherrschen – ihn zu wandeln nach ihrem Willen. Diese spirituelle Macht können wir verwenden, um schön, gesund und stark zu sein und anderen liebenswert zu erscheinen. Wir können uns, unbewußt, durch die gleiche Kraft häßlich, krank, schwach und abstoßend machen; wenigstens für diese eine Existenz; denn am Ende muß, wenn die Evolution nach Verfeinerung und Vervollkommnung strebt, alles in höhere Formen resorbiert werden.

Diese magische Macht sind unsere Gedanken. Sie sind, wiewohl dem Auge unsichtbar, doch wirklich wie Blume, Baum und Frucht.

Die Gedanken biegen unaufhörlich unsre Muskeln nach dem Rhythmus der Gebärde, der aus dem Wesen des Charakters fließt.

Der Entschlossene hat einen anderen Schritt als der Zauderer. Ein unentschlossener Mensch hat die zögernde Geste, Haltung und Art, zu sprechen und seinen Körper zu gebrauchen, die, lange fortgesetzt, eben diesen Körper ungelenk, verformt und unzulänglich machen wird. Glieder sind gleich Buchstaben eines Briefes, der, in überhasteter und unsicherer Stimmung geschrieben, eine zerfahrene, fehlerhafte Schrift zeigt, während die halkyonische Stimmung – the serene mood – schöngefügte Sätze und harmonische Schriftlinien formt.

Jeden Tag stilisieren wir uns in eine Daseinsphase, denken uns in einen andern imaginären Charakter hinein – die dominierende Rolle, die wir am häufigsten spielen, wird dem Leib – der Maske dieser Rolle – die herrschende Linie verleihen.

Wer den größten Teil seines Lebens gewohnheitsmäßig klagt, übellaunig sich selbst bejammernd Orgien der Mißstimmung feiert, vergiftet sich das Blut, ruiniert die Gesichtszüge und verdirbt rettungslos seinen Teint, weil in dem unsichtbaren Laboratorium des Geistes ein giftiges Agens erzeugt wird – der Gedanke, der, in Aktion gesetzt, d. h. gedacht, nach einem unvermeidlichen Gesetz seinesgleichen aus der Umgebung an sich zieht! Sich einer gereizten, hilflosen Stimmung hingeben, heißt soviel wie Gedankenfluida von jedem gereizten und hilflosen Menschen der ganzen Stadt ein Tor öffnen, es heißt, seinen großen Magneten, den Geist, mit schädlichen zerstörerischen Strömen laden und die mentale Batterie mit allen Strömen gleicher Art in Kontakt setzen! Wer Diebstahl und Mord denkt, gerät auf diese Weise in spirituellen Rapport mit jedem Dieb und Mörder auf der ganzen Erde!

Dyspepsie kommt weniger von der Nahrung selbst als von der Stimmung, in der wir unsere Nahrung zu uns zu nehmen pflegen! Das gesündeste Brot, in Bitterkeit gegessen, wirkt wie Gift auf das Blut. Wenn um den Familientisch alle schweigend sitzen, mit jener resignierten und gezwungenen Miene, die zu sagen scheint: »Na, das muß auch wieder überstanden werden«, und der Hausherr sich in seine Geschäftssorgen vergräbt oder in seine Zeitung und da alle Morde und Selbstmorde und Einbruchdiebstähle und Skandale der letzten vierundzwanzig Stunden in sich hineinschlingt, während die Königin des Hauses verdrossen Wirtschaftsärger vor sich hinbrütet – da wird an diesem Tisch zugleich mit den Speisen ein Element von Ärger und Trübsal und Morbidität in jeden einzelnen Organismus praktiziert, das sich in irgendeiner Art von Dyspepsie äußern wird – – von einem Ende der Tafel zum andern, lückenlos, in reizender Kontinuität!

Ist der herrschende Ausdruck auf einem Gesicht die Grimasse – dann grimassieren auch die Gedanken hinter dieser Stirn. Sind die Winkel eines Mundes nach abwärts gezogen, so sind auch die Gedanken, die diesen Mund formen und beherrschen, trübe und abhängig. – Ein Gesicht ist das untrüglichste Merkmal der Geistigkeit, daher kommt nichts an Wert dem ersten Eindruck gleich. Die Stimmung der Hast, die aus der üblen Gewohnheit, dem Körper gedanklich vorauszueilen, stammt, beugt die Schultern vorwärts. Ein Vornehmer, der sich selbst beherrscht, hat nie »Eile«, er konzentriert seinen Willen, seine Kraft, seinen Intellekt einzig auf den einen Zweck, zu dem er den Leib, sein geistiges Instrument, in diesem einen Augenblick verwendet; so wird er daran gewöhnt, sich zu beherrschen, in jeder Geste graziös zu sein, weil sein Geist im absoluten und ungeschmälerten Besitz des Leibes und seiner Glieder ist – nicht meilenweit weg, rastlos hastend und sorgend um ferne Dinge, die erst in Stunden oder Tagen zu geschehen haben. –

Wer den Plan zu einem Geschäft, einem Unternehmen, einer Erfindung faßt, formt etwas in unsichtbaren Elementen, das so wirklich ist wie irgendeine Maschine aus Eisen und Holz. Dieser Plan, diese Unternehmung zieht wieder unsichtbare Kräfte zu ihrer Verwirklichung herbei – Kräfte, die ihre endliche Materialisierung in der Welt der Erscheinung herbeiführen. Wer hingegen ein Unheil fürchtet, in der Angst vor irgendeinem Übel lebt, Unglück erwartet, konstruiert ein Gedankenbild, eine schweigende Kraft, die nach dem gleichen Gesetz der Anziehung schädliche und zerstörende Elemente um sich sammelt. – Erfolg und Mißerfolg entspringen dem gleichen Gesetz, das diesem wie jenem dienstbar gemacht

werden kann, wie eines Menschen Arm einen andern vom Ertrin-
ken zu retten oder ihn zu erdolchen vermag!

*Wann immer wir denken, bauen wir aus unsichtbaren Substan-
zen etwas, das Kräfte an sich zieht – uns zu helfen, uns zu schaden,
dem Charakter der Gedanken gemäß, die wir ausgesandt haben.*

Wer darauf rechnet zu altern, wer immer im Geist ein Bildnis,
eine Konstruktion seiner selbst als eines Alten und Hinfälligen in
sich trägt – wird dem Alter unterliegen.

Wer imstande ist, einen Plan von sich selbst zu entwerfen, ein
Gedankenbild voll Jugend, Kraft und Gesundheit, in das er sich
hemmungslos versenkt, hinter dem er sich verschanzt gegen die
Legion Menschen, die immer wieder kommen und ihm sagen, er
werde altern, müsse altern – wer sich mit diesem Gedankenbild
restlos zu identifizieren vermag – bleibt jung.

*Wir müssen ohne Unterlaß das Ideal unserer selbst aufbauen;
damit ziehen wir Elemente an uns, die immer helfend mitwirken,
das ideale Gedankenbild zur Realität zu verdichten.* Wer es liebt,
der starken Dinge zu gedenken, der Berge und Ströme und Bäume,
zieht Elemente solcher Kraft an sich. Wer heute sich in Kraft und
Schönheit aufbaut und morgen zweifelt oder zurücksinkt in die alte
Meinung der Menge, zerstört nicht, was er im Geist aus Geist
erbaut. Das Werk stockt nur – es bleibt und harrt der nächsten
Stunde des Aufschwungs.

Ausdauer in dem Gedanken der Schönheit, der Kraft, der Jugend
ist der Grundstein ihrer Realisierung. Was wir am meisten denken,
werden wir sein! Ihr sagt »nein«! Aber eure Patienten denken
nicht: »Ich bin stark«, sondern »Was bin ich elend!« Eure Dysepti-
ker sagen nicht: »Ich will einen gesunden Magen haben«, sondern:
»Ich kann gar nichts mehr vertragen!« Sie können es auch wirklich
nicht – aus eben diesem Grund! – Wir pflegen unsere Krankheiten,
nicht uns selbst, wir wollen unsere Leiden gehätschelt sehen; haben
wir eine böse Erkältung, so fleht schon unser Husten unbewußt:
»Heute bin ich ein Gegenstand des Mitleids! Wie bin ich erbar-
mungswürdig!« Bei einer richtigen Behandlung müßten der Patient und seine ganze Umgebung, mit dem Gedankenbild der
Gesundheit gewappnet, gegen das Leiden zu Felde ziehen! *Heilun-
gen sind ebenso ansteckend wie Erkrankungen! Man erwischt
Gesundheit wie die Masern!*

Was würden die Erwachsenen darum geben, Glieder zu haben so
voll Frühling und Elastizität, wie sie der Knabe von zwölf Jahren
besitzt! Glieder, die auf Bäume klettern und auf Geländer gehen
und laufen – laufen, weil sie das Laufen lieben – weil sie nicht anders

können als laufen! Würden solche Glieder fabriziert und verkauft, was wäre da für eine Nachfrage von seiten all der korpulenten Herren und Damen, die aus den Wagen herausächzen, als wären sie Mehlsäcke. Wie kommt es, daß die Menschheit so resigniert, fast widerstandslos, die wachsende Schwere und Schlaffheit und Steife schon in den besten Jahren hinnimmt? Mir scheint, wir schließen einen Kompromiß mit diesen Erniedrigungen und nennen sie – Würde! Natürlich, ein Mann und ein Vater und Bürger und Wähler, eine Säule des Staates – der Dekrepitität soll nicht rennen und um sich hauen und springen wie ein Knabe, *weil er es nicht kann!*

Wir tragen unsere Mängel wie Ornate – humpeln herum und sagen: »So soll es sein, weil es nicht anders sein kann!« –

Es gibt immer mehr und mehr Möglichkeiten in der Natur, in den Welten, in und um den Menschen! – Sie kommen gerade so schnell, wie wir alle diese neuen Kräfte erkennen, üben, beherrschen lernen.

Aber die Trägheit!!!

Positive und negative Gedanken

Wir geben oder empfangen unaufhörlich geistige Elemente, wir sind wie eine elektrische Batterie, die Kraft entsendet und dann frisch gespeist werden muß. Wenn wir uns im Sprechen, Schreiben, Denken oder einer sonstigen Tätigkeit ausgeben, sind wir *positiv*, sonst *negativ*. In diesem negativen oder rezeptiven Zustand nehmen wir Kräfte und Elemente auf, die uns zeitweise Schaden oder dauernd Nutzen bringen können!

Es gibt vergiftete Geistesströme, wie es giftige Arsenik- oder Metalldämpfe gibt. Wer in passivem Zustand nur eine Stunde unter neidischen, haßerfüllten, zynischen oder unfreien Menschen in einem Zimmer sitzt, absorbiert von ihnen ein giftiges Gedankenelement voll Krankheit und zerstörerischer Kraft; ein Element, unendlich gefährlicher als chemisch nachweisbares Gift, weil seine Wirkungen subtiler und geheimnisvoller vor sich gehen, oft erst nach Tagen empfunden und dann irrtümlicherweise anderen Ursachen zugeschrieben werden!

Es ist von höchster Wichtigkeit, wo und in welcher Umgebung wir uns während des negativen Zustandes befinden, weil wir da, gleich einem Schwamm, mentales Fluidum absorbieren; und nach mehreren Stunden geistiger oder physischer Anstrengung, wenn wir positiv waren und Kraft ausgaben, ist der negative Zustand Naturrecht und Naturbedürfnis! Ihn künstlich zu unterdrücken oder hintanzuhalten, wäre verfehlt – aber Vorsicht tut not; nur unter sorgfältig gewählten Bedingungen ist es heilsam, sich ihm hinzugeben.

Wer in erschöpftem Zustand sich unter eine Menge unruhiger, fieberisch erregter Menschen begibt, wird von ihnen zwar nicht psychisch ausgesogen, denn er hat fast nichts zu geben, aber er nimmt, wenigstens vorübergehend, von ihrem inferioren Wesen in sich auf. Er hat, bildlich gesprochen, ein Bleigewicht an sein Leben gehängt! Er wird, wenn auch nur für kurze Zeit, etwas von ihrer Art zu denken und die Dinge zu beurteilen, annehmen; er wird klein-gläubig sein, wo er hoffnungsvoll war! *Die Pläne, die ihm noch kürzlich stark, nah und der Erfüllung sicher schienen, wirken plötzlich wie ferne Nebel!*

Er wird sich fürchten, wo er mutig zu sein pflegte! Wird unent-schlossen werden und in der Verwirrung des Augenblickes viel-leicht Dinge kaufen, die er nicht braucht, oder etwas sagen, etwas tun, einen Schritt in einer Angelegenheit machen, den er sicher nicht oder doch anders getan hätte, wäre er völlig er selbst gewesen; seine eigenen Gedanken denkend und nicht das umwölkte Gewirr der Masse um ihn her.

Müssen wir uns in eine Menschenmenge begeben, so soll es wenigstens nur dann sein, wenn wir mental am stärksten sind, um uns sofort zurückzuziehen, sobald wir anfangen, müde zu werden. Denn in den Stunden der Stärke sind wir der Magnet, der die schädlichen Ströme abstößt, denen wir im negativen Zustand wehrlos ausgeliefert wären! Positive Menschen sind Stürmer und Dränger – sie kommen am besten in der Welt vorwärts! Und doch ist es nicht gut, immer positiv Gedanken aussendend zu ein – *wer es ist, wird dadurch viele wertvolle Einfälle von sich abwehren und forttreiben.* Es muß eine Zeit geben, da das geistige Reservoir frisch gefüllt wird; je gründlicher der Inhalt wechselt, desto besser. Der positive Mensch, der immer jeden fremden Gedanken in Fechterpo-sition erwartet, der sich nie Zeit nimmt, dem Neuen, Unbekannten rezeptiv entgegenzuhorchen, der Unwahrscheinliches mit Unmög-lichem verwechselt, dem sein eigenes begrenztes Erkennen alleini-ger Standard ist – so ein Mensch muß notwendig in dieser geistigen Attitüde verarmen und kraftlos werden! *Umgekehrt gleichen die stets Negativen, die immer rezeptiv bleiben, immer die Meinung des letzten haben, den sie hörten, die sich durch ein Grinsen oder*

Achselzucken in ihren Plänen entmutigen lassen, diese Menschen gleichen einem Leitungssystem, das allen Schmutz und Mist durchläßt, bis alle Röhren verstopft sind gegen die wertvollen Ströme und sie unfähig werden, selbst positive Kräfte auszusenden.

Im allgemeinen gilt die Regel, positiv unter Weltmenschen zu sein, negativ in der richtig vorbereiteten Einsamkeit. Wer in der Einsamkeit noch geistig mit seinen Widersachern weiterkämpft, gibt sich überflüssig aus.

Wer sich mit den Sorgen anderer belädt, hat Zeiten dieser völligen Einsamkeit besonders nötig. – Da darf auch das Mitleid nicht herein, denn es zehrt von der Kraft, die gesammelt werden sollte, um dann besser Hilfe bringen zu können. Gleichwie ein Redner nicht die Stunde vor seiner großen Rede dazu verwenden wird, Kohlen die Treppe hinaufzutragen, um einen armen Taglöhner zu entlasten, denn durch das Kohlenschleppen würde er allen Glanz und alle Kraft und alle Inspiration in seinem Gehirne töten und vielleicht auch Gedanken, die direkt oder indirekt die Wege bahnen, um nicht nur diesen einen Taglöhner, sondern Tausende zu entlasten. Wer unaufhörlich mit den Massen verkehrt, muß notwendig viel von seiner Kraft im Mitschleppen fremder Atmosphäre vergeuden. Am schädlichsten macht sich das ununterbrochene Zusammenleben mit einer Person von niederem geistigem Range geltend; denn in den Zeiten der Passivität, die notwendig immer wiederkehren, werden wir den qualitativ minderwertigen Strömen unterliegen, ganz gleich, welchen Namen die Beziehungen zu dieser Person tragen – ob wir im Verhältnis eines Bruders, Sohnes oder Gatten zu ihr stehen. Denn von zwei Menschen, die verschiedenen geistigen Sphären angehören und doch im Gemüt enge verknüpft sind, wird immer die feinere, höhere und wertvollere Natur leiden und herabsinken, weil sie absorptionsfähiger ist, während die niedrigere Natur immer nur einen Teil des ihr Gesandten aufzunehmen vermag; der Rest geht verloren, nutz- und sinnlos!

Richtiger menschlicher Verkehr ist das größte Agens, um Glück, Gesundheit und Erfolg zu erlangen.» Verkehr« bedeutet hier etwas, das weit über physische Nähe hinausgeht! *Nah sind wir einem Menschen kraft der Intensität, mit der wir uns psychisch mit ihm beschäftigen – die räumliche Entfernung seines Leibes spielt da keine Rolle.* – Wer lange mit einer tieferstehenden Natur verbunden war, vermag daher nicht gleich die Wellen geistigen Verkehrs zu hemmen, die ihm von dieser Quelle gewohnheitsmäßig zugesandt werden. Er muß vergessen lernen, er darf ihrer nie feindlich gedenken, sondern *gar nicht;* so allein schneidet er die unsichtbaren telepathischen »Drähte« entzwei und ist befreit! Klingt das kalt, hart, grausam? Aber welchen Sinn kann es für zwei Menschen haben, in einer Erinnerungsverbindung zu bleiben, die einen oder beide Teile schädigt? Denn leidet ein Teil, so muß im Lauf der Zeit auch der andere leiden! – Ebenso unrichtig ist es, zur »Erholung« – also im passiven Zustand, spannende Romane zu lesen, von den Gestalten sich durchdringen zu lassen, sozusagen Kolportage- schicksal einzuatmen in Zeiten eigener Schwäche und Rezeptivität.

Während des Essens sollte man besonders passiv sein. Wer Nahrung, also Material zum Aufbau seines Körpers einnimmt, darf dies nur in ruhiger, ausgeglichener, freudiger Stimmung tun! Essen und nörgeln oder mit anderen disputieren oder Geschäften nachsinnen aber heißt positiv sein gerade zu der Zeit, wo absolute Negativität geboten wäre. Ob dies Nörgeln und Disputieren nur in Gedanken geschieht oder sich laut äußert, ist natürlich ganz gleich- gültig. – Ebenso ist es schädlich, wenn eine andere Person am Tische sitzt, die solchen Gemütszustand nährt, gegen die man sich inner- lich wappnen muß, die man duldet – denn schon das erfordert eine Kraftausgabe, ist positiv. Nur Menschen, die in reinster Sympathie leben, dürften Tischgenossen sein. Wer viel allein ist, zieht Ströme verwandter Geistigkeit an sich; der Raum, der durch längere Zeit mit eigenen Gedanken geladen wird, ist eben ein stärkerer Magnet! Wir leben dann in einer feineren und höheren Welt, Einflüsterun- gen zugänglich, die vielleicht erst als Hirngespinste scheu im Innersten verschlossen werden. Dann regt sich eines Tages wieder der Trieb nach Geselligkeit, man nimmt, was sich bietet, oder läßt sich hineintreiben in den Strom. *Die innere Welt wird zertrüm- mert, die Einflüsterungen erscheinen plötzlich im Licht der Alltags- meinung als »barer Unsinn«; der »gesunde Menschenverstand« fängt wieder zu plappern an und kritisiert und schwadroniert mit der blökenden Herde.* Später, wenn wir wieder allein sind, kommt ein Gefühl tiefer Unzufriedenheit und Mißstimmung über uns, eine vage Selbstanklage, daß wir die Rechte unserer Seele verleugnet hätten! Viele hohe Geister leiden unter der Last parasitärer Gedan- ken, die sich an sie klammern und sie unbewußt tief schädigen.

Gewiß, niemand soll und kann dauernd einsam sein; *wer aber die Kraft hat, die niederen Verbindungen abzuschneiden, eröffnet damit schon den höheren den Weg.* Wer die Kraft hat zu warten, zieht in der Welt der Erscheinungen solche Menschen auf seinen Lebensweg, die ihm die wirkliche Erholung und Hilfe geben, die

Geselligkeit bieten soll. Seine höchsten Gedanken sind das Binde-glied zwischen ihm und den Herren eben dieser Gedanken. Durch Festhalten seiner niedrigen Elemente aber scheidet er sich von der höheren Welt, an der auch er schon bis zu einem gewissen Grade teilhat.

Was ist denn der sogenannte gesellige Verkehr mehr als ein Dulden und Geduldetwerden, mehr als ein ewiges Wiederkäuen der gleichen Worte, Gebärden und Gedanken jahraus, jahrein. Das sind die Toten, die man ihre Toten begraben lassen soll!

Wirkliches, lebendiges Leben ist ein Zustand unendlicher Man-nigfaltigkeit, ein Eröffnen geistiger Strömungslinien, auf denen ein immerwährender Austausch von Kräften und Ideen stattfindet zwischen verschiedenen Geistern gleicher Stufe – das sind die Quellbrunnen, die aufsteigen in das ewige Sein!

Eine Quelle der Jugend: Jugend des Leibes und Jugend des Geistes, ist *die Fähigkeit, augenblicklich den ganzen mentalen Apparat positiv zu machen, wenn niedere, gröbere Gedanken in der Nähe sind, sich aber aufbauenden Strömen gegenüber negativ oder rezeptiv zu verhalten!*

Immer den Mut wie eine Flamme vor sich tragen!

Nichts fürchten und nichts unmöglich nennen!

Kein Individuum hassen – nur seinen Irrtum meiden!

Alle lieben – das Vertrauen aber vorsichtig und weise verteilen!

Einige praktische geistige Rezepte

Wir leben in der Tretmühle der Sinne. – Neue Erkenntnisse, neue Erfahrungen – und wären wir auch überzeugt von ihrer Wahrheit – gehen nur zu leicht in der *Leier* des Alltags, im geruhsamen Zotteltrott der Banalität wieder verloren.

Niemand von uns darf erwarten, sogleich und für alle Zeit zu neuen Gesetzen, Prinzipien und Methoden des Daseins emporzule-ben. Im vollen Bewußtsein ihrer Wahrhaftigkeit wird doch ein Teil – irgendein verborgenes Bockbeiniges in uns – sich still dagegen-stemmen.

Dieses Teil ist das Materielle – die Erfahrung des Leibes – des Blutes – der Zellen.

Darum können neue Intuitionen nicht oft genug wiederholt werden: »Es gibt eine höchste Macht und waltende Kraft, die alles durchdringt und belebt.«

Wir sind ein Teil dieser Kraft.

Und als solchem ist uns die Fähigkeit gegeben, durch dauerndes schweigendes Verlangen, Beten oder Wünschen immer mehr von den eingeborenen Qualitäten dieser höchsten Macht in uns zu ziehen.

Jeder unserer Gedanken ist eine Realität – eine Kraft (bitte sich das zweimal vorzusagen).

Jeder Gedanke ist ein Baustein am werdenden Schicksal – im Guten wie im Bösen.

Wer gegenwärtig gezwungen ist, in einem häßlichen Hause zu wohnen, an einem schlechten Tisch zu speisen, unter Menschen zu leben, die roh und gemein empfinden, der weigere sich in seiner tiefsten Imagination gegen all dies Unwürdige! Er lebe geistig in einem schöneren Hause, an einem edleren Tische mit höheren Menschen, und dieser Zustand seines Gemütes wird ihn zum Besseren geleiten ohne Mühsal, Bitterkeit und Zwang. Sei reich im Geiste, in der Phantasie und im Bewußtsein, und der materielle Reichtum folgt nach. Wer sich nur auf der untersten Sprosse der Leiter sieht, wird auch sein Leben lang dort bleiben.

Die dominierende Stimmung, sei sie nun gedrückt, sei sie sieghaft, ist es, die in Wahrheit alle physischen Bedingungen des Lebens im voraus wirkt. *Setze künftigen Möglichkeiten nie die Grenze!*

Sag nie: »Hier kann ich nicht weiter. Vor diesem oder jenem Manne werde ich stets zurückstehen. Oder: Mein Leib muß verfallen · und zugrundegehen, weil viele menschliche Leiber in der Vergangenheit so verfallen und zugrunde gegangen sind.«

Denke nicht: »Meine Fähigkeiten und Talente sind nur die des gemeinen Durchschnitts – ich werde leben und sterben wie die vielen Millionen um mich!«

So denken viele unbewußt und kerkern sich in eine Lüge ein! Sie laden die üblen und peinlichen Folgen der Lüge auf sich!

Sie sperren sich aus von der Möglichkeit, dereinst aufzusteigen über die Grenzen der heutigen Welt. – Sie scheiden sich vom Pfad der höheren Wahrheiten ohne Not.

Jeder Mensch hat latent in sich eine Fähigkeit, ein Talent, ein nuanciertes Vermögen, das einzig ist wie sein Dasein; denn im unendlichen Geschehen ist unendliche Mannigfaltigkeit der Erscheinung, sei es ein Dasein, ein Sonnenuntergang oder ein Menschengehirn.

Verlange bisweilen, von aller Furcht befreit zu werden. Jede Sekunde solchen Verlangens wirkt ein weniges, um dich auf immer aus der Sklaverei der Furcht zu führen. Das unendliche Bewußtsein kennt keine Furcht, und es ist dein ewiges Erbe, dem unendlichen Bewußtsein immer näherzukommen.

Wir absorbieren die Gedanken der Menschen, mit denen wir am meisten sympathisieren und verkehren. Sind sie inferior und leben sie gedanklich in niedrigeren Sphären, so werden wir dauernd Schaden leiden – denn immer ist es der höhere und feinere Geist, der in ungleicher Gemeinschaft unterliegt.

Erfolgreiche werfen uns gleich Fäden die Gedanken des Erfolges zu – von den Erfolglosen geht immer ein Mangel an Ordnung, Mangel an Systematik, Geduld oder gläubiger Kraft aus, der von uns eingesogen wird wie Wasser von einem Schwamm. Besser gar keinen Verkehr als den mit zerfahrenen, ziellosen Menschen; denn ihre Gedankenströme isolieren uns von den Wesen unserer eigenen Art: den wahren Freunden.

Wer sich keinen Rat in einer Lage, in einer Unternehmung, einem Geschäft weiß – der warte. Weise alle Gedanken an die Sache selbst zurück. Tue nichts. Das Wollen und der Vorsatz werden dadurch nur stärker werden. Man sammelt und speichert auf diese Weise nur Kräfte auf, die von überall herströmen; sie kommen in Form eines Einfalls, einer Inspiration, eines Zufalls oder einer Gelegenheit. Wir sind in diesem Warten nicht stille gestanden, die Aspiration trug uns im Gedankenstrom dem Einfall, der Gelegenheit entgegen! Wer in irgendeiner Unternehmung sich ausschließlich auf Menschen stützt, ist von der wahren Linie dauernden Erfolges abgekommen.

Von deinen Unternehmungen, deinen Plänen und Hoffnungen sprich nur zu solchen, von denen du ganz sicher bist, daß sie dir Erfolg wünschen. Sprich nie zu Leuten, die dir aus bloßer Höflichkeit zuhören; jedes Wort, das du sagst, bedeutet eine Kraft, die du deinem Unternehmen entziehst.

Die Zahl der Menschen, denen du dich mit Erfolg anvertrauen kannst, ist äußerst gering. Aber der gütige Wunsch eines einzigen Freundes, der dir durch zehn Minuten mit aufrichtigem Interesse zuhört, ist eine wirkliche lebendige, hilfreiche Macht, die sich dir paart, um von nun ab an deiner Seite zu deinem Heile fortzuwirken.

Wenn dein Ziel groß und gerecht ist, wirst du zu solchen Menschen geführt werden, denen du Vertrauen einflößt und zu denen du mit Sicherheit sprechen kannst.

Wenn du für dich selbst Gerechtigkeit verlangst, verlangst du sie im Namen der ganzen Rasse.

Wenn du es duldest, betrogen, übervorteilt, tyrannisiert zu

werden, ohne inneren und äußeren Protest, so hältst du es mit dem Betrug und der Gemeinheit.

Zehn Minuten im Hader wider das eigene Schicksal verbracht oder im Neid gegen fremdes Glück, bedeutet eine Summe eigener Kraft, dazu verwendet, sich sein Los zu verschlechtern. Jeder Gedanke des Neides oder Hasses fliegt zurück wie ein Bumerang. Häßliche Empfindungen gegen die Menschen, die im Reichtum dahinrollen, sind eine Vergeudung, die uns nicht nur Unglück einträgt, sondern auch kommendes Glück im voraus zerstört.

Wem diese Empfindungen zur zweiten Natur geworden sind, der darf natürlich nicht erwarten, sie mit einem Schlage ganz loszuwerden.

Die üblen Gewohnheiten eines ganzen Lebens müssen nach und nach entwurzelt werden.

Das eigene Zimmer ist die Werkstatt, in der dies neue Ich aus neuen geistigen Elementen aufgebaut werden sollte, ein Raum, den kein Fremder betreten darf und auch wir selbst nur in den Stunden, da wir unserer klaren und frohen Stimmung ganz sicher sind; dort sollen wir unsere wachen Träume zur Vollkommenheit träumen, dann wird im Laufe der Zeit dieser Raum förmlich geladen werden mit Glück; von jedem Gegenstande werden die Erinnerungen früherer Gedanken uns entgegenströmen und uns über uns selber hinaustragen zu Leistungen, die wie Wunder erscheinen.

Üble Laune und Unselbständigkeit sind Krankheiten. Der kranke Geist zeugt einen kranken Leib! *Die Majorität der Kranken bettet sich geistig das Krankenlager in mühsamer, jahrelanger Vorarbeit.*

Je länger man hingegen den Zustand immerwährender froher Erwartungen kultiviert, desto weniger tritt die Gefahr ein, ihn auch nur zeitweilig zu verlieren, weil er zur zweiten Natur geworden ist und es uns gar nicht mehr freisteht, ihn selbst oder die unaufhörlichen angenehmen Erfahrungen, die er mit sich führt, zu zerstören.

Wir alle sind durchwegs aus Kräften aufgebaut, die man Gedanken nennt, und unbewußt ist unser ganzes Tun ein Beten ohne Unterlaß! Beten natürlich nicht als ein bestimmtes Wortgefüge aufgefaßt.

Wenn ein Mensch die dunkle Seite des Lebens betrachtet und immer wieder seine Enttäuschungen und Schicksalsschläge aufs neue überdenkt, so betet er um gleiche Enttäuschungen und Schicksalsschläge für die Zukunft. *Wer Unglück erwartet, bittet darum und wird es auch zweifellos erhalten.*

Wir tragen nicht nur unsern Leib in die Gesellschaft der Menschen, sondern eine Aura, die alle instinktiv für oder gegen uns einnimmt, einerlei ob wir schweigen oder sprechen. Denn was wir denken, ist von unendlich größerer Wichtigkeit, als was wir sagen. Es kreist die spezifische Atmosphäre um uns, die abstößt oder anzieht. *Was immer uns widerfährt, ist die Folge einer langgehegten Stimmung.* Die Stimmung der Rechtlichkeit erzeugt auf die Dauer die besten und bleibendsten Resultate – das ist nicht Sentimentalität, sondern einfach Wissenschaft. Weil diese Gedankenrichtung eben Gelegenheiten und Menschen gleicher Art herbeizieht, verläßliche, in denen unser Leben geborgen ruht. –

»Laß nicht die Sonne untergehen ob deinem Zorn« – in diesem biblischen Gebet liegt das Geheimnis der Gesundheit. Wer sich böse und bedrückt zur Ruhe legt, weilt geistig dann im Schlaf durch Stunden in der Sphäre des Übels und häuft Trübsal für den kommenden Tag.

Die Unsitte der Hast ruiniert mehr Existenzen, als man ahnt. Wer am Morgen seine Schuhriemen in der Stimmung von Hast und Unruhe schnürt, wird den ganzen Tag über zur Rastlosigkeit neigen. Bete darum, aus dieser wirren Strömung herauszukommen – zur Ruhe! Die geruhsamen Menschen halten das Leben in starken Händen; sie lenken mit wenig Gebärden, mit wenig Arbeit ihres Leibes den Gang der Dinge, doch klaren, hohen Hauptes! Wer immer morgens beim Erwachen, ob Mann, ob Frau, sich überwältigt fühlt von allem, was an diesem Tag zu leisten ist, wer sich hineingedrängt sieht in die Gehetztheit der Haushaltungssorgen und Geschäfte und Einkäufe und tausend dringender Dinge – der setze sich sofort für dreißig Sekunden nieder und sage sich: »Ich will mich nicht durch diese Pflichten jagen und meistern lassen. Ich will nur mit einem Ding beginnen und die andern sich selbst überlassen, bis dieses eine gründlich getan ist.« Dann sind alle Chancen vorhanden, daß dieses eine glatt zu Ende geführt wird, und so der Reihe nach die übrigen. Das Kultivieren dieses ruhigen Stromes konzentrierter Gedanken trägt uns dann weiter zu vorteilhafteren Verhältnissen, Szenen, Ereignissen und Bekanntschaften als die halb irrsinnige Stimmung rasender Hast.

Wir alle glauben heute noch an viele Unwahrheiten. Wir glauben unbewußt. Der Irrtum wird nicht offenbar. So fahren wir fort, unseren unbewußten Fehlern gemäß zu leben – und die Leiden unseres Lebens fließen aus diesen unbewußten Fehlern.

Bete täglich um die Fähigkeit, das Falsche in den Vorstellungen zu erkennen, und wenn es weit mehr ist, als du erträumt, erschrick nicht!

Bist du leidend und glaubst, irgendeine Arzenei oder ein ärztlicher Rat könnte dir nützen, so nimm die Arzenei, befolge den Rat, aber immer mit dem stillen Gedanken am Grunde: Ich nehme diese Arzenei nicht als Heilmittel für meinen Leib, nur als Unterstützung meines Geistes, der bald die Kraft und Gabe erlangt haben wird, sich immer selbst zu helfen.

Lehre dein Kind niemals, gering von sich zu denken. Gewöhnt es sich, so zu empfinden, so werden auch andere sich gewöhnen, es niedrig zu achten, jetzt das Kind, später den Mann.

Nichts schädigt das Individuum mehr als Selbstverkleinerung, und manches Kind tritt geschwächt durch die Last jahrelanger Nörgelei ins Leben. Lehre dein Kind, nur Erfolg zu träumen und zu erwarten. Langandauernde Erwartung des Erfolges bringt Ursachen, Mittel und Wege zu diesem Erfolge.

Wir haben ja bis jetzt nur die vagsten Vorstellungen, was das Leben bedeuten könnte, welche Möglichkeiten in ihm ruhen. Ein Attribut des relativ vollkommenen Lebens wird der Menschheit kommen, da sie befähigt sein wird, ihren Leib beliebig zu erneuern, ihn beliebig lange zu behalten. Einen Leib, frei von Schmerz und schön über die Maßen! *Sage von irgendeiner Sache – »sie muß geschehen«, und tausend Kräfte rühren sich, sie zu vollbringen, darum ist Vorsicht im Wünschen geboten – der Wunsch kann zu einem Fluche werden. Daher übe die Stimmung der Demut vor einem unendlichen Bewußtsein – sei immer bereit, zu empfangen von einer höheren Strömung, die dich die wahren Werte erkennen lehrt – und was du wünschen sollst!*

Ob Mann, ob Frau – dein Leben kann nicht vollkommen sein, du kannst dich nicht von Kraft zu Kraft emporbauen, ehe du deinem zweiten Ich – deiner Ergänzung im anderen Geschlecht – begegnet bist und es spirituell erkannt hast. – Nach diesem Erkennen gibt es kein Scheiden mehr.

Seien wir beim Essen und Trinken stets eingedenk, daß wir bei jedem Bissen einen Gedanken in unseren Leib hineinbauen, gemäß dem Geist, in dem wir essen. Bemühe dich, freudig, frei und hoffnungsvoll zu sein bei deiner Mahlzeit – und kannst du diese Stimmung nicht halten, bete um sie!

Tag und Nacht das unendliche Bewußtsein um höchste Weisheit bitten, um Kraft und Freude, und dies in einer Stimmung des Gemütes, die die Überlegenheit jenes unendlichen Bewußtseins in Demut anerkennt, heißt in Wahrheit, der Flutwelle alles Besten sich hinzugeben. Denn immer höhere Erkenntnisströme fließen dann durch unser Sein, das in der rechten Richtung steht, diese Wellen aufzufangen, die uns nach und nach aus unseren Fehlern hinaustragen werden vom Besseren zum Besten. Es trägt uns allmählich in andere Umgebungen, auf andere Lebenswege und in die Nähe derer, nach denen unsere tiefste Not verlangt.

Gott in den Bäumen

Glücklich der Mensch, der Bäume liebt, besonders die großen, freien, die wild wachsen an der Stelle, wo die unendliche Kraft sie gepflanzt hat, und die unabhängig geblieben sind von der Fürsorge der Menschen. Denn alles Unkultivierte, Natürliche ist näher dem Allbewußtsein als das durch Menschenwillen sklavisch gezähmte, verkünstelte, gezüchtete! Die freigeborenen Dinge atmen reiner den Geistesrhythmus des Unendlichen, daher strahlt ein Berauschendes, eine unbeschreibliche freie Freude auf uns über inmitten des Wildnatürlichen im Wald, auf Bergen, überall, wo keine Spuren menschlicher Arbeit sich finden.

Wir atmen eine Emanation, die von Bäumen, Felsen, Vögeln – von jeder Form des Unendlichen – unaufhörlich ausströmt! Es heilt und erneut! Es ist mehr als Luft! Eine psychische Kraft, die aus der Allbelebtheit fließt. Weder in Städten noch in kultivierten Gärten ist sie zu finden. Glücklich, wer eine lebendig starke und ernste Liebe zu den wilden Bäumen und Vögeln und Tieren faßt, wer sie als gleichgeboren mit sich selbst empfindet und weiß, daß auch sie ihm Wertvolles zum Tausche schenken für seine Liebe. Alles Lebendige reagiert auf Sympathie und Antipathie. Wir repräsentieren einen Teil des unendlichen Bewußtseins, die Bäume einen anderen Teil. Liebe aber ist ein unsichtbares Element, das »lebendige Wasser« der Welt, und strömt in großen Wellenzügen von Teil zu Teil in jenem geistigen Kosmos, der uns alle unsichtbar umgibt. – Der Baum ist ein lebendiger Gedanke Gottes. Ein Gedanke, unserer Aufmerksamkeit wert. Er enthält eine Form der Weisheit, die uns vielleicht fehlt, – die wir noch nicht erworben haben. Wir brauchen auch diese Weisheit, weil jede wahrhaftige Anschauung Macht bringt, und wir brauchen Macht, um reinere, schönere gesündere Körper zu bekommen. Wir wollen endgültig von Krankheit befreit werden. Wir brauchen leichtere Herzen und einen froheren Geist! Wir wollen neues Leben und neue Freude am Leben an jedem neuen Tag! Unsere Körper sollen leichter, nicht schwerer werden mit zunehmenden Jahren! Wir wollen Gewißheit! Wir wollen uns des unendlichen Geistes in jeder Zelle bewußt werden – *wir wollen die Anschauung der Unsterblichkeit erlangen!*

Wir brauchen Fähigkeiten, die bis jetzt den »Sterblichen« versagt waren. Wir wollen über die Zufälligkeiten des Leibes erhoben werden, über Schmerzen und Tod des irdischen Leibes!

Können uns die Bäume dies alles geben? Helfen können sie, wenn es uns gelingt, in ihren Geist einzudringen, wenn wir uns mehr und mehr jenes Teiles der unendlichen Kraft bewußt werden, deren Ausdruck die Bäume sind. Wenn wir sie als Brennholz betrachten oder Material für Fässer, werden wir wenig von ihrem Leben bekommen. Wer wirklich dahinkommt, das Allbewußtsein in jeder seiner Formen zu lieben, wird für diese Liebe rückströmend ein Element empfangen, das ihn durchdringen wird mit jener Weisheit, an der diese bestimmte Form teil hat, – deren lebendiges Abbild sie ist. Aus dem liebenden Verschmelzen mit der Idee des Baumes wird nun die Menschheit lernen, welch höherer Nutzen aus Wäldern zu ziehen ist als der, den sie durch Bau- und Brennholz gewinnt. Die Liebe wird ihr sagen, wie die Wälder mit ihren ungeheueren Oberflächen von Milliarden Zweigen, Ästen und Blättern ideale Leiter eines höchst geistigen Elementes sind, das sie akkumulieren und an den Menschen, seiner Fähigkeit zu empfangen gemäß, abgeben! Je mehr das Wesen des Baumes, Vogels, Tieres in uns lebendig wird, desto mehr gewinnen wir Anteil an den lebendigen Kräften, die jede dieser Organisationen zu empfangen und zu geben vermag. Denn jede dieser Lebensformen hatte ihre spezielle Art der Kraft, die durch Sympathie auf uns übertragbar wird, – ein Lebenselixier der feineren Geister. Aber Liebe erhält nur, wer Liebe gibt! Wir können Liebe aus dem Unendlichen an uns ziehen in dem Maße, wie wir jede Form des Unendlichen lieben, sei es Strauch, Beere, Insekt oder Vogel. Niemand aber kann zerstören oder vergewaltigen, was er wahrhaft liebt. Das spezifische Element jeder lebendigen Form, das in uns überströmt, ist Leben! – In dem Maße, wie wir davon absorbieren, werden Kräfte in uns erwachen, die nur mit dem Worte »Wunder« auszuschöpfen sind.

Zerstört die Wälder, und ihr schneidet diesen Kräften die Wege ab, zu wirken. Ersetzt die wilden Bäume durch künstliche Spielarten, und diese Kräfte verkümmern, wie ja auch ein Obstbaum vom Standpunkt des Baumes verkümmert ist, der »veredelte« Früchte trägt, – der Calvillapfel ist ein künstliches Degenerationsprodukt, wie die Leber der gestopften Gans.

Wenn wir uns dereinst ewiger Jugend, Freude und Gesundheit nähern, wird unser Verhalten den Bäumen und allem Belebten gegenüber völlig verändert sein. Wir werden erkennen, daß, sobald wir Bäume, Pflanzen, Insekten und Vögel lieben und sie völlig sich selbst überlassen, *der Teil des Unendlichen, der ihr Wesen ausmacht, zum Dank auf uns überströmt.*

»Aber wie soll man denn leben«, fragen die Menschen, »ohne Holz, ohne pflanzliche oder tierische Nahrung?«

Ja, sollte es denn nur die eine Form des Lebens in Ewigkeit geben! Sollten unserem Empfinden gemäß sich die Existenzbedingungen nicht wandeln lassen! Schon jetzt gibt es Millionen, deren tiefster Instinkt tierische Nahrung mit Ekel zurückweist. Gewiß kann die Menschheit nicht augenblicklich mit der Vergewaltigung des Tier- und Pflanzenreiches aufhören. So lange ein Verlangen nach solcher Art der Ernährung besteht, soll es befriedigt werden, – nur das natürliche Absterben solcher Triebe hat Wert. Wenn der Geist diese Dinge regelt, geschieht es organisch von innen heraus und für immer! Der Irrtum der Menschheit bis jetzt war, daß sie oft versuchte, sich absichtlich aus eigener Willenskraft zu spiritualisieren, indem sie durch Fasten, Bußen usw. sich der Dinge enthielt, nach denen sie verlangte. Nie hat sie sich noch durch solche Mittel von Krankheit, Verfall und Tod zu retten vermocht. Nie noch hat sie auf diese Art ihren Leib erneuert. Er zerfiel genau wie die Leiber der Schlemmer und Trunkenbolde. Askese ist Mangel an Vertrauen in die Macht des unendlichen Bewußtseins, uns zur höheren Stufe zu geleiten. Selbst sein Heil wirken wollen, das ist eine der größten Sünden, weil es den Menschen, wenigstens zeitweise, vom unendlichen Bewußtsein abschneidet und von dem Leben, das ihm auf diesem Wege gesandt wird, sobald er bittet und vertraut. Es führt kein anderer Pfad aus Lastern, Fehlern und schlechten Gewohnheiten heraus, als die beharrliche Bitte, das *Verlangen* auszulöschen, aus dem sie sonst stets aufs neue erwachsen.

In jedem Atemzuge spricht das unendliche Bewußtsein: »Kommt zu mir – verlangt von mir – findet mich in allem Geschaffenen, so sende ich euch ewig Neues an Leib und Geist, das eure Bräuche und Leidenschaften und Wünsche verwandeln soll, so daß allmählich alles Rohe von euch abfällt und alle dumpfen Begierden, die wider ein Gesetz sind, – und euch an ihrer Statt Freuden bringt aus Gegenden der Seele, die zu fassen heute noch kein Sterblicher vermag.«

In dem Maße, wie wir einem feineren und daher dauernderen Leben entgegenwachsen (und wir können gar nicht anders), werden wir die Ehrfurcht vor allem Lebendigen lernen und es in seiner Freiheit ungestört belassen, – weil wir es lieben. Einen Vogel, den wir gefangen halten, aber lieben wir nicht, – wir lieben nur unser Vergnügen am Vogel. Die höchste Liebe zu allem Lebendigen ist also ein Weg zum Leben selbst, das wie aus tausend Batterien in uns zurückfließt, nicht nur aus Baum und Vogel und Insekt, – aus den wirbelnden Schneeflocken und Sturm und Meer! Nicht als sentimentalische Betrachtung, sondern als lebendige Kraft! Warum diese Liebe nicht schon in uns eingeboren ist? – Warum erst noch so viel Qual und Mühe und Tod? – Wir wissen es nicht! Genug, daß wir einen Weg sehen, der aus allem hinausführt, was wir Übel nennen.

Der praktische Wert der Träumerei

In der Zeit des Wachens unaufhörlich zu denken, ist unnötig. Eine aufreibende Gewohnheit, die zur Folge hat, daß eine gleiche Gruppe von Ideen bis zur Erschöpfung wiederholt wird.

Eine der erhabensten Quellen aller Macht und allen Heiles ist die Fähigkeit, positive Gedanken nach Belieben auszuschalten; in vollkommener physischer Ruhe verharrend, einer Träumerei sich hinzugeben. Nur das Stückchen Landschaft zu sehen, das vor dem Auge schwimmt, oder leise, wolkige Bilder am Bewußtsein vorüberziehen zu lassen.

Sechzig Sekunden der Träumerei sind sechzig Sekunden lebendiger Ruhe für Leib und Geist. Selbst in der niederen Region materiellen Erfolges wird der Sieger bleiben, dem es möglich ist, nach Willen zu ruhen, d. h. passiv zu werden und Gedanken nach Willkür aus sich weg zu weisen. Er hält die Zügel des Lebens, denn in den Momenten der Versunkenheit öffnet sich das Tor für neue Ideen, Pläne und Unternehmungen, die dann, im wachbewußten Zustande still und zähe festgehalten, ihm die Erfüllung, die Realität bringen.

Die Menschen von heute sind alle atemlos, rasen jahraus, jahrein ein totes Rennen im Karussell der ewig gleichen Gedanken! Wie könnten sie in diesem abgehetzten Zustande auch nur fähig sein, Gelegenheiten wahrzunehmen, die auf ihrem Wege liegen; und wenn sie sie wahrnehmen, fehlt der Mut des spannkräftigen Zugreifens. Sie tun heute genau das gleiche wie gestern und nur, weil sie es gestern taten. Sklaven ihres eigenen Gemütszustandes, der sie an Ketten stärker als Stahl niederhält im Banne immer gleicher, jagender, hündischer Gedanken! Sie glauben immer etwas tun zu müssen – vornehmlich etwas »Nützliches« mit Händen und Hirn! Auch im Schlafe rackern sie sinnlos weiter – wie blinde Pferde am Seil! Ihr Erwachen ist ohne Frische – – der Schlaf ist ihnen nicht das Lebenselixier wie denen, *die eine Kultur des Träumens besitzen oder der Versenkung, Konzentration – wie immer man es nennen mag.* – Auf Seereisen werden die rastlosen Barbaren durch alle Kabinen rasen von einem Ende des Schiffes zum andern; werden suchen, sie wissen nicht was! In der Eisenbahn beherrscht sie der ungeduldige Wunsch, so schnell wie möglich ans Ziel zu kommen – sobald sie am Ziel sind, wissen sie nicht, was mit sich anfangen. In ihrem eigenen Heim wird unaufhörlich herumgewirtschaftet – am Ende des Tages ist dann für wahren Vorteil und wirkliches Gedeihen fast nichts geschehen!

Mentale Spannungen – und wozu? Eine Maschine, die leer läuft, wenn keine Arbeit zu tun ist!

General Grants Zigarre gewann ihm mehr Schlachten als sein Schwert! Ganz abgesehen von den Wirkungen des Nikotins erzeugt der Akt des Inhalierens, das Auspuffen des Rauches, die unwillkürliche Beobachtung der auseinanderschmelzenden Wölkchen schon die Stimmung der Meditation, den passiv verträumten Zustand, da der Geist nicht nur ruht, sondern neue Intuitionen empfängt.

Tabak soll damit weder empfohlen noch verdammt werden, er ist eines der vielen unvollkommenen Mittel, einen wünschenswerten Zustand herbeizuführen, der sicher auf anderen, innerlichen Wegen dauernder und mit größerem Vorteil zu erlangen ist.

Ein Weg aus vielen: Wer diese Seiten liest, halte ab und zu inne, lehne sich in seinen Stuhl zurück mit passiv herabhängenden Armen, ohne zu denken, drei, fünf Sekunden lang! Eine Wolke, ein Rauchsäulchen oder ein Baum, ein Ast, bewegt vom Winde, mag den Blick binden, solange es Freude bereitet, nicht länger. Wer auch nicht für fünf Sekunden physisch oder psychisch ruhen kann (und es gibt viele, die das nicht können), vermeide wenigstens allzu spastische, jäh nervöse Bewegungen! Er hat dann seine erste Lektion in der hohen Kunst der Träumerei oder mentalen Abstraktion genommen. Er hat seinem Leib ein Atom wirklicher Rast gegönnt! Sein Geist hat ein Atom lebendiger Kraft an sich gezogen, das nicht mehr verlorengehen kann. Wer die Rastlosigkeit eines ganzen Lebens zu besiegen hat, darf nicht gleich einen vollen Erfolg erwarten. Doch die Saat der Stille ist nun in ihn gesät! Dieser Gedanke wird ihn nicht mehr verlassen. Doch er mühe sich nicht allzusehr und zu absichtlich, ihn zu kultivieren! Alles muß und wird von innen heraus wachsen.

Jeder Mensch vermag die harmonische Herrschaft über sich und seinen Leib bis in die (fälschlich sogenannten) trivialsten Akte des täglichen Lebens zu tragen: beim Aufstehen, Gehen, beim Öffnen oder Schließen einer Tür, bei der Art, die Seiten eines Buches umzuschlagen.

Wer in den Stunden des Wachens die kontemplative Stimmung festzuhalten vermag, wird auch bald einen erfrischenderen und gesünderen Schlaf erlangen – bestimmt doch die dominierende Tagesstimmung auch jene der folgenden Nacht. Schlaflosigkeit entspricht psychischer Zerfahrenheit – einem spastischen Gedankenkrampfe, der einen Menschen stundenlang wachhält, sich hin und her wälzend, unfähig einzuschlafen, mit Gliedern, die von Erschöpfung brennen. – Mit der Kultur der Ruhe aber wächst der Wille zu einer Macht, die Schlaf oder absolute Passivität augenblicklich erzeugen kann.

Nie aber soll man mentale Stimmungen üben, wenn es unbequem oder langweilig erscheint – das retardiert eher! Nur in den Augenblicken, da es spontan erfreut, darf man üben! Das Mysterium und die Schönheit innerer Entwicklung ist ja, daß sie wächst wie Korn und Weizen, in der Stille, unbewußt! In zwei, drei, fünf Jahren werden dann alle Gebärden verändert, getragen und harmonisch sein. Bei der gedanklichen Anarchie, in der die Menschheit heute lebt, wird der Körper ja faktisch in Stücke zerrissen, an den jagenden Gedanken, die ziel- und zwecklos hier, dort, überall und auf allem sind zu allen Stunden – hemmungslos! – Jede Handlung, jeder Schritt kann in dem Maße, wie die Serenität wächst, zu einer Quelle des Vergnügens werden, wenn er nicht mehr als Hindernis, als Aufenthalt in der Jagd von Überflüssigkeit zu Überflüssigkeit erscheint. Was man aber gern macht, macht man gut; so setzt sich allmählich das ganze Leben aus vollendeten Elementen zusammen, von denen keines einreißt, was das andere aufbaut. Jede Einzeltat wird ein neuer Magnet, der sich verstärkt, und »Wunder« würden wir nennen, was die Menschheit durch diese einfachen Übungen zu vollbringen imstande wäre!

Christus und Moses, alle Seher und Magier waren »in der Ruhe«. – So akkumulierte sich in ihnen die psychische Kraft, die dann, auf einen Kranken konzentriert, diesen wie mit neuem Leben erfüllte. – In der Geschichte von Martha und Maria hat eben Maria das bessere Teil erwählt, weil sie fern von häuslichen Mühen, in der Stille, Kräfte erwarb, die, richtig geleitet, in Sekunden mehr zu vollbringen vermochten als Martha in ihrer Trübsal aller Tage.

Martha arbeitete sich ab – Maria baute sich auf! – Die Kultur der

Ruhe steigert auch die Geistesgegenwart! Geistesgegenwart ist doch die Fähigkeit, zu jeder beliebigen Zeit alles in sich zu mobilisieren, was man an Wissen, Tatkraft, Entschlossenheit und Takt besitzt. – *Die augenblickliche Präsenz aller Eigenschaften macht allein ihren Wert.* Im ruhenden Geist aber sind sie konzentriert, jagen nicht zerstreut nach tausend Objekten. –

Die kontemplative Stimmung ist die ausgeruhte Besatzung der Gedankenfeste. – Gehetzte, nervöse, daher stets ermüdete Menschen werden darum selten in irgend etwas exzellieren, sie sind nicht Magneten, die durch Ruhe arbeiten, durch jede Tat stärker werden statt schwächer!

Wer seine Kraft bewahren und seinen Geist ausruhen lassen kann, wird Nerven wie Stahl bekommen; ein Fluidum wird von ihm ausgehen, das das unbändigste Pferd unter ihm gefügig macht! Mut ist wie eine magnetische Wolke, die nichts durchbrechen kann! Die Möglichkeiten, die hier liegen, sind unbegrenzt. Der Leib kann dazu gebracht werden, allen materiellen Einflüssen zu trotzen, jedes Organ kann zehnmal so viel Widerstandskraft gewinnen als jetzt!

Träumerei kann, wie jede andere Fähigkeit, übertrieben entwikkelt werden, wie bei Menschen, die schlafwachend nicht mehr wissen, was ihre Körper tun. Ihnen mangelt die positive Kraft, nach eigenem Wollen zur Tat überzugehen, wenn Taten not tun. Es muß ein Gleichgewicht hergestellt werden zwischen dem positiven und negativen Komplex der Kräfte, der Mensch muß lernen, sich nach freier Willkür in den einen oder andern Zustand zu werfen, wann, wo und auf wie lange es ihm beliebt. Dabei kann die Ein- und Abnahme der Kräfte so genau eingerichtet werden, daß stets ein kleiner Überschuß an Kraft bei jedem Zustandswechsel akkumuliert, wie ein Ingenieur überschüssigen Dampf in der Maschine vorrätig läßt. Viele geben heute immer sofort geistig aus, was sie einnehmen, und stehen dann in unvorhergesehenen Fällen völlig hilflos da.

Mit der wachsenden Fähigkeit, kontemplativ zu werden, verändern sich auch Atem und Herzschlag. Die künstlich geübte Zwerchfellatmung – Pranayama, der methodische lange Ein- und Aushauch der indischen Yogis, stellt sich von selbst als natürliche äußere Folge eines inneren Zustandes ein mit allen wunderbaren Zeichen an Leib und Gemüt.

Es gibt ein seelisches Atmen, einen psychischen Rhythmus, dessen sichtbares Korrelat die Lungenatmung darstellt. Wer in dem Strome aufbauender Gedanken lebt, in den er kraft der Träumerei einzutauchen vermag, ist befähigt, innerlich ein Element zu absorbieren, eine Atmosphäre, freier, mächtiger und lebensvoller als die Luft der Erde – das Prana der Inder. Aus diesem göttlichen Äther gewinnt der Mensch das Lebenselixier! Es wird ihm in der materiellen Sphäre ungeheure Kräfte verleihen, Taten des Lebens zu vollbringen, wo solche not tun.

Das Mysterium des Schlafes oder Unsere doppelte Existenz

Wir leben, handeln, leiden und freuen uns ebensosehr im Schlaf wie im wachen Zustand! Wir leben dann vermöge jener feineren spirituellen Sinne, die wir alle im Embryo besitzen und von denen Gesicht, Geruch, Gefühl, Geschmack, Gehör des physischen Körpers nur rohe Abbilder sind.

Dieser Abschnitt unseres Daseins verlöscht, sobald die äußeren Sinne beim Erwachen wieder in Aktion treten – weil das Tagesbewußtsein nur befähigt ist, Fragmente jener Szenen, Ereignisse und Erfahrungen zu behalten, die wir, während unser Leib bewußtlos liegt, erleben. Solche Fragmente – oft unzusammenhängend, vag' und verworren – nennen wir Träume.

Unsere Träume sind die dumpfen Spuren eines wirklichen Lebens – eines Lebens, das sich in andern Sinnen abspielt und nur bruchstückweise am Tagesbewußtsein haften bleibt.

Im Schlaf verbindet ein Gedankengang (das silberne Zwischenglied) Leib und Geist – mag auch der Geist sich weit vom Leib entfernen. Durch dieses Band sendet der Geist dem schlafenden Körper einen Lebensstrom guter oder schädlicher Art, der Gedankenwelt entsprechend, in der sich der Geist bewegt.

Der Tod, d. h. der Zerfall des Körpers, tritt ein, wenn dieses Band reißt. Reicht der Geist zu einem Zustand empor, der ihn befähigt, immer neue Gedanken und Wahrheiten zu absorbieren, so wird das Band stärker und stärker und kann nicht reißen. Wir werden den Quellbrunnen gleich, die emporspringen in das Leben der Ewigkeit.

So leben wir denn zwei getrennte Existenzen, die einander wechselseitig auslöschen. Wir sind im Lauf von vierundzwanzig Stunden zwei getrennte Wesen, die fast nichts von einander wissen. Wir leben täglich in zwei räumlich nahen Welten, getrennt durch einen Abgrund von Bewußtlosigkeit.

Wir haben ein materielles Erinnerungsvermögen, das unsere

spirituelle Existenz nicht registriert, so wie die spirituelle Erinnerung das Tagesleben ausschaltet.

Schon Paulus spricht vom natürlichen Leib und dem geistigen Leib. Dieser Geist-Leib existiert gleichzeitig mit dem physischen Körper, also auch nach dessen Verfall, wie er vor der Geburt schon war.

Bei Tag und Nacht, schlafend und wachend, besteht der Mensch aus zwei Wesen, die einander fremd sind, aber am gleichen Geiste teilhaben. *Bei Tag benützt dieser Geist einen Körper, wie der Bergmann ein rauhes Gewand anlegt, um in den Schacht einzufahren. In der anderen Existenz benützt er die Körpersinne nicht – nur daß alles »drüben« Erlebte im Tagesbewußtsein als Traumerinnerung naturgemäß nur wieder in den Denk- und Sinnesformen des Tages dargestellt werden kann.*

In dem Maße, wie sich unser wahres Selbst entwickelt, werden wir lernen, mit dieser höheren Sinnengruppe direkt zu operieren, ohne sie erst ins Physische zurückzutransponieren.

Columbus entdeckte eine neue Welt. Aber in jedem von uns ist eine halbe Welt – ein halbes Leben, das noch der Entdeckung harrt, um dann kultiviert, verbessert und im wahrsten Sinne des Wortes ans Licht gebracht zu werden.

In dem Maße, wie unsere Geister oder Seelen in dieser oder einer nächsten Existenz sich entwickeln, werden die zwei Welten oder Existenzen verschmolzen werden, so daß wir bewußt in beiden zu leben vermögen.

Bitte und Verlangen werden uns diesem Mysterium näherbringen. – »Gebet ohne Unterlaß«, d. h. der beharrliche Wunsch, die Wahrheit zu erkennen, wird uns diese großen Kräfte, deren Keime in uns schlafen, offenbaren, und dann wird das Leben zu etwas anderem werden, als es die traurige Gegenwart kennt.

Dann werden wir beide Existenzen selig überschauen. Jetzt würde uns dies Wissen wenig Vorteil bringen, da wir aus Unkenntnis gewöhnt sind, im Schlaf in die gleiche Welt der Sorgen, Mühen, des Zornes und der Maßlosigkeit zu wandern, die so viele auch im wachen Zustand bevölkern. Zum Glück für uns bringen wir wenig davon in das Tagesbewußtsein zurück – sonst würde das Dasein zwiefach elend. Aber die üblen Folgen dieses Irrens durch tiefere spirituelle Regionen bringen wir aus dem Schlaf zurück. Zwei Stunden, in reinen Traumreichen verbracht, stärken und erfrischen dagegen mehr als zehn Stunden in niederen Schlafregionen. Schlaf ist der Zustand der Ruhe und Regeneration für den physischen Körper, aber nicht für das Geistwesen. Das Auge, das im Traume sieht, schaut gedankenweit – *ein Auge am äußersten Ende des Gedankenstrahls!* Unser Geist kehrt im Schlaf zu der ihm adäquaten spirituellen Welt zurück und lebt in ihr. Von dort kehrt er heim, beladen mit dem spezifischen Gedankenelement jener Sphäre – einem Element, das dem Körper Stärke oder Schwäche, Wohl oder Wehe bringt. Insofern unser Geist beschwingt und rein ist, voll Sehnsucht nach Macht und Güte – Sehnsucht nach dem Glauben an die grandiosen Möglichkeiten des Seins, eines ewig verjüngten Leibes, schön und frei von Pein – bringt er aus dem Reich des Schlafes dem Körper von diesen Gütern. Ist er dagegen eng und neidisch, gläubig nur gegen das, was sichtbar und fühlbar ist – am Tode klebend und am materiellen Schein –, so bringt er aus dieser seiner Welt immer neue Elemente des Verfalls in das physische Leben mit. Schlaf ist nicht immer Ausruhen! Der rastlose, sorgende, nörgelnde, zornige Geist geht (wenn kein Gebet nach Friede und Kraft eingreift) in die Sphäre der Unrast ein, und Unrast wieder ist es, die er beim Erwachen dem Körper mitteilt. Ist der Geist auf den Gedanken der Krankheit gerichtet, so geht er in eine Welt des Leidens ein; und Leiden sind es, die er in das Wachsein gießt.

Ein Kranker muß daher gerade vor dem Einschlafen seine Gedanken auf Bilder der Gesundheit konzentrieren – er muß sich sagen: »Nur das Instrument, das ich benütze, ist beschädigt. Was ich denke, bin ich. Mein spirituelles Ego ist heil – und so muß es im Schlaf auch meinem Leibe Heilung senden.«

Er sage sich das jeden Abend; und kommt die Wirkung nicht gleich, so möge er bedenken, daß vielleicht ein ganzes Leben irrigen Denkens gutzumachen ist, daß ein spirituelles Wachstum aus solchen Fehlern heraus langsam vor sich geht, aber daß es sicher und unzerstörbar sein wird.

Das unbekannte Leben während des Schlafes ist wichtiger als die wache Existenz – denn es ist das Leben der geistigen Sinne und ihrer Entwicklung geweiht. Unser wahres Sein ist ja jene unsichtbare Kraft, von der unser täglicher und stündlicher Gedanke Zeugnis gibt. Die Gedanken sind die Fundamente des Leibes; unser Denken ist der Frühling, der den Quell des Lebens speist.

Der Geist nährt den Leib während des Schlafes mit den ihm eigentümlichen Überzeugungen und Meinungen. Wer fest und ohne Zweifel, ja ohne zu fragen glaubt, sein Leib müsse im Laufe der Zeit Zeichen des Alters und Verfalls zeigen, dem wird sein Geist die Gedankenelemente des Todes bringen. *Wer in seinen wachen Stunden auch nur die Frage zuläßt, ob denn dies Absterben der*

Leiber nach einer bestimmten Frist wirklich eine absolute Notwendigkeit sei – nicht vielmehr ein Gewohnheitsglaube, aus der kurzen Erfahrung der Menschheit abgeleitet – der wird schon hier durch seinen Geist nach und nach davor bewahrt, während des Schlafes immer in den tiefen Regionen des Positivismus, der kleinen dumpfen Todessphäre, umherzuirren, in der unsere Rasse jetzt kreist wie ein gefangenes Tier. Schon die Bitte um Glauben an eine Unsterblichkeit im Fleische bringt mit der Zeit Zeichen und Beweise für diesen Glauben. Der Geist weilt dann im Schlafe bei den Gedanken der Jugend und schönen Kraft, die jene vielen Stunden der Nacht hindurch, also fast das halbe Leben lang, den Leib durchpulsen. Ewig wechseln ja die Elemente des Körpers! Es ist nicht derselbe Leib, den wir zehn, fünfzehn bis zwanzig Jahre vorher hatten – weil auch der Geist nicht mehr der gleiche ist; nach ihm wandeln sich die Zellen des Organismus! – Je nachdem der Geist in neue Wahrheiten hineinwächst oder in alten Irrtümern verknöchert, bildet sich der Leib. *Euer Glaube, wie immer er sein möge, materialisiert sich in Fleisch und Blut.* Glaubt an Verfall, und Fleisch und Blut werden die Zeichen des Verfalles in sich erzeugen. *Wir tragen unsere vorherrschenden Gedanken sichtbarlich mit uns herum!* Wie der Geist auf den Körper einwirkt, sendet er die spirituellen Elemente, die er aus seiner Welt gesogen hat, über alle Organe hin; diese Elemente materialisieren sich, kristallisieren sich aus dem Unsichtbaren zu Fleisch und Blut, wie aus einer klaren Lösung sich allmählich feste Kristalle niederschlagen – wie der Baum Blätter und Früchte treibt aus unsichtbaren Teilen der Erde und Luft! – Wer nun von Jahr zu Jahr im gleichen Irrtum kreist, fügt dem Körper das Element und die Materialisation dieses Irrtums im Physischen zu! Man kann es auch Sünde nennen! Die Zeichen der Sünde sind immer Häßlichkeit, Verfall, Tod – physische oder geistige Leiden!

Und doch, sei der Geist auch noch so dumpf, er tendiert aufwärts, er bringt doch zuweilen im Schlafleben dem Körper ein Weniges von jener verfeinerten Kraft eines höheren Seins, wenn auch vielfach vermischt mit Niedrigkeit und Schwäche. – Der Mensch, dessen Leib achtzig und neunzig Jahre dauert, hat einen stärkeren Geist (nicht Intelligenz) als jener, der mit dreißig Jahren stirbt. Der stärkere Geist verlangt instinktiv nach einer größeren Kraft – wenn auch völlig unbewußt. Der Grundirrtum dieser Achtzig- oder Neunzigjährigen aber war, daß sie doch endlich glaubten, sterben zu müssen. Diese fixe Idee war in ihnen wie in der ganzen Umgebung, die dieser Meinung sekundierte, sie wie eine Wolke um den Greis verdichtete. Es war die ungeheure Kraft des »Muß«, nach der falschen Richtung gedrängt – dieses größten Zerstörers oder Schöpfers nach Willen!

Das Morgengebet für den Tag oder die physische Existenz sollte darauf gerichtet sein, vom unendlichen Bewußtsein Hilfe zu erbitten, um an allem Leben teilzuhaben: am wachsenden Baum, an den Wolken, am Ozean, den Vögeln und Sternen und Sonnen. Was wir von diesen sehen, ist nur ein Teil ihres Seins; hinter ihnen, ungefühlt von physischen Sinnen, steht ein anderes Leben, ein Element, ein Mysterium, ein Geist, der befiehlt, bewegt, belebt. Unsere Seele hat die wunderbare Fähigkeit, etwas von dieser lebendigen Gewalt an sich zu ziehen und auf immer zu bewahren! Wer eine Blume sieht, bitte um ihre Schönheit; wer das Meer sieht, um seine Stärke. Wer irgendein Ding sieht, das wohlgeformt und fein und stark ist, bitte um seine Wohlgestalt, Feinheit und Stärke. Das unendliche Bewußtsein ist in ihnen allen; und wenn wir in die Myriaden lebendiger Formen uns versenken, versenken wir uns in das unendliche Bewußtsein, werden mehr und mehr eins mit ihm und haben teil an der persönlichen Anmut oder Kraft, die ihren besonderen Ausdruck in jedem Ding hat. Während die physischen Sinne bei Tag wachen, vermögen sie, richtig geleitet, diese Kräfte an sich zu ziehen. Kein Beruf ist so aufreibend, daß nicht eine Minute sich zu diesem Zwecke finden ließe – diese Minute ist schaffende Kraft. – *Das Werk der Nacht ist anders – da saugen die Sinne nicht, aber die Kraft, im Wachen absorbiert, belebt und hilft den Geist vorwärts zu drängen in eine unsichtbare Welt, aus der er andere Schätze bringen soll. – Je höher er steigt, um so feiner ist das psychische Element dort absorbiert, um so stärker werden die geistigen Sinne, bis sie in das Tagesleben herüberzudringen vermögen.*

Immer wechselseitig wirken Geist und Körper aufeinander – stärken, ergänzen, verändern einander. – Der Leib gleicht der Wurzel eines Baumes – Zweige und Blätter dem Geist. Die Wurzeln ziehen aus der Erde die Kraft, um Stamm, Zweige, Blätter, Blüten und Früchte zu erhalten; Blätter und grüne Zweige wieder ziehen aus Licht und Luft Elemente, ohne die Stamm und Wurzel sterben müßten. Unser Geist, richtig gelenkt, saugt, gleich den Blättern, ein Element von oben in das wache Leben des Leibes herab. Der Leib: die Wurzel, schafft mit Hilfe dieses feinen Fluidums wieder aus der Tiefe die erhaltende Kraft für den Geist. So gab es, wie das Alte Testament berichtet, »solche, die mit Gott wandelten«, und ihr physischer Leib ward so durch Zeiträume erhalten, die uns jetzt fabelhaft erscheinen! Einzelne aber gingen selbst ohne Tod in Gott ein.

So lesen wir von Enoch, Genesis V. C. 23 und 24: Enochs Leben war relativ vollkommen. Sein Geist hatte Macht genug über das Physische, um eine Dematerialisierung seines Leibes zu bewirken, so daß er den Blicken entschwand. Solche Fälle werden in der Bibel mehrfach erwähnt. In dem Maße, wie die Vergeistigung unserer Rasse fortschreitet (und das wird geschehen), werden diese Dematerialisationen an Stelle des Todes treten. *Das höchste Ziel der Menschheit aber ist, den Leib durch allmähliche Regenerationsprozesse so zu spiritualisieren, daß er den fortschreitenden Bedürfnissen des Geistes stets entspricht – daß immer der nächst feinere Leib bereits geformt ist, wenn der verbrauchte Zelle um Zelle sich auflöst. –*

Wer an Schlaflosigkeit leidet, sage sich schon am Morgen: »Heute nacht werde ich schlafen – – ich muß schlafen und erbitte vom unendlichen Bewußtsein Hilfe, daß es mir den Schlaf sende!« Auf diese Art werden die Bedingungen geschaffen, die schon während des Tages die Elemente der Ruhe für die Nacht erzeugen. *Wer sich früh am Morgen in dieser Weise konzentriert, hat auch die ganze spirituelle Kraft der steigenden Tagesströmung zu seinem Beistand.* Denn alle Dinge sind nach der gesunden, natürlichen Ordnung des Lebens stärker, wenn die Erde sich der Sonne zuwendet als bei der Abkehr vom Licht. Der Schlaflose versuche dies Tag für Tag. – Nicht mutlos werden, wenn es nicht gleich gelingt! Er nehme seine Geschäftssorgen nicht mit ins Bett, Ruhe und Schlaf seien in seinen Gedanken!

Es gibt aktive Individualitäten, die, sowie ihr Kopf das Polster berührt, zu spekulieren und Pläne zu entwerfen beginnen, die arbeiten und disputieren und sich mühen mehr als je – einfach aus Gewohnheit, die sie unbewußt üben. Der Geist ist pervertiert, in eine Richtung gebracht, die der natürlichen gerade entgegengesetzt ist. Er beharrt darauf, im Physischen zu leben, wenn er in die spirituelle Form eingehen sollte. So bleibt er auch im Schlaf der Sphäre der Unrast nah und bringt dem Leib die Unrast zurück.

Wenn möglich soll man bei Schlaflosigkeit das Zimmer wechseln. Auch Ortswechsel bricht den »Bann« der Schlaflosigkeit. *Ein »Bann« ist ein Gedankennetz, das uns in die Dinge um uns einspinnt.* Der Anblick, die Berührung der Wände, der Möbel eines Raumes knüpfen sofort den alten Faden monotoner Gedanken an unser Sein. Gewähre deinem Geist Elemente der Ruhe, damit er sich sammeln könne. Eine schlafende Katze im Zimmer oder im Haus ist ein besserer Genosse als ein nervöser, ruheloser Mensch, der sich nur um der Bewegung willen unaufhörlich bewegen muß. Außerdem absorbiert das Tier unsere eigene Unruhe und trägt sie fort. Aus diesem Grunde ist es gut, junge, starke, harmlose Tiere um sich zu haben, aber nicht solche, die in Käfigen hocken müssen oder sonst ihrer Freiheit beraubt sind. Das freie Tier, liebevoll behandelt, absorbiert geistige Elemente, die wir aussenden und in Gefahr sind, wieder zu resorbieren, falls sie in unserer Aura verbleiben. Die Tiere nehmen sie mit fort, ohne dadurch Schaden zu leiden. Eine Andeutung dieser sonderbaren Tatsache findet sich in dem altjüdischen Brauch des »*Sündenbockes*«, der, mit aller Schuld des ganzen Volkes beladen, alljährlich in die Wildnis getrieben wurde.

Wer der unheilvollen Gewohnheit verfallen ist, Narcotica oder Schlafmittel zu nehmen, und nicht sogleich damit aufhören kann, sage sich jedesmal, wenn er solch ein Mittel nimmt: »Ich erbitte vom unendlichen Bewußtsein, daß es mich so bald wie möglich von der Notwendigkeit befreie, zu künstlicher Hilfe Zuflucht zu nehmen. Ich bitte, daß dieses Mittel, wiewohl ein morscher Stab zur Stütze, meinen Geist emporbringe in die Region reiner und machtvoller Gedanken. Ich bitte auch, von der schädlichen Vorstellung befreit zu werden, ich könnte diese Gewohnheit nicht lassen, oder das Schlafmittel könne nicht nur Hilfe, es müsse auch Schaden bringen!« Ein Narcoticum schadet nämlich viel mehr, wenn man in stillen denkt: »*Ich weiß, daß es mich gesundheitlich zugrunde richtet, aber ich muß es haben*«, als wenn man jene geistige Haltung annimmt, die früher angegeben wurde.

Alle Dinge können nützlich sein, bis wir über die Notwendigkeit, sie zu benützen, hinauswachsen, vorausgesetzt, daß wir im rechten Geiste von ihnen Gebrauch machen, d. h. bitten, das größte Gut und das geringste Übel aus ihnen ziehen zu dürfen und mehr noch des Geistes befreit zu werden, der diesen künstlichen Mitteln entsprang.

Mentale Ströme

Vorsicht im Denken tut not! Was man so »vor sich hindenkt«, ist nicht belanglos, weil Gedanken in Wellen dahinströmen wie Wasser und Wind! Gleiche Ströme verstärken sich, ungleiche zeigen Interferenzerscheinungen!

Wäre dieser spirituelle Ozean dem Auge wahrnehmbar, jeder könnte sehen, wie vibrierende Strahlen von Mensch zu Mensch gehen. Jeder würde erkennen, wie Leute von gleichem Temperament, Charakter und Wollen in derselben Strömung stehen, wie ein Mensch in verärgerter und deprimierter Stimmung in einer Welle des Kontaktes bleibt mit allen, die verärgert und deprimiert sind – daß jeder von ihnen wie ein Element in einer Batterie stromstärkend und stromerzeugend wirkt, wie andererseits die Hoffnungsvollen, Starken und Freudigen gleicherweise ihre Wellen vereinen und stärken.

Depression ist Einssein mit einem schädlichen mentalen Kreis. Es ist eine Krankheit, die nicht sogleich geheilt werden kann, wenn man einmal durch lange Zeit gewohnt war, seinen Geist dieser Art von Strömen zu öffnen.

Wenn eine Gruppe von Leuten über Krankheitserscheinungen spricht, über Todesursachen, Agonien, Sterbeszenen, wenn sie den morbiden Geschmack am Grauenhaften züchtet, lenkt sie einen ganzen Strom ähnlicher Vorstellungsbilder auf sich – ein Strom, der am Ende unfehlbar Krankheit und Leiden in irgendwelcher Form mit sich führen wird.

Wer, aus welchem Motiv es sein möge, viel von Kranken spricht, mit Kranken verkehrt und über sie nachdenkt, zieht eine Welle auf sich, deren böse Folgen sich endlich an seinem Leibe materialisieren. *Wir haben weit mehr an uns zu retten und zu schützen, als wir ahnen.*

Besprechen Männer harmonisch und in Sympathie ihre geschäftlichen Unternehmungen, so wird ein Strom neuer produktiver Einfälle erzeugt – denn nur wenn ohne heimliche Mißgunst, in ehrlichem Streben der Kreis sich zusammenschließt, springen neue Gedanken wie Funken über! –

Reise immer in großem Stil, steige in den vornehmsten Hotels ab, kleide dich mit Geschmack! Bist du dazu pekuniär noch nicht imstande, so tue es wenigstens in Gedanken! Das wird der erste Schritt in der Richtung des Erfolges sein, der Strömung der Erfolgreichen entgegen! Wessen Sinn aus falscher Sparsamkeit auf das Billige gerichtet ist: billige Wohnung, billige Nahrung, billige Kleidung, gelangt in die Welle der Dürftigkeit des Sklavischen und Ängstlichen! Unsere Pläne und Lebensansichten werden dadurch gedrückt, paralysiert, die Schwungfedern brechen. Die Atmosphäre der Dürftigkeit, wenn man sie lange absorbiert, haftet an der Psyche und wird sofort von allen Erfolgreichen gefühlt. Sie flüchten, merken sie doch das Fehlen des Elementes, das sie trägt und hebt; sie isolieren sich und unterdrücken rasch den Strom natürlicher Sympathie, der überfließen möchte.

Sympathie ist der wichtigste Faktor jedes Schicksals. Die Manie für alles Billige strömt parallel mit Furcht und Mißgeschick, trifft nie auf den Strom der Tatenlust und der siegenden Kraft! – Die Individuen, die in diesen Strömen leben, treffen nie aufeinander – *wer sich den Siegern des Lebens nähern will, muß die Richtung seiner Geistigkeit ändern, und sie werden an seinem Wege stehen!*

Wenn Leute zusammenkommen und ihr Übelwollen und ihre Mißgunst über andere ausgießen, fällt alles Schädliche in zehnfacher Kraft auf sie selbst zurück. Sie ziehen die gleichen Gedankenreihen an sich, die sie innerlich verpesten! *Die Gedanken, die am öftesten gedacht werden, materialisieren sich auch am stärksten im Organismus.* Wir absorbieren die Fehler und Unvollkommenheiten anderer, da wir uns psychisch mit ihnen beschäftigen. Klatsch ist ja faszinierend! Es liegt etwas von Rausch und Ekstase im Skandal und in der Ausschmückung fremder Unvollkommenheiten – fast dem Champagner gleich! Am Ende aber kommt uns dieses Vergnügen recht teuer zu stehen.

Wenn nur zwei Personen es über sich gewinnen könnten, sich in regelmäßigen Zwischenräumen zu treffen, womöglich im gleichen Raum und immer zu derselben Stunde und mit lichten, frohsicheren Sinnen über Schönheit, Weisheit und Stärke des Leibes wie des Geistes sich unterhielten, wenn sie die Tore ihrer Seele weit öffnen würden, bereit, von der höchsten Weisheit Gedanken und Mittel und Wege in Demut zu empfangen, um die vollkommene Schönheit, Gesundheit und Stärke zu erlangen, wenn sie Freude fänden an diesen Zusammenkünften, wenn sie ohne Zwang imstande wären, sie fortzuführen – ohne Streit oder vorgefaßte Meinung, ohne Neben- und Hintergedanken –, diese beiden Menschen stünden am Ende des Jahres vor den Wirkungen dieser Stunden wie vor Wundern aus dem Märchenbereich.

Nur zwei Menschen mögen am Anfang diese Übung versuchen, nicht mehr, denn es ist viel schwieriger, als man meinen sollte, auch nur zwei Menschen zu finden, die ihre Stimmungen in Einklang zu bringen vermögen. Auch muß der Wunsch nach solchen Zusammenkünften spontan entstehen – andere, fremde Motive würden den höchsten Strom zum Guten ausschalten.

Natürlich wachsen die Wirkungen mit der Zahl der Wünschenden! Die Indianer Nordamerikas erregten nach diesem Prinzip die Ekstase des Kriegstanzes! Der schweigende Kreis der Vielen bewirkte den Wunsch des Einen; je mehr Indianer ihren Willen auf das eine Ziel – die Ekstase des Tanzenden – warfen, desto eher kam dieser in Trance. Bei Rednern, bei Schauspielern ist es das nämliche.

Ein häufiger Irrtum gerade der besten Menschen liegt darin, allzuviel über ihre eigenen Fehler zu brüten und sie auf diese Art zu stärken. Es genügt, wenn ein Fehler erkannt wird – man muß sich nicht immer vorsagen: »Ich bin feig und schwach oder übellaunig und unvorsichtig.« Besser ist es, die Gedanken der Stärke, des Mutes, der Freude, der Vorsicht herzuleiten, aus ihnen das Bild des Ichs aufzubauen und *von den Fehlern einfach wegzudenken.*

Das soll kein Moralisieren sein, ich sage in diesen Essays nicht: »Das soll man tun und jenes lassen.« *Ich zeige nur Ursachen und Wirkungen auf.* Wer sein Gesicht ins Feuer steckt, wird rot und wund und entstellt sein, weil er es den Wirkungen dieses Elementes ausgesetzt hat –, setze dich dem Brande des Neides, der Mißgunst und des Übelwollens aus, und du wirst in irgendeiner Form wund und entstellt werden von einem Element, das, wiewohl unsichtbar, doch so wirklich wie Feuer ist.

Alles, was häßlich und unvollkommen ist, schlechte Eigenschaften der Mitmenschen, unschöne, unangenehme Dinge sollen so schnell und restlos wie möglich aus dem Bewußtsein entfernt werden. Sonst bleiben die Gedankenbilder, um sich endlich in ihrem spezifischen Korrelat zu materialisieren. Wer sich einen Menschen immer in dem Augenblick vorstellt, da er einen charakteristischen Fehler macht – macht am Ende sicher den Fehler selbst.

Es ist besser, sich in die Vorstellung des wogenden Kornfeldes und der rollenden See zu versenken als sich in die Schrecken der Lokalchronik hineinzulesen. Wir ahnen gar nicht, welchen Druck wir physisch und psychisch überflüssigerweise täglich auf uns nehmen durch die Orgien der Scheußlichkeit, die uns die Tagespresse jeden Morgen vorsetzt. Was kann es irgendeinem Menschen nützen, wenn er über jedes Unglück, jedes Verbrechen und jede Schreckensszene informiert ist, die sich innerhalb vierundzwanzig Stunden auf dieser Erde zugetragen hat!

Wer ein Übel erkennt, hat es schon halb geheilt. Kommt eine üble Stimmung über uns, so heißt es vor allem dessen eingedenk bleiben, daß ein fremder Strom übler Stimmung uns durchflutet, daß wir in Rapport geraten sind mit vielen verdüsterten und schlechtgelaunten Gemütern, die sich alle gegenseitig ihre widerlichen Stimmungen zusenden und sie ins Unerträgliche steigern. Das Nächste, was zu geschehen hat, ist Bitte, Gebet, Verlangen nach Kraft, um aus diesem Strom übler Gedanken herauszukommen.

Jeder vermag es, im Lauf der Zeit immer öfter Stimmungsströme in sich zu leiten von allem, was licht, lebhaft und strahlend ist – denn spielerisch sollte das Leben sein –; fortgesetzter Ernst, ein paar Schattierungen verdunkelt, gibt schon Melancholie.

Und überall strömt die Furcht! Die gesamte Menschheit fürchtet sich unaufhörlich: vor Krankheit, Tod, Verlusten an Geld, an Liebe, kurz, vor irgend etwas! *Jeder hat noch extra seine private Lieblingsfurcht, die er hätschelt!* Das erstreckt sich bis zu den trivialsten Dingen hinab! Alle Straßen sind voll von Leuten, die in Ermangelung eines Besseren wenigstens fürchten, die nächste Elektrische oder den nächsten Zug zu versäumen!

Je sensitiver ein Mensch ist, um so mehr leidet er unter diesen Strömungen aus der Umgebung, bis er gelernt hat, durch schweigende Bitte um höchste Kraft einen Wall positiv geladener Gedanken um sich zu türmen, an dem die fremden Wellen abprallen. Man kann den Bau dieser Wälle damit beginnen, jedem unangenehmen Stimmungsanprall den Gedanken entgegenzusetzen: »Ich weigere mich, diese Idee und den geistigen Zustand aufzunehmen, den sie mir bereitet und der meinen Leib schädigt.« Das ist der Weg, den schädlichen Strom vorbeizuleiten.

Jeder Mensch hat seine Lieblingsfurcht – eine Krankheit, die er nie gehabt hat, aber stets erwartet – irgend etwas, vor dessen Verlust ihm besonders graut! Jede Kleinigkeit, ein zufälliges Wort, bringt ihm diese Lieblingsfurcht mit einem Stoß ins Bewußtsein, das durch jahrelanges Training sich allsogleich weit dem ganzen Schrecken öffnet, der wie ein Strom hereinstürzt, seinen Schaden anzurichten. Dieser Strom vibriert virtuos gerade auf jener Saite unserer Natur, von der seit Jahren unsere Lieblingsschwäche erklingt.

Dann leidet auch der Körper! Es gibt Myriaden verschiedener Symptome! Schwäche, Appetitlosigkeit, müde Glieder und Unfähigkeit, sich auf seine Berufspflichten zu konzentrieren, Gedankenflucht usw. Die Fähigkeit, leicht Gedanken zu empfangen, kann zu einer Quelle der Schwäche wie der Kraft werden. Gerade die sensitivsten, höchst entwickelten Geister der Gegenwart haben oft die schwächsten Körper, weil sie unbewußt auch viele schädliche Wellen absorbieren, ohne eine Ahnung von ihrer bloßen Existenz zu haben. Persönlicher Verkehr mit den unrichtigen Personen ist eine Hauptquelle dieser Übel. Der feinere, weibliche Organismus ist noch viel empfindlicher für jeden mentalen Schatten und Strahl seiner Umgebung! Der Mann, in seine Geschäfte vertieft, erzeugt zeitweilig eine gewisse Positivität, die ihn befähigt, Furchtströme zurückzuwerfen. Frauen aber leiden oft tausendmal mehr im

Schutze des Hauses, als ihre Männer ahnen, die sich nicht genug verwundern können, wie die Frauen zu diesen ewigen Krankheiten und fixen Ideen und Nervositäten kommen.

In dem Maße, wie wir beginnen, unsere Stütze im unendlichen Geist zu suchen, der uns befreien soll aus dieser Sansara übler Kräfte, kommen ganz von selbst materielle Hilfsmittel in unseren Weg – gute Einfälle in bezug auf Nahrung, Medizinen, Reisen und Veränderungen! Ein Wechsel in unserem gesamten äußeren Leben tritt ein, Freunde stellen sich ein, eventuell ein glänzender Arzt als Helfer, um uns aus dem Bann der bösen Ströme zu lösen. *Man nehme sie als gutes Omen der Erfüllung und als Vorzeichen dankbar an, nie aber lasse man die ganze Hoffnung auf einem Menschenwesen ruhen; das höchste Vertrauen muß im Unendlichen sein. Das Individuum, dessen wir bedürfen, kreuzt nur nach geheimnisvollen Gesetzen die Linie unseres Schicksals im rechten Augenblick als Stütze, als Krücke gleichsam, bis unsere spirituellen Glieder stark genug sind, uns selbst zu tragen, auf daß auch wir im Kranz der Kreaturen zu Helfern heranreifen. –*

Wer mehr und mehr teil hat an dem unendlichen Geist, wird immer rascher regeneriert, physisch und psychisch, die Kräfte wachsen an ihren Wirkungen, alle Furcht fällt ab, da es offenbar wird, daß nichts zu fürchten ist für den, der im Gedankenstrom des unendlich Gütigen fließt! Wie ein Wunder scheint es, daß dann alle materiellen Dinge scheinbar mühelos, ohne viel Anstrengung von unserer Seite, in unser Leben treten. Wir staunen das Rasen und Mühen und Schinden der Menschheit an, die eben durch alle diese Plage die Güter, nach denen sie strebt, von sich treibt. Die Erkenntnis beginnt in uns zu wachsen, daß das Leben, zu dem wir berufen sind, wir – die Wenigen jetzt, die Vielen einst –, ein Aufsteigen von Glück zu Glück bedeutet, daß mühevolles Ringen ganz überflüssig wird, weil alle Dinge dieser Welt geistigen Strömungen folgen! Alles, was wir wollen, ruhig ohne Ungeduld, doch fest und klar, harrt unser auf dem Wege, den wir schreiten! Gar keine Grenze ist der Macht gesetzt, der Gedankenströme untertan sind!

In der Fähigkeit des Menschen, sich mentale Wellen von einer feineren Art und höheren Intensität dienstbar zu machen, liegt das Geheimnis der Magie.

Wer sind unsere Verwandten?

Männer oder Frauen, die den gleichen geistigen Äther ausstrahlen, die gleiche Impulse, Sehnsüchte und Aspirationen haben, stehen nicht immer zu uns im Verhältnis von Eltern, Geschwistern oder sonstigen Blutsverwandten – daraus und aus der Unsitte, die Blutsverwandte räumlich zusammenleben läßt, entspringt oft unabsehbarer Schaden!

Niemand kann gesund und glücklich leben, es sei denn mit Menschen der gleichen Gedankenatmosphäre (einer materiellen Emanation, die ihnen entströmt). Blutsverwandtschaft kann oder kann auch nicht diese Atmosphäre erregen. –

Würde ein Arbeiter oder Handwerker, dessen Gedanken kaum über den kleinen Kreis seiner Täglichkeit hinausgehen, gezwungen, ausschließlich mit Gelehrten und Philosophen zu verkehren, ohne einen Menschen seines eigenen Schlages zu sehen, – dieser Mensch würde mit der Zeit melancholisch werden, sich bedrückt fühlen und auch an seiner Gesundheit Schaden leiden. Das gleiche Gesetz wirkt, wenn der höhere Intellekt zu inferiorer Gesellschaft verurteilt ist. In beiden Situationen befinden sich viele, die mit ihren Blutsverwandten zusammenleben.

Kinder leben, gedeihen und berauschen sich in der Gedankensphäre, die von ihren Spielkameraden ausströmt. Man scheide sie von allem derartigen Verkehr, und sie welken pflanzengleich. Als Kind lebte jeder von uns in dieser Atmosphäre des Kindlichen! Lebte in der spirituellen Gemeinschaft der Kindheit, gab und empfing von seinen Kameraden ein gewisses spielerisches Gedankenelement. Wir wundern uns zuweilen, daß es so gar nicht mehr gelingen will, *diesen vertrauten reinen Rausch, diese tanzende Klarheit, aus Kinder- und Jugendfreundschaft geboren, im Gefühl wiederzuerwecken.* Es ist, weil unser Geist jetzt einer neuen Gedankennahrung bedarf, die einer anderen, wahrscheinlich höheren spirituellen Ordnung angehört. Würde uns diese zuteil, die Zeit verflöge so herrlich und angenehm wie einst mit den Kameraden unserer Frühlingsjahre.

Wer uns mit diesem neuen Geisteselement versehen kann, ist unser wirklicher Verwandter.

Doch diese Relation kann nur dauern, wenn auch wir ihm mit gleichem vergelten.

In vielen Berufen sind die Kollegen die wirklichen Verwandten, sie fühlen sich untereinander weit mehr zu Hause als an dem Ort, den sie ihr Heim nennen, wo sie schlafen, essen und einen öden Sonntag verbringen.

Geistigkeit jeden Grades, jede Gedankenordnung, muß freie Verbindung mit ihresgleichen unterhalten können, sonst leidet sie schwer – Blutsverwandtschaft hat herzlich wenig mit solchem psychischen Austausch zu schaffen!

Eine Summe unbewußter Tyrannei wird durch die Bande der Verwandtschaft ausgeübt. Erwachsene Kinder pflegen ihren Vätern und Müttern innerlich bisweilen Plätze im Leben anzuweisen, die diese vielleicht – vielleicht aber auch nicht – einzunehmen gewillt sind. Dem Wesen nach mag sich dieser nie ausgesprochene Gedanke etwa so formulieren lassen: »Die Mutter wird aber wirklich zu alt, um helle Farben zu tragen.« – »Es wäre einfach lächerlich, wollte Mama (als Witwe) sich wieder verheiraten.« – »Mutter will doch natürlich nicht mehr in unser heiteres Leben hineingezogen werden, sie bleibt lieber zu Hause, um die Kinder zu überwachen.« Oder: »Es wäre doch an der Zeit, daß Vater sich vom Geschäft zurückzöge.«

Keine Kraft arbeitet subtiler, keine ist mächtiger, Resultate zu wirken im Guten wie Bösen, als jener gleichmäßige Gedankenstrom, der, aus mehreren Menschen zugleich strahlend, sich vereint, um an einer Person gewünschte Wirkungen hervorzurufen – ob bewußt oder blind: Die Kraft arbeitet und bringt das Resultat. Richten sich nun die gleichen Meinungen von drei bis vier Personen auf jenes Wesen, das ihnen neue Leiber vermittelt hat und das sie »Mutter« nennen, so ist die schweigende Kraft dieser Meinung sehr mächtig, um die Mutter gerade an jenen Platz zu stellen und dort festzubannen, der für die Kinder am bequemsten scheint. Der ganze konventionelle Gedankengang, der das vielfach unterstützt, lautet also: »Es liegt im Gang der Natur, daß Mutter alt wird und sich langsam aus dem aktiveren Leben in das Haus zurückzieht, um dort mit anderen kaltgestellten Familienmitgliedern sich zu begnügen und nützlich zu machen als Oberwärterin in Zeiten der Krankheit oder bei sonstigen Familienereignissen.« Durch die vereinte Wirkung solchen Empfindens in der Umgebung verliert so manche Mutter ihre Privilegien als Individuum und handelt genau, wie ihre Kinder unbewußt wollen.

Mancher meint nun vielleicht: »Aber sollte ich denn nicht mit meinen Sorgen und Kümmernissen zu meiner eigenen Mutter oder nächsten Verwandten gehen dürfen und ihre Hilfe annehmen, wie ich es stets von Kindheit auf gewöhnt bin? Sollten nicht, vor allen andern, meine Verwandten mir beistehen in Zeiten der Not?«

Gewiß, wenn die Mutter oder die anderen Blutsverwandten es freudig und freiwillig tun und die Hilfe direkt vom Herzen kommt – nicht etwa in der unausgesprochenen Form: »Ich glaube, ich werde das wohl tun müssen, weil es mein Bruder oder Sohn oder sonstiger Verwandter ist, der mich darum ersucht.« Viele gibt es der Dienste, die unbewußt in solchen Fällen mehr gefordert als erbeten werden. Bürden werden Verwandten aufgeladen, nur weil sie Verwandte sind! Opfer an Geld – an Protektion –! Alles, auch Gastfreundschaft, wird einfach erwartet – Geschenke werden erwartet, wiewohl doch wirkliche Geschenke – Überraschungen sein sollten und eine erwartete Überraschung keine mehr ist!

Kein lebender, bleibender Gewinn kommt aber von Gaben, bei denen nicht das Herz mitgeht, die dem Geber nicht restlose Freude bereiten! Weil mit der Gabe noch etwas Unsichtbares mitgeht, das weit wertvoller ist als diese selbst. Es ist der Gedanke, der sie begleitet und dem Empfänger Wohl oder Wehe bringt. Wenn ein Mensch, seinen Mitteln gemäß, einem Bedürftigen auch nur die kleinste Geldspende gibt, und der Gedanke, der mit der Gabe geht, ist ein tiefer Wunsch, Hilfe zu bringen und intensive Freude, sie bringen zu dürfen, so wirft er über den Bedürftigen ein Gedankenelement gleich einem magischen Mantel. Dann hat er viel mehr getan als eine momentane physische Not gelindert! Er hat spirituelle Gewalt verliehen! Der Wunsch, jener Bedürftige möge die Kraft gewinnen, um sich aus Bettelei und Abhängigkeit befreien zu können, ist eine lebendige Hilfe, um solche Kräfte in Wahrheit zu erlangen. *Es wird ein Gedankensame in den Bedürftigen versenkt, der Wurzel fassen kann, um in irgendeiner Periode physischen oder spirituellen Lebens zu keimen.*

Wer geizig gibt, mit einer Art Widerwillen, nur unter dem Zwang öffentlicher oder privater Meinung, weil es erwartet wird oder weil andere auch gegeben haben, tut verhältnismäßig wenig, sei es auch Vater, Bruder oder Sohn, dem er gibt – – lindert er doch die materielle Not allein, und selbst diese nur für eine gewisse Zeit. Er kleidet, nährt einen Leib, aber nicht die Seele, die den Leib bewohnt, so lange der Gedanke, der die Gabe begleitet, nicht von gutem Willen und tiefer Freude, helfen zu können, getragen ist. – Das geizige Empfinden, das den Obdachlosen nur duldet, nicht mit offenen Armen empfängt, einem Verwandten, wer immer er sei, nur unter dem Zwang der öffentlichen Meinung hilft, ist ein schwerer Schade für Geber wie Empfänger. Dem Empfänger wird ein Gedankenstrom gesandt von übler Art und Wirkung, den er mit gleichem vergilt, erfüllt doch das Bewußtsein, eine Gabe erpreßt, erzwungen zu haben, die Menschen durchaus nicht mit glühendem Dank, sondern mit etwas ganz anderem.

»Ist es denn nicht Pflicht, nahe Verwandte, wenn sie im Alter hilflos werden, zu kleiden, zu nähren, zu erhalten?« wird man fragen.

Etwas aus »Pflichtgefühl« tun, heißt eben noch lange nicht, aus Liebe zu einem Menschen handeln; und so ist wenig damit erreicht, wenn materielle Bedürfnisse zeitweilig gestillt werden, die geistigen aber nicht! Solange der spirituelle Teil des Wesens darben muß, ist die Hilfe im Physischen ohne Dauer und Bestand. Eltern, die in hohem Alter von ihren Kindern einfach aus Pflichtgefühl erhalten werden, haben oft hungernde und wunde Seelen – wund, weil sie sich geduldet fühlen, darbend, weil keine Liebe mit dem Dienste geht, den sie von den Kindern empfangen. Kinder wieder, die ohne Freude von Eltern beim Eintritt in die Welt begrüßt werden, sind tief unglücklich und leiden Not an ihrer edelsten Geistigkeit! Liebe ist ein Lebenselixier, eine Quelle von Gesundheit, Kraft und Aktivität für jeden Menschen; wieviel mehr für ein Kind.

Es gibt Mütter, die sagen: »Mag aus mir werden, was will, wenn nur meine Kinder gut heranwachsen – dann ist meine Mission erfüllt!« Eine Mutter sollte sehr viel Wert darauf legen, »was aus ihr selbst wird«! Wenn ihr Wachsen in Weisheit und Kultur gehemmt wird, wird auch das ihrer Kinder gehemmt sein. Eine wahre Mutter wird immer danach streben, von ihren Kindern ebenso bewundert wie geliebt zu werden. *Bewunderung und Respekt wird aber nur jener Frau zuteil, die hoch, stark und frei ihren Platz im Leben nicht nur behauptet, sondern auch unermüdlich aufwärts strebt nach immer weiteren Zielen! Solche Liebe und Hochachtung kann keine Mutter von erwachsenen Kindern verlangen, die sich in eine Ecke hinter dem Herd verkriecht, zu einer Kreuzung zwischen Krankenpflegerin und Bonne wird und ihre Familie lehrt, sie als Nutztier bei allen häuslichen Kalamitäten, wirklichen oder eingebildeten, zu mißbrauchen.* Aus eben diesen Gründen werden Mütter von ihren erwachsenen Söhnen und Töchtern so oft über die Achsel angesehen oder beiseite geschoben. – Mütter, die sich so tief erniedrigen, um, wie sie fälschlich glauben, ihren Kindern zu nützen, müssen zuweilen diesen Irrtum furchtbar sühnen! Wer sich stets von anderen meistern läßt, seine eigenen Neigungen und Bestrebungen aufgibt, um fremdes Echo zu werden, nach fremden Wünschen lebt, verliert immer mehr sein Selbstbestimmungsrecht.

Er absorbiert so viel von den fremden Gedanken um ihn her, daß er ein Teil dieser anderen wird, ein Werkzeug, das automatisch dem stummen Willen der Umgebung gehorcht. Solch ein Mensch wird fossil, sinkt zu hilfloser Dienstbarkeit herab, verliert immer mehr physisch und geistig die Fähigkeit, etwas zu leisten, wird der Ofenhocker, der senile Großvater, der hilflose Greis (oder die hilflose Greisin), wird mehr geduldet als geliebt.

Das war in vielen Fällen die Wirkung der Gedanken erwachsener Kinder auf ihre allzu opferbereiten Eltern. Es ist die stumme Macht der Geister, die aus der steten Umgebung auf die Väter oder Mütter drückt, die diese zusammenbrechen läßt. Viel von jener Dekrepitität und Schwäche, die den »zunehmenden Jahren« zugeschrieben wird, ist auf den schädlichen Einfluß einer Gruppe von Geistern zu setzen, die einander zu überwältigen und zu beherrschen trachten – *ob unbewußt oder nicht,* ändert wenig an den Resultaten! Ein Mann mag rüstig und froh sein großes Geschäft leiten, die erwachsenen Söhne aber greifen mehr und mehr in das Unternehmen ein, eine schweigende Kraft schließt die Jugend gegen das Alter zusammen – eine Kraft, der der einzelne kaum standzuhalten vermag. Es ist ein fester, steter, unaufhörlicher Druck nach einer bestimmten Richtung. Er wirkt Tag und Nacht. Er wirkt um so sicherer, als der Vater von diesem Druck, dem er ausgesetzt ist, gar nichts ahnt, gar nichts weiß, daß es solche schweigenden Kräfte gibt! Er beginnt sich nur müde zu fühlen! Die alte Energie läßt nach, und traurig schreibt er dies alles dem nahenden Greisentum zu.

»Sollte man nicht seine Kinder über alles lieben?« Das Wort »sollen« ist dem Wesen der Liebe fremd!

Liebe geht, wohin sie will und zu wem sie will – nach den tieferen Gesetzen ihres Lebens. Es gibt Eltern, die keine wirkliche Liebe zu ihren Kindern fühlen, wie auch diese ohne Liebe zu ihren Eltern sind. Keinen Teil trifft Schuld! Sie waren ohne die Fähigkeit der Liebe zueinander geboren, ohne deshalb leer an Liebe zu sein!

Oft glaubt ein Vater sein Kind zu lieben und liebt nur seine eigenen Ansichten, seine eigenen Erwartungen in ihm. Dann maßt er sich eine vollkommene Tyrannei über den Geist des Kindes an, er mesmerisiert es seinen Wünschen gemäß. – Gewiß sollen Schutz und Kontrolle über Leib und Seele des Kindes so lange walten, bis der junge Organismus den Anforderungen an das Leben gewachsen ist. Über diese Zeit hinaus einem Menschen allen Lebensunterhalt gewähren aber heißt ihm eine ungeheure Ungerechtigkeit, ja Grausamkeit antun! Denn auf diese Weise wird er verhindert, jene Fähigkeiten zu entwickeln, die ein junges Wesen wie Schwingen stark und selbstsicher durch das Leben tragen. – Ein Instinkt treibt die Vögel, ihre heranwachsenden Jungen aus dem Nest zu locken, sowie sie zu fliegen imstande sind. Das wäre ein schlechter Dienst, wollten sie die Jungen im Nest behalten, wo ihre Schwingen ungeübt verkümmern werden, wo Stürme, Eis und Schnee bevorstehen, denen auch die alten Vögel weichen müssen. Auch bedürfen Tier- wie Menschenmütter Zeiten der Ruhe nach jenen Perioden, die der Generation gewidmet waren. *Die Dauer dieser Ruhezeiten sollte aber der Kompliziertheit des Organismus proportional sein und der Kraft, die es erforderte, ein so hoch differenziertes Wesen zur Reife und Vollendung zu bringen. In der Zeit der Ruhe aber sollten Eltern von allen Forderungen seitens ihrer erwachsenen Kinder befreit sein.* So ist es bei den Vögeln und Tieren des Waldes – nur Menschenmütter sind nie vor den Ansprüchen ihrer Kinder sicher, bis sie erschöpft und völlig ausgesogen ins Grab sinken. *Frei aber sollten sie sein, wieder so frei wie in ihrer Mädchenzeit, ehe sie Mütter wurden.* Mutterschaft ist eine höchst wichtige, unerläßliche Phase menschlicher Existenz, um gewisse Fähigkeiten und Erkenntnisse zur Reife zu bringen. *Aber bei keiner einzelnen Erfahrung darf man ein Leben lang verweilen!*

Das Leben in seiner höheren Vollkommenheit wird ein ewiger Wechsel der Zustände sein – keine Tretmühle wie jetzt. Bleiben erwachsene Kinder noch jahrelang bei der Mutter, nachdem sie längst reif sind, sich das Leben selbst zu erobern, sehen sie nur noch in ihr die Stütze und bequeme Hilfe, und läßt die Mutter sich in dieser Weise mißbrauchen, so leiden am Ende alle Teile. Die Mutter aber, die sich zu Opfern zwingen läßt, die sie auf die Dauer zugrunde richten müssen, beraubt sich vielleicht des neuen Lebens, das ihrer wartet, wenn die Brut flügge geworden ist. Sie hilft den Kindern, aus ihr eine müde, gedankenlose alte Frau zu machen!

Vielleicht wird man einwenden: »Wenn diese Ratschläge befolgt würden, wären die Straßen bald voll von hilflosen Kindern, die unfähig sind, für sich selbst zu sorgen?« Ja, sind denn die Straßen nicht voll von hilflosen großen Kindern? Verlassen nicht Tausende viel zu spät, ohne Kraft zur Selbsterhaltung, das Elternhaus, die dann nur durch niedrigste Arbeit zu elenden Löhnen ihr Leben fristen? Schneidet diese niedrige und erschöpfende Arbeit sie denn nicht vorzeitig von Höherem ab? Da sind noch immer Tausende von Töchtern, denen die Eltern es wehren wollen, in die Welt zu gehen und den Kampf zu wagen mit Mut und Kraft! Das alles sind die Vögel, die im Nest bleiben, bis die Flügel verkümmert sind zu eigenem Flug, und die dann geatzt werden müssen von den törichten Eltern.

Glaube ist die Substanz des Gewünschten. Wenn wir im Geiste ein Idealbild unseres Selbst tragen, das uns blühend, geschmeidig, stark und vollkommen dem inneren Auge zeigt, so setzen wir damit jene Kräfte in Bewegung, die uns in Wirklichkeit dazu machen.

Wir konstruieren gleichsam aus unsichtbarer Gedankensubstanz ein spirituelles »Ich« (das gesunde, schöne Ich der Zuversicht); dieses spirituelle Ich wird mit der Zeit den Leib beherrschen, seine Zellen umformen und wirklich werden. Wer eine schlechte Lunge hat, schlechte Zirkulation, irgendeinen organischen Defekt, muß sich aufs äußerste dagegen sträuben, gerade das geschwächte Organ immer als krank und schonungsbedürftig im Bewußtsein herumzuschleppen. Sieh dich nie als Patient zwischen aufgestapelten Kissen ans Bett gefesselt, und sollte es auch zur Zeit der Fall sein! Wer sich tennisspielend oder im Wettlauf sieht, arbeitet damit an seiner Genesung.

Erwarte nie Krankheit oder Schmerzen für morgen, mögen Krankheit oder Schmerzen heute noch so arg gewesen sein, für morgen erwarte nur Gesundheit und Kraft. Mit anderen Worten: Gesundheit, Schönheit und Kraft müssen zum wahren Tagestraum werden, denn Traum drückt weit besser den richtigen Gemütszustand aus als Hoffnung und Erwartung.

Träumer vollbringen weit mehr, als die Welt ahnt. Der Wachtraum des Menschen, der versunken das Treiben um sich her vergißt, ist eine Gewalt, die Taten wirkt, in einem mächtigen und unsichtbaren Reich, das noch von wenigen erforscht ist. Und auch denen, die ihr Bewußtsein so vom Leibe lösen, daß sie ihn für Augenblicke vergessen, fehlt heute noch das Wissen um die Gewalt, die sie da üben – das Wissen um die Wirkung dieser Gewalt; und so müssen ihnen die besten Resultate verlorengehen.

Wer nichts vom Goldgraben versteht oder von den Bedingungen, unter denen Gold vorkommt, oder von den Methoden, es zu gewinnen, kann in dem reichsten goldführenden Boden monatelang graben und damit Löcher zuschütten oder Wälle aufbauen! Ohne Wissen um den Schatz unserer Erde sind wir arm und machtlos wie zuvor. Ebenso ist es in geistiger Hinsicht.

Jede Imagination ist eine unsichtbare Realität; und je länger, je intensiver sie festgehalten wird, desto mehr von ihr wird sich in jene Form des Seins umsetzen, die man fühlen, sehen, berühren, kurz, mit den äußeren Sinnen wahrnehmen kann.

Daher nur träumen – soviel wie möglich! Wach – bei Tage – träumen von Kraft und Gesundheit, dann wird auch bei Nacht der Gedanke gleiche Regionen aufsuchen und das Werk wirken helfen. Wenn wir aber bei Tag Trübsal und Elend träumen, spricht alle Wahrscheinlichkeit dafür, daß dieser trübe Ideenkreis gleiche Gedankenströme im Schlafe von überall her zieht und wir doppelt elend erwachen. Unwissentlich kann man in einem Hause Explosivstoffe häufen, die man für harmlose Präparate hält! Ein Funke kann dann Haus und Menschen zerstören. In analoger Weise bringen jetzt Leute Leiden und Unglück über sich selbst durch den törichten und unwissenden Gebrauch, den sie von ihren mentalen Kräften machen. *Nach der Beschaffenheit unserer Tagträume häufen wir Gold oder Explosivstoffe in unserem Schicksal an.* Je tiefer die Verträumtheit, je vollkommener die Versenkung und Abstraktion, um so weiter und stärker kann die mentale Macht wirken – Tausende von Meilen weit. Alles, was man okkulte Kräfte nennt, das Phänomen der Telepathie wird auf diesem Wege erreicht. Jedes beliebige Gedankenbild könnte – mit entsprechender Intensität vorgestellt – augenblicklich materialisiert werden. In jedem Menschen sind diese Kräfte im Keim vorhanden.

Glaube ist das Samenkorn aller Wunder! Aber aus diesem Samen kann Böses wie Gutes sprießen. Im Bösen kann ein Baum daraus entstehen, in dessen Krone jeder krächzende Unglücksvogel sein Nest baut. Unsere trübe und düstere Phantasie ist der Glaube an das Unglück. Wir leiden vielleicht an einer geringfügigen Störung irgendeines Organes; nach ein, zwei Tagen fangen wir schon an, die Störung zu erwarten. Das Organ stellen wir uns nur mehr als krank vor. Dann hören wir das Leiden mit irgendeinem Namen genannt, der vielleicht die Vorstellung pompöser Gefahr suggeriert. All das stärkt den Glauben an das Unglück; der Einfluß anderer Gehirne kommt noch hinzu, Freunde und Verwandte sind »besorgt«, ängstlich und erinnern uns in einem fort an unseren Zustand. Alles und jedes drängt uns förmlich in den Vorstellungskreis der Schwäche hinein. Keiner schickt uns das eigene Gedankenbild in Kraft und Wohlsein; von überall strömt uns die Vorstellung der Krankheit zurück! Die spirituellen Kräfte der ganzen Umgebung wirken in der falschen Richtung. Wünscht uns ein Freund beim Abschied »baldige Besserung«, so tut er's in einem mitleidig bekümmerten Ton, der das Schlimmste befürchten läßt! – Nun erhält man die »Substanz« dessen, was man fürchtet! Verwandte, die sich um uns »sorgen«, arbeiten an unserem Ruin. –

Man muß sich an den Gedanken des Glückes wie der Gesundheit

hängen mit allen Fasern des Seins, Woche um Woche, Monat um Monat, Jahr um Jahr, dem eigenen Bild, »frei von jedem Übel«, entgegenträumen, bis dieser Traum zur fixen Idee, zur zweiten Natur geworden ist und unbewußt weiterwirkt.

In allem tierischen und organischen Leben zeigen sich Zeiten der Wandlung – der Inaktivität, als Vorbereitung zu erneutem Sein – so, wenn die Schlangen sich häuten, die Vögel mausern, die Säugetiere das Winterhaar verlieren. Da gehen große Wandlungen im Organismus vor sich, die die Tiere träg und schwach machen. Die Natur braucht Ruhe für das Werk der Regeneration. Dieses Gesetz, das in den niedrigen Lebensformen wirkt, gilt auch für die höchsten Stufen. Im Leben jedes Menschen treten Perioden ein, da all seine Organe, Kräfte und Energien ein gewisses Nachlassen zeigen. Wir machen da irgendeinen Wandlungsprozeß durch! Wir werden von der Natur ins »Trockendock« gebracht. Wollten wir dem Gebote folgen – in wenig Wochen oder Monaten gingen wir an Leib und Seele regeneriert aus solchen Perioden hervor. Die Natur verlangt ja nichts von uns, als daß wir *stille halten* in den Zeiten ihrer verwandelnden Arbeit. Von Menschen in der Mitte des Lebens sagen wir, sie hätten ihr Maximum von Kraft und Vitalität erreicht, wenn nicht überschritten; dann sollen sie ihrer eingeborenen Natur gemäß welken und »verfallen« gleich Blättern. – Dieses unerschütterliche Vertrauen in das Altern muß dem spirituellen Gesetz gemäß das Altern nach sich ziehen.

Die »Wendung« nach der Mitte des Lebens bedeutet nur, daß unser Leib sich regenerieren, sich neu gebären will; während dieser Neuschaffung ist absolute Ruhe nötig, denn das höchste spirituelle Ego ist am Werk, diese Wandlung zu vollziehen, man sollte während dieser Zeit so wenig überanstrengt werden wie im früheren Kindesalter. Wir weigern der Natur diese Rast, wir zwingen den erschöpften Organismus zu Leistungen, zu denen er gerade in dieser Zeit ungeeignet ist. Während die Natur den Versuch macht, uns wieder zu gebären und stärker zu machen, vereiteln wir ihr Bestreben und richten uns zugrunde. In den meisten Fällen können sich die Menschen die nötige Ruhe nicht verschaffen. Sie müssen fort und fort und Jahr um Jahr arbeiten, um ihre »Existenz zu erhalten«! Das ändert nichts am Resultat!

Naturgebote nehmen keine Rücksicht auf soziale Einrichtungen! Ungehorsam, ohne es zu wissen, schiebt und schindet sich die Menschheit weiter, um sich den Lebensunterhalt zu verdienen, und verdient sich damit Jammer und Tod. In vielen Fällen ist auch die Gewohnheit so stark, daß Menschen gar nicht von der gewohnten Aktivität lassen können. Und die Ruhe, die in kritischen Perioden not tut, ist nicht allein physischer Art. Hunderttausende unserer Rasse haben keine Ahnung, was *Ruhe* ist, *würden zu Tode erschrekken, kämen sie zum erstenmal wirklich in diesen Zustand, der etwas von träumender Magie an sich hat.*

Die barbarische und tödliche Unrast aber ist lediglich eine Folge davon, daß die Menschen sich noch nicht bewußt sind, Teile des unendlichen Wissens zu sein, *daß sie noch nicht gelernt haben, aus den mentalen Quellen Gedanken ins Sein herüberzuschöpfen.* Einst wird die Menschheit den Tag der Erkenntnis erblicken und wissen, wenn sie sagt: »Dies will ich« und darin verharrt, daß dann unsichtbare Kräfte am Werke sind, die Wünsche in Materie umzuformen. *»Den Seinen gibt's der Herr im Schlaf!« Die aber rauben sich den Schlaf, um es ja nicht zu bekommen!*

Die Religion der Kleider

Ein Teil unserer Gedankenemanation wird von den Kleidern absorbiert, und wenn Kleider lange Zeit getragen werden, erscheinen sie förmlich gesättigt mit solchen Elementen. Jeder Gedanke ist ein Teil unseres Selbst; unser letzter Gedanke ein Teil unseres neuesten frischesten Selbst. Wer alte Kleider trägt, resorbiert in das frische Ich die Gedanken, die er längst als überlebt von sich abgetan hat – aus seinen alten Kleidern dringen in das junge Selbst Reste aller Launen und Kümmernisse, Sorgen und Ärger zurück, die einst von ihm in jene Kleider strömten. Er beschwert also sein neues Ich mit dem alten, toten Ich vergangener Jahre. Dieses Launenhafte, psychisch Verweste ist es, was alte Kleider so widerlich zu tragen macht. – Neue aber befreien, machen den Geist leicht; sie sind die frische, die äußerste Haut über die Epidermis hinaus, noch nicht gefüllt und beschwert mit den geistigen Emanationen vieler Tage. Selbst Kleider aus guten Perioden des Lebens sollten nicht verwahrt werden, denn man soll in altes Glück nicht zurückkriechen. Es ist somit Kraftvergeudung, alte Kleider zu tragen, sich mit seinen eigenen Leichenteilen zu bekleiden – aus Sparsamkeit!

Nicht einmal die Schlange kriecht in ihre alte Haut zurück – aus ökonomischen Rücksichten. Die Natur trägt keine alten Kleider!

Die Natur spart nie nach Menschenart am Gefieder, Fell und Farbenschmelz. Sonst würde ihre herrschende Farbe bald die alter Hosen sein, und Gottes Firmament glänzte speckig wie ein Trödlerladen dritten Ranges.

Es ist heilsam, sich mit farbigen Dingen zu umgeben. Was das Auge freut, erfrischt den Geist, und was den Geist erfrischt, erfrischt den Körper.

Wir haben heute zwanzigmal mehr Farbennuancen zur Verfügung als noch vor wenigen Jahren. Im Kunstgewerbe, in der Konfektion, auf allen Gebieten der Industrie! Ich fasse das als Zeichen einer wachsenden Spiritualisierung unserer Zeit auf. Denn Spiritualität bedingt wachsende und nuancierte Freude am mannigfaltig Schönen.

Spiritualität bedeutet einfach die Fähigkeit, immer höhere und subtilere Quellen des Glückes in allen Dingen zu entdecken. So werden, dem steigenden ästhetischen Bedürfnis breiterer Schichten entsprechend, auch die Gewänder mannigfaltiger an Form und Farbe.

Und eine richtige Intuition bestimmt auch die Menschen, zu gewissen Gelegenheiten bestimmte Kleider anzulegen, auf daß nicht mit dem Alltagsgewand auch der Alltagsgedanke sich in das Fest herüberschleiche. Jede Beschäftigung sollte ihr spezielles, aber stets geschmackvolles und hübsches Kleid haben, um Verschleppung von Kräften hintanzuhalten – dann wird man mit jedem Gewand zugleich in die Stimmung der Tätigkeit geraten, der es dient. – In allen uns bekannten Religionen trägt daher der Priester, wenn er sein göttliches Amt erfüllt, das priesterliche Gewand, das nur dieser bestimmten Zeremonie geweiht ist. Es wird nie im gewöhnlichen Leben, im Hasten oder Gedränge der Menschen angelegt, damit seine Aura rein bleibe von den Gedanken der Niederungen. Vom Priester selbst, trüge er es stets, strömte dann jede Laune, jede Regung des Alltags in das heilige Kleid; so aber bleibt es in der Sphäre des höchsten Gedankens von Zeremonie zu Zeremonie für die Augenblicke, da der Priester gesammelt ist zu der Weihe seiner Mission. Darum liegt auch dem Glauben an den Zauber, der von Amuletten, Reliquien oder geweihten Dingen ausgeht, eine Wahrheit zugrunde! Insoferne aber nur, als jeder Gegenstand beladen ist mit dem Wesen dessen, der ihn besaß oder auch nur berührte. – So werden wir mit den Lumpen des Bettlers gewiß etwas von der bangen, lauernden Demut in uns strömen fühlen; in den Kleidern eines bedeutenden Mannes vielleicht Einfälle haben, die uns sonst fremd sind.

Man kann Gewänder »ausruhen« lassen wie Organismen.

In gewisser Hinsicht werden sie »gedankenundicht«! Denn Gedanken haben, so befremdlich es klingt, auch verschiedenes spezifisches Gewicht; es gibt solche, die hinabsinken, und andere ohne Schwere, die, den Anziehungen anderer Sphären gehorchend, aufzusteigen vermögen! An tiefgelegenen Orten, Kellern usw. flutet daher etwas geistig Trüberes; es ist eine Tendenz zum Bösen da, die auf den Höhen fehlt.

Da Kleider bis zu einem gewissen Grad eine *mentale* Hülle darstellen, ist es ebenso nötig, in tiefster Einsamkeit neu und schön gekleidet zu sein wie in Gesellschaft; die Grazie und Eleganz der Kleidung stammt aber von *innen heraus;* es ist ein Seelisches, das den Leib bekleidet.

Farben sind der Ausdruck psychischer Zustände; Unfreiheit, Trauer, Hoffnungslosigkeit wählt das Schwarze. – Unsere Rasse, die im innersten Herzen nur an den Tod glaubt, das heißt, an das Erlöschen des bewußten Ego mit dem Zerfall seines Leibes, muß vorwiegend düstere Farben tragen, insbesondere beim Sterben eines Verwandten oder Freundes – der Chinese, dem der Tod nur den Verlust eines Instrumentes der Geistigkeit bedeutet, wählt im gleichen Falle weiß, das keine Farbe, *nur lichte Stille ist!*

Symbolisch für unsere Rasse ist auch, daß Menschen, die das sogenannte »gesetzte« Alter erreicht haben, fast nur mehr dunkel gekleidet gehen, weil sie sich bereits im Niedergang empfinden und glauben, in jene Gegenden des Lebens zu versinken, wo alle Freudigkeit und Lust und Hoffnung nach und nach ausgesperrt erscheint – weil sie mit gebundenen Händen gleich Märtyrern erwarten, in wenigen Jahren hinfällige Greise zu sein. Sie alle tragen schon im vorhinein um sich selbst Trauer. Der Anblick von Jugend in frischen Farben ist ihnen unangenehm und beleidigend, und im Innersten hält nur der geheime Trost sie aufrecht, daß auch jene bald aus dem Lande der Jugend hinweg müssen, in das gleiche Leben voll Härte, Freudlosigkeit und Öde.

Dies Land ist voll Menschen, die, sobald die erste Jugend vorbei ist, anfangen, ihren Anzug zu vernachlässigen; das ist ein Todeszeichen; die Körper dieser Menschen haben zu sterben begonnen, sie »lassen sich gehen« – in den Tod gehen –, sie geben sich auf! Nachlässigkeit in der Kleidung bedeutet Mangel an Liebe für die Anstrengung und Arbeit des Kleidens – und was für den Leib ohne Liebe geschieht, ist eine direkte Schädigung. Wenn man's von dieser Seite aus betrachtet, kann es sich nicht einmal ein Milliardär gestatten, einen schäbigen Hut zu tragen. – In der Jugend ist am meisten spirituelle Weisheit oder Intuition. Weil der Geist einen neuen Körper hat und bis zu einem gewissen Alter frei bleibt von der allmählich anwachsenden Last alter, toter Meinungen, die ihren Ausdruck findet in den wachsenden Vorurteilen und widerlichen Gewohnheiten der reiferen Jahre.

Die Jugend aber, im jubelnden Bewußtsein ihrer intuitiven Weisheit, ist spielerisch! *Schätzt Sorgen nach ihrem wahren Wert, das heißt, gar nicht und wirft sie ab!* Sie liebt es, sich zu schmücken, schwelgt gleich der Natur in einem Königreich von Farben und ist weiser als das »reife Alter«, das, in falsche Scheingesetze verstrickt, sich selbst den Weg zu neuer Hoffnung und Freude durch tote fremde Erfahrung sperrt. Darum heißt es: »und wenn ihr nicht umkehret und werdet wie die Kinder« usw., *denn durch jeden zarten neuen Leib fühlt die Seele gleichsam ein Cherubdasein schimmern, einen Blitz, eine Verheißung, die allzubald in sinnloser Willkür verlöscht wird durch die irdischen Gedanken einer rohen Materialität.*

Ich höre manche still für sich sagen: »Wie können wir, auf denen das Leben schwer liegt, noch Zeit und Mittel nehmen, um jeder Gelegenheit ihr Kleid zu wahren, uns womöglich mehrere Male täglich umkleiden statt für das Nötigste zu sorgen?« Ich antworte: »Die Möglichkeit liegt in euch – *richtet euern Willen, euer göttliches, ewiges Erbe, den Magneten, der die Dinge der Welt in euer Schicksal zieht, auch auf dieses scheinbar nebensächliche Gebiet!* Weigert euch, still, fest und ohne Ungeduld, schlechte Kleider, schlechte Wohnung, schlechte Nahrung hinzunehmen – fordert das Beste –, und das Beste wird im Lauf der Zeit euer sein. *Wer schlechte Lebensbedingungen fürchtet, und von Jahr zu Jahr mehr Sorgen voraussieht, setzt und erhält eine Kraft in Tätigkeit, die ihn niederdrücken, niederpressen wird – und niederhalten, daß die Fetzen an ihm und er an den Fetzen kleben bleibt.*«

Das Gesetz der Ehe

Das verfeinerte Element in der Natur ist weiblich. Die größere konstruktive Kraft – männlich. Klarer im Schauen ist das Wesen der Frau! Geschickter, dieses Geschaute zu verwirklichen – der Mann! Das spirituelle Auge der Frau sieht stets weiter als der Mann – die spirituelle Macht des Mannes zu schaffen, was das Weib sieht, ist größer. Die Intuition der Frau geht dem Manne voraus, wie die Rauchsäule bei Tag und die Feuersäule bei Nacht dem auserwählten Volke vorausging. Unter Frauen gibt es viel mehr Clairvoyantes! Frauen sind auch die ersten, um neue spirituelle Wahrheiten zu erfassen, wie sie auch am längsten religiösen Bräuchen treu bleiben, aus der tiefen Intuition heraus, daß die Kirche die Wurzel sei, aus der dereinst ineinander blühen soll, was jetzt als Wissenschaft und Religion getrennt und feindlich scheint. Die Frau erkennt direkt ohne die mühsame intellektuelle Abwicklung von Ursache und Folge, *sie springt die Wahrheiten an!*

In allen Stadien seelischen Wachstums wird der innere Blick der Frau klarer sein als der des Mannes – der Mann aber wird stets befähigter sein zu verwirklichen, was ihm die weibliche Psyche zeigt. Und für die speziellen Fähigkeiten eines bestimmten Mannes gibt es nur einen bestimmten weiblichen Scharfblick, der erkennt, wie und wann diese Fähigkeiten zur besten Entfaltung gelangen können. Weib und Mann sind wie Auge und Hand in einer wahren Ehe.

Der weibliche Geist ist ein notwendiger, unentbehrlicher Teil des männlichen Geistes. Auf anderen Ebenen des Seins, wo Mannheit und Weibheit ihre wahren Beziehungen besser begreifen und auf der Höhe dieser Beziehungen stehen, strömt wechselweise eine Macht von Geist zu Geist, die unsere arme Phantasie schwerlich zu ermessen vermag. Weil in diesen Sphären der Existenz jeder Gedanke, jedes Ideal, jeder Traum Realität wird. Aus den vergatteten spirituellen Kräften eines Mannes und einer Frau können im schöneren Sein, wie aus dem Vollendeten, alle Wünsche sich zu lebendigen Dingen kristallisieren.

Der Eckstein dieser Macht liegt in jeder Ehe des rechten Mannes mit der rechten Frau – der ewigen Ehe der Seinsverschmelzung der Prädestinierten. Für jeden geschaffenen Mann ist auch eine Frau geschaffen, die zu ihm und nur zu ihm steht, die einzige, die es für ihn in dieser wie in jeder anderen möglichen Welt gibt. Ihr ewiges Leben, wenn beide relativ vollkommen geworden sind, ihre Relation begriffen haben, wird ein ewiger Liebesrausch sein. Viele, die von Ewigkeit füreinander bestimmt sind, leben heute unglücklich zusammen. Aber in anderen Verkörperungen als andere physische Individuen, mit andern Namen, werden sich ihre höheren und entwickelteren Seelen wiedererkennen. Die wahre Frau eines Mannes, ob ihr Geist im physischen Leben gerade einen Leib zum Vehikel hat oder nicht, ist das einzige Wesen im Universum, das diesem einen Manne zu der höchsten Geisteskraft verhelfen kann, deren er fähig ist. *Und Gedanken, aus dieser Quelle geschöpft, haben gerade die für seinen Intellekt nötige Eigenart; gerade das, was er im Augenblick für sein Werk, seine Unternehmungen und Geschäfte braucht, wird die Frau mit Seherkraft erschauen!* Der wahre Gatte einer Frau ist wieder das einzige Wesen im Universum, dem die Fähigkeit verliehen ist, die Vision der Frau zu verwirklichen. *Dieses Ineinanderstrahlen von Kräften ist die Einheit – das neue Wesen, das sie bilden,* nicht die Kinder, die sie physisch zeugen. Die Frau vermag durch ihre feinere psychische Organisation Gedanken, besser Intuitionen, höheren Grades zu empfangen! Sie ist die empfindlichere Membran für die Schwebungen im spirituellen Ozean. Er hat den *stärkeren* Intellekt für das rauhere Stratum des Lebens, um die Intuitionen der Frau in den Dingen der Erde zu realisieren. Doch den *höheren* Intellekt, der die ganz feinen, mächtigen Gedanken empfängt, hat er nicht. Hinter allen großen Männern, in jeder Phase, jedem Grad der Lebensentwicklung, hinter jedem Erfolg und jedem Unternehmen steht immer irgendwo, sichtbar oder unsichtbar, eine Frau – die Weckerin!

Die Frau hat heute mehr Macht und übt mehr Macht, als sie selbst ahnt. Überall wirken ihre Inspirationen, deren sich der Mann, dem Grade seiner Feinfühligkeit entsprechend, bewußt wird. Der Beschenkte aber nimmt auf, ohne zu ahnen, daß sie es ist, die ihn beschenkt, und sie gibt, ohne um ihre Gabe zu wissen. Was man ihre »müßigen Gedanken«, ihre »phantastischen Grillen« nennt – dies spielerische Bauen von Luftschlössern ist die fruchtbare Erde, aus der die Saat der Wirklichkeit schwillt. Es ist eine Wahrheit, daß wertvolle Ideen stumm – ohne daß ein Wort gewechselt wird – verschenkt werden können. Ärger noch ist es, wenn der feinere, mächtigere Gedanke von dem einen zum gröberen Intellekt des anderen fließt und als Tausch für seinen Schatz niedrigere Geisteswellen zurückempfängt. Dann denkt, fühlt und handelt der vornehmere Mensch unter seinem Range, er denkt Gedanken, die unter ihm sind – die wesensfremden des ungleichen Genossen.

Die Frau ist nicht das schwächere, nur das feinere Gefäß, das den unirdischen Wein der Geistigkeit trägt. Oder sie ist dem Manne, was die Magnetnadel des Kompasses dem Steuer des Schiffes ist. Da sie das feinere Instrument darstellt, so bedarf sie größeren Schutzes – wie der Seemann seinen Kompaß oder Sextanten vor störenden Einflüssen schützt. Wird dieses feine Instrument, dazu geschaffen, höchste Intuitionsströme zu registrieren, zugleich der groben Natur ausgesetzt (das heißt: gezwungen, die Arbeit des Mannes zu tun), so wird es stumpf, verliert seine Sensitivität, und nun leidet der Mann Schaden, da ihm das Instrument, das er mißbraucht, nicht

mehr die Wege weisen kann. Er leidet an Gesundheit wie Vermögen.

Darum sagte Christus von Maria, sie habe das bessere Teil
erwählt, da sie sich nicht zur Hausmagd erniedrigte gleich Martha.

Es liegt nur an unserer Barbarei, daß Hausarbeit als Frauenberuf
betrachtet wird! Diese Arbeit innerhalb der vier Wände, wo Kochen, Bettenmachen, Reinigen, Kinderwarten und noch zwanzig
andere Pflichten in einem einzigen Vormittag auf die Frau fallen, ist
weit erschöpfender als pflügen oder irgendeine einzelne Tätigkeit
üben, sei es Handwerk oder Studium oder Büroarbeit. Denn je mehr
verschiedenartige Dinge man im Sinne behalten muß, desto größere Geisteskraft muß nach den verschiedenen Richtungen ausgesandt werden. Wird die Frau derart ausgebeutet, so verliert sie die
Begabung, neue Ideen zu empfangen; sie stumpft sich ab, denn die
Kraft, die hierzu nötig gewesen wäre, ist in Muskelarbeit umgesetzt
worden. Robotet der Mann allzusehr, so schwindet wieder seine
Fähigkeit, ihre Intuitionen zu erfassen.

Kann oder will ein Mann diese Beziehung seines wahren Weibes
zu ihm nicht anerkennen, so gleicht er einem Seefahrer, der einen
Kompaß besitzt, ohne ihn zu benützen. Wenn er unaufhörlich ihre
Ideen oder Eindrücke oder Vorgefühle in bezug auf seine Unternehmungen verhöhnt – weglächelt, wird er im Lauf der Zeit ihren
Intellekt abstumpfen, ihre Intuition verkrüppeln und die Quellen
ihrer Inspirationen verschütten.

Er unterbricht auf diese Weise ihre Verbindung mit den oberen
Strömen schöpferischer Gedanken. Er wird ihre Gesundheit unter-
graben und die seine. Ihren und seinen Intellekt schädigen und sich
und sie niederziehen in rohere und tiefere Schichten des Lebens. –

Das sind Teile und Kräfte, die ein Ganzes geben, von der unendlichen Weisheit zusammengefügt.

Die Sage, daß Minerva dem Haupte des Zeus in voller Rüstung
entsprungen sei, ist ein Symbol für den höheren Ursprung der
weiblichen Weisheit.

Sie bringt aus den oberen Welten Erkenntnisse wie Blöcke Goldes
mit – die Aufgabe des Mannes ist es, seinem Wissen und Können
gemäß Formen der Schönheit daraus zu bilden.

Oft hat man gefragt: »Warum haben Frauen relativ so wenig
›geleistet‹, verglichen mit dem Werk des Mannes in der Technik und
den andern aktiven Gebieten des Schaffens?« Da die Frau die
Gedankenbringerin ist – die Botin von oben –, so sind alle Werke
zugleich ihr unsichtbares Wirken. Sie gab, ohne zu wissen, daß sie
gab – der Mann nahm, ohne zu wissen, daß er nahm, solange keines

wußte, daß sein wahres, sein größeres Teil in der unsichtbaren Hälfte des Lebens liegt, daß er geistige Tentakel hat, die weit hinausreichen über den Leib! Fühlfäden, die sich berühren, vermischen und unsichtbare Elemente tauschen, die Gedanken! So hat die Frau immer ihr Werk vollbracht! *Die Adoration der katholischen Welt für die Jungfrau Maria entspringt jener tiefen Scheu vor dem sublimen Vehikel, das die höchste Weisheit – Christus – der irdischen Welt vermitteln durfte.* Nicht bevor der Mann das weibliche Element verehren lernt, als den Träger des Agens, den Boten der höheren Einsicht, wird er selbst die Kräfte eines Erleuchteten haben.

Die Frau, die sich ihrer wahren Relation zum Manne bewußt geworden ist, hat die Pflicht, auch Anerkennung ihres Wertes zu fordern, nicht keifend als Megäre, sondern als stolze, liebende Königin, bedacht zu gefallen, doch fest beharrend, nach ihrer Einsicht zu gefallen und zu helfen. Gibt sie sich minderer Wertung preis, so ist sie gleicherweise verantwortlich für alles Leid, das beiden daraus erwächst. Jeder muß sich selbst die Gerechtigkeit erkämpfen. Sobald wir unseren Wert für andere klar erkennen, sollen wir auch die anderen diesen Wert erkennen lehren. Sehen sie ihn nicht, so dürfen wir nicht geben, bis sie gelernt haben, ihn zu sehen. Fahren wir fort zu geben, wenn unsere Gaben mißachtet werden, so sind wir die größeren Sünder! Denn so verschwenden wir wissentlich das hohe Gut, das das unendliche Bewußtsein durch uns strömen läßt.

Sympathie ist Kraft. Wenn ein überlegener Geist viel an einen minderwertigen Menschen denkt, sendet er ihm einen Strom von Macht, Inspiration und Energie. Da er aber nicht gleiches zurückerhält, wird er geschädigt an Leib und Seele. Er gibt Gold und erhält Eisen. Der minderwertige Intellekt, der also vampyrhaft sich nährt, ist nur fähig, einen Teil der hohen Gabe zu absorbieren, die eben noch in seine geistige Sphäre fällt – der Rest geht nutzlos verloren. Dieser untergeordnete Geist kann aber doch der wahre Gatte sein, nur noch nicht heraufgereift zum vollen Verständnis seines ewigen Gemahls! Mann und Frau beginnen den wahren Wert ihrer Vereinigung zu begreifen, wenn sie sich verbinden in dem Wunsche, sich gegenseitig geistig gesünder zu machen – wenn sie ein großes, lebenerfüllendes Ziel sich gesetzt haben.

Sie werden erkennen, daß jeder niedere, rohe oder kleinliche Gedanke eine Schädigung ist – auch für den andern –, daß dieser Gedanke, wenn fortgesetzt, beiden Gatten verderblich werden muß. Beide werden streben, immer wachsende Kräfte zum Wohle aller zu werden. Wenn der Mann inne wird, wie der weibliche Geist neue Gedanken in ihn senkt, einer Quelle immer klarer Erkenntnisse gleich; wenn die Frau sich der unendlichen Macht bewußt wird, die in den Ebenen der Wirklichkeit vollbringt, was ihr versagt ist – dann ist es eine wahre Ehe. Ihren gemeinsamen Weg aber mögen sie dann richten nach dem Erkennen, das aus dem Gebet um Weisheit fließt! So werden sie ihren Geist mit neuem Fleisch bekleiden! Dann sind sie auf dem Pfade zu den Wunderkräften des inneren Menschen, werden einander zu Heilern und Lenkern; sie schreiten aus dem Heute in ein immer mächtigeres, reineres Morgen.

Priester vieler Religionen sind zur Ehelosigkeit verpflichtet, nicht weil die Ehe in ihrem höchsten Sinn sie herabziehen würde, sondern weil die Frau eines wahren Priesters, das heißt, eines fast divinen Menschen, als sein spirituelles Teil gar nicht mehr auf der sichtbaren Seite des Lebens steht – von drüben aber sendet sie ihm die Inspirationen seiner Seele. Würde dieser Mann mit einer anderen Frau eng durch Bande verknüpft werden, so wäre das eine Wand – ein gröberes Element, das ihn von seiner priesterlichen Genossin schiede: seiner wahren Frau, mit der er in irgendeiner Form der Existenz wieder vereint werden soll. Es ist Menschen und menschlichen Gesetzen unmöglich, solche zu trennen, die von Ewigkeit wahrhaft füreinander bestimmt sind.

Es gehört zu den Möglichkeiten des Seins, daß von zwei wahren Gatten der eine inkarniert ist, während der andere vielleicht eine Existenz im Unsichtbaren führt. Vielleicht wird die Zukunft eine Möglichkeit erkennen, wie durch unablässiges Verschmelzen der Gedanken zwischen solchen Getrennten selbst eine reale Berührung zustande kommen könnte. Würde der Mann eine tiefe Relation im Leben mit einer anderen Frau eingehen, so würde ihn das immer weiter von seinem ewigen Gemahl trennen; es wäre eine neue Schranke zwischen ihm und ihr. Erst viele Inkarnationen später würde er vielleicht die spirituelle Klarheit erlangen, diejenige zu erkennen, die ihm wahrhaft bestimmt ist.

Tyrannei oder Wie wir einander mesmerisieren

Keine Tyrannei ist weiter verbreitet oder subtiler in ihren tiefen Wirkungen als die Herrschaft eines Bewußtseins über ein anderes oder andere.

Eine Tyrannei, bei der der Tyrann weder weiß, daß er herrscht, noch der Tyrannisierte, daß er beherrscht wird.

Die unumschränkteste Gewalt ist eben die, der man sich nicht bewußt ist – die Abhängigsten sind jene, die aus eigenem Willensimpuls zu handeln glauben, *denen selbst das Wissen um ihre Abhängigkeit wegtyrannisiert wurde.*

In dieser Weise herrscht oft das Kind über die Eltern. Das Kind: ein Geist mit neuem Körper, hat vielleicht den weit mächtigeren mentalen Willen, in früheren Existenzen gereift, und daher eine Gewalt der Seele, die jener der Eltern weit überlegen ist, wenn auch Erfahrung und Intellekt des kindlichen Organismus zurückstehen. Es weiß noch nichts von seiner Macht, so wenig, wie die Eltern wissen, daß sie die Schwächeren sind; und doch wird das Kind in Laune und Gebaren seinen Charakter durchsetzen und unbewußt seine Umgebung tiefer beeinflussen, als es selbst beeinflußt wird.

Mit den Worten: »Gewaltige Seele oder mächtiger Geist« ist nichts Lernbares, kein intellektuelles Wissen gemeint, sondern jene überlegene Kraft, die unmittelbar von Geist zu Geist strömt, ungehemmt durch räumliche Entfernung.

Ein ungebildeter Mensch kann diese stärkere mentale Kraft besitzen. Alles, was er unternimmt, wird ihm höchstwahrscheinlich gelingen! Die Welt nennt das Charakterstärke. *Wahre Erziehung* heißt: *diese eingeborene Geisteskraft befreien und wirksam machen – nicht fremde Gedanken und Fakten (meist falsche) hineinmesmerisieren.*

Die stärkere Geisteskraft geht als wirkliches, lebendiges Element auf andere über; sie verändert, beeinflußt, bannt! So warf der erste Napoleon seinen Willen über die Armee: jeder einzelne Soldat fühlte ihn über und in sich! Alle vibrierten von seinem Wesen, spürten, wie sich dies mächtige Element emanierte, ganz wie ihre physischen Sinne die Sonnenstrahlen fühlten!

Und warum, wird man fragen, hat denn die Siegesmacht nicht angehalten? Weil er durch mangelndes Wissen in den gebräuchlichen Fehler verfiel und gestattete, daß sein Geist sich in unebenbürtigen mentalen Sphären bewegte. Er mischte sein psychisches

Dynamit mit Sägespänen und schwächte seine mentale Kraft, als er Josephine um einer hochgeborenen, aber inferioren Frau willen verließ; er absorbierte eben diesen inferioren Geist! Da begann die Macht über andere zu schwinden, der Zauber verblich, Josephine war Napoleons ewiges Gemahl – seine Ergänzung und Erfüllung, nicht nach menschlichen Satzungen, sondern dem unendlichen Wissen gemäß. Als sein Geist mit dem ihren verschmolz, wallte eine Gewalt in ihm auf, wirkend auf alle, nah und fern, wie auch unsere Gedanken ohne Unterlaß fern dem Körper zu wirken vermögen, wenn auch in schwächerem Grade. – Nach dem gleichen Gesetz wirkt auch das überlegene Gedankenelement, das ein Finanzgenie wie Jay Gould im Reiche des Erwerbes aussendet, auf andere Geister nah und fern. –

Für einen Menschen, der ein bestimmtes Ziel, einen scharf umrissenen Plan im Leben verfolgt, kann es hinderlich, selbst verderblich, werden, mit Leuten intim zu verkehren, die jenem Ziele oder Plan interesselos gegenüberstehen. Es ist ziemlich belanglos, mit wem man rein geschäftlich und von Berufs wegen verkehrt; doch *Vorsicht ist geboten, ehe wir einen Menschen unsere Mußestunden teilen lassen – »wenn wir uns gehen lassen«, passiv sind.* Wer in dieser Weise mit einem Unebenbürtigen intim wird, sei es Mann oder Frau, dem wird bei seinen Unternehmungen viel Geisteskraft verlorengehen – der Minderwertige wird *die Linie der Tat ablenken oder bis zu einem gewissen Grade beeinflussen.* Sehr viel hängt daher von den Genossen unserer Mußestunden ab; von ihnen kommen Elemente, die Leben oder Tod, Mut oder Feigheit, Geistesgegenwart oder Rastlosigkeit bedeuten können! Absorbierte Gedanken, die mit Notwendigkeit wieder in Taten herausgelebt werden, sind das mächtigste und feinste Agens im Universum, um Wohl oder Wehe zu bringen.

Darum braucht sich aber niemand plötzlich und gewaltsam aus gewohnter Gesellschaft zu reißen, was leicht Schwierigkeiten und direkten Schaden verursachen kann – er soll lieber seinen Geist diese Arbeit vollbringen lassen! Ist Trennung für uns und andere besser, so wird das spirituelle Gesetz, sobald wir ihm nur vertrauen, diese Trennung leicht, allmählich, ohne schmerzlichen Riß zustande bringen. Es wird nach und nach Ereignisse und Veränderungen eintreten lassen, so daß die Wege des Lebens sich still scheiden, nach anderen Zielen unmerklich und in Frieden. – Das Schicksal handelt viel weiser und subtiler als der Eigenwille des Menschen, der turbulente, lähmende, rohgewaltige Methoden liebt.

Männer absorbieren Gedanken leichter von Frauen als von

ihresgleichen – Frauen leichter von Männern! Männer werden eher von Frauen als von Männern beherrscht – Frauen eher von Männern. Wenn ein Mann, der sein Wollen auf ein Ziel gerichtet hat, seine Mußestunden mit einer Frau verbringt, die wenig oder kein Interesse an seinen Plänen nimmt, wenn er, an sie gewöhnt, seine Gedanken oft zu ihr schweifen läßt, wird er ein großes Quantum Energie verlieren, das seinem Ziele zugute gekommen wäre. Er wird sich zuzeiten unerklärlich mutlos fühlen, nicht in der Stimmung, sein Werk zu fördern, oder gleichgültig gegen das Ziel selbst. *Es fehlt jener stille, ununterbrochene Strom von Enthusiasmus, der unfehlbar Erfüllung bringt!* Was ist geschehen? Er hat vom Geiste dieser Frau absorbiert, er denkt ihre Gleichgültigkeit gegen seine eigene Sache! Er ist ein Teil von ihr geworden, wird von ihr beeinflußt, mesmerisiert, ohne daß sie es will oder weiß! Sie mag reizend und faszinierend sein, die Zeit verfliegt in ihrer Gesellschaft, der Mann ist unter ihrem Charme, er kehrt sich zur Zeit wenig darum, daß sie seinen tiefsten Willen nicht teilt. Eine momentane peinliche Enttäuschung, wenn die Gegensätze aufflammen, wird rasch erstickt. – Ist die Frau der stärkere und feinere Geist, der in gleicher Weise sich in das Schicksal eines inferioren Mannes verstrickt, so erleidet sie gleiches.

Bevor der Charme verflogen ist, kann aber längst die bürgerliche Ehe geschlossen sein, während die Beziehung mit Ehe im wirklichen Sinne gar nichts zu tun hatte.

Aber kein Mann und keine Frau, die wahrhaft und lebendig im unendlichen Bewußtsein wurzelt, können in diesem *Einen* je fehlgehen!

Sie sind behütet. Nur das hastige, sinnlose ins Leben Rasen der Menschheit, ohne Rat und Beistand im Unendlichen zu suchen, schafft all diese Not.

Hypnotismus ist nur *eine* Form der geistigen Tyrannei! Die offenkundigste, da das Medium gestattet, daß sein Wille disloziert werde und statt dessen der Wille des Hypnotiseurs von seinem Leib Besitz ergreife, mit ihm zu schalten wie mit einer Marionette. Zuweilen wird das Medium durch einen glänzenden Gegenstand in der Hand des Hypnotiseurs eingeschläfert, das heißt: völlig passiv gemacht, da es seine ganze Aufmerksamkeit in dem leuchtenden Punkt ruhen läßt; in diesem Moment wirft der Hypnotiseur seinen ganzen Willen, sein »du mußt« auf das Medium. Wer sich absichtlich positiv macht, wird dagegen kaum hypnotisierbar sein! Genauso geht es bei den fortgesetzten mesmerischen Einflüssen im Leben – *die ganze Weisheit des Lebens liegt darin, zu wissen, wann man*

Medium, wann Hypnotiseur sein darf. – Denn diese Wechselwirkung von Geist auf Geist kann mitunter zur Quelle höchster Güter werden – jetzt aber entsteht fast nur Schaden aus ihr, wie stets, solange neue Kräfte noch unerforscht und unkontrolliert über die Erde schweifen. Räumliche Entfernung spielt bei dieser Art Wirkung fast keine Rolle. Ein Mensch, mit dem wir lange und intim verbunden waren, kann auf tausend Meilen Entfernung unsern Leib im Guten und Bösen beherrschen, bis seine Macht geschwächt oder gebrochen wird durch die Wirkung eines neuen mesmerischen Einflusses. *Die Schwierigkeit liegt darin, zu wissen, ob man beherrscht wird und von wem.* Wenn ein Mensch den starken und unbeugsamen, aber schweigenden *Wunsch* hat, daß wir seinem Wollen gemäß handeln, ohne daß dies Wollen geradezu unseren Instinkten entgegengesetzt ist, so scheint es sehr wahrscheinlich, daß wir konform jenem fremden Willen handeln werden, in der heiligen Überzeugung, nur nach eigenem Ermessen vorgegangen zu sein. In diesem Fall können wir den stärkeren, positiveren Geist haben und unterliegen doch dem fremden Willen, weil wir uns von der Notwendigkeit eines Widerstandes gar nichts träumen ließen – wir wußten eben nichts von dem Gesetz, das Geist an Geist bindet – schweigend, über den Raum hinweg. Wir wußten nicht, wie der Gedanke des anderen fern von seinem Leib in uns nagt Tag und Nacht.

So kann der Schwächere den Stärkeren beherrschen, weil er in seiner Blindheit sich binden läßt von mentalen Ketten. Überall findet sich solche Tyrannei zwischen Gatten, Geschwistern, Eltern und Kindern. *Ein Freund kann wie der Geist auf Sindbads Nacken sein, ohne zu wissen, daß er in absolutem Egoismus mit seinem Willen auf einem anderen lastet.*

Solches Beherrschtsein ist immer schädlich, denn die Fehler, Irrtümer und auch physischen Schwächen des anderen kommen dann zu unseren eigenen hinzu, der Weg unseres Lebens beginnt zu wanken, abgelenkt von den tieferen Gesetzen seiner eigenen Bahn!

Unsere Sehnsüchte erscheinen dann plötzlich wie »Launen«, »leere Hirngespinste« oder bis zur Unerreichbarkeit fern. Gerade, wo wir glauben sollen – an unsere eigenen Kräfte –, zweifeln wir. Ist doch der Glaube an eine Kraft Gebet; und jedes Gebet trägt seine Erfüllung schon in sich. Unser wahres Selbst kann durch einen solchen unbewußten mesmerischen Prozeß beiseite geschoben werden; *und ein inferiores Leben lebt unser eigenes Dasein.* – Wenn uns ein Mensch in den Straßengraben stößt, ist der Schaden gleich groß, ob es nun absichtlich geschah oder nicht.

Heute gibt es Tausende und Abertausende mesmerisierter Kinder, auf denen die Wünsche und Hoffnungen der Eltern lasten, die eine bestimmte Art Leben für ihre Kinder in Gedanken bauen, das abzuwerfen diese noch nicht die Kraft haben, das ihrer wahren Schicksalslinie aber entgegenwirkt, sie aufhält und stört, ja das physische Leben der Kinder sogar vernichten kann. Mehr als ein Schutz für die zarteste Jugend soll Elternliebe nicht sein. *So aber bauen die Eltern all ihre eigenen Irrtümer in die jungen Leben hinein, bis in diese unbewußt mesmerisierten Geister kein neuer Strahl mehr brechen kann, und so fahren sie fort zu glauben, wie bisher geglaubt wurde; zu irren, wie die Eltern irrten, und leiden infolgedessen, wie die Eltern gelitten haben, um endlich in Pein und Agonie wieder ihren Körper zu verlieren, wie ihn die Eltern verloren haben.*

Verlange Befreiung von jeder Tyrannei, und du wirst am Ende befreit werden. Du wirst diese Gesetze dann besser erkennen. Dein Geist wird fühlen lernen, wenn die Gefahr da ist, von andern gebunden und hinweggeführt zu werden.

Viele Menschen unterliegen ganz sonderbaren Mesmerisierungen, die sie sich kaum einzugestehen wagten, wüßten sie selbst darum. Wir werden zuzeiten förmlich überwältigt von Beamten hinter Gittern in ihren Verschlägen! Da werden wir manchmal ganz scheu und schwach bei Dingen, die sich bei ruhiger Betrachtung als unser vernünftiges Recht erweisen. Desgleichen fürchten wir in mancher Umgebung und zu gewissen Zeiten Fragen zu stellen, um nicht unwissend zu erscheinen! Und das alles wegen Menschen, die wir bei näherer Bekanntschaft gewiß nicht der höchsten Ehrfurcht für wert hielten. Viele lassen sich geduldig gewisse »Geschäftskniffe« und kleinere Unregelmäßigkeiten gefallen aus Furcht vor dem Skandal. Der Grund, den sie vor sich selber geben, ist natürlich der, sie seien zu großdenkend, um sich solcher Kleinigkeiten wegen zu ereifern – in Wirklichkeit steckt aber eine gewisse Feigheit vor der Meinung bestimmter Menschen dahinter. Sie stehen unter dem Einfluß niedriger Geister; aus Furcht, für »schäbig« oder »kleinlich« zu gelten, läßt sich zuweilen eine ganze Familie von einem Dienstboten tyrannisieren.

»Treppenwitz« ist die Rückkehr zur gewohnten Denkatmosphäre, wenn die Mesmerisierung durch ein Milieu aufgehört hat.

Nie sich beugen, nie sich erniedrigt fühlen in irgendeines Menschen Gegenwart . . .! Wer es tut, leitet den Gedankenstrom sklavischer Abhängigkeit in sein Gemüt, eröffnet ein Tor, durch das der gleiche Strom auch bei unwürdigen Anlässen eindringen kann. Wir sollen bewundern, das Talent eines andern ehren, aber wie von König zu König, mit dem reinen, tiefen Wunsch, ein Gleiches möge in uns geweckt und geboren werden, ein Talent, unserem Wesen so eigen wie jenem das seine.

Man kann gleicherweise durch einen Gedankenstrom mesmerisiert werden wie durch einen einzelnen Menschen; oder das Individuum ist nur der Leitungsdraht für die allgemeine Strömung. Der sich duckende Gedanke – die Furcht vor irgend etwas, vor Krankheit, Armut, Tod –, wie ihn Millionen Gehirne stündlich ausstrahlen, dann wieder die tyrannische Herrschsucht, die der gleiche Sklavensinn ausströmt, wird ihm einmal Gelegenheit zum Tyrannisieren! All das fließt zu einem permanent anwachsenden, ungeheuren Strom zusammen. Eröffne deinen Geist nur im geringsten diesem Strom, und er stürzt über dich herein; da gibt es kein Halten mehr. Du wirst eine Zeitlang mitgerissen, und alles zeigt seine düstere Seite; um dich sind nur Mißerfolg und Elend und Mutlosigkeit und Menschen, die nie und unter keinen Umständen den Finger rühren werden, dich zu unterstützen, wenn du Miene machst, dir selbst zu helfen.

All das scheint recht entmutigend; doch diese übeln, falsch angewandten, unreifen Kräfte sind wie nichts, verglichen mit der Macht des unendlichen Bewußtseins, dem wir unsere Sinne erschließen können, sobald wir zu bitten gelernt haben.

Durch schweigendes Gebet kommen wir in diese oberen Ströme – man könnte sogar sagen, wir würden durch das Unendliche »mesmerisiert«. Gegen solche Beeinflussung ist nichts einzuwenden, da sie unser wachsendes Glück bedeutet, stets klareren Geist und schöneren Leib schafft und alle Fähigkeiten steigert und erneuert!

Dieses Hineinruhen, dies persönliche Versenken in das unendliche Bewußtsein sollte uns weit über aller menschlichen Intimität stehen – dann leitet uns das unendliche Bewußtsein selbst zu den besten irdischen Genossen. Dann haben wir die Sicherheit der Intuition, die blitzhaft den Wert der Menschen offenbart.

Wer vom unendlichen Bewußtsein mesmerisiert ist, kann auch nicht für lange unter menschliche Willenstyrannei kommen – *er wächst einfach über ihren ganzen Wirkungskreis hinaus*. Von dem unendlichen Bewußtsein mesmerisiert werden, nimmt der Individualität nichts, steigert sie vielmehr.

Die Menschen haben immer die Tendenz, irgendein möglichst kompliziertes und ausgeklügeltes System zu ihrem Wohle zu erdenken; daher sind sie immer auf der Hut: sie achten auf dieses, zittern vor jenem!

Das ist Menschensatzung – das große Gesetz will nur Glauben; und es wird alles für uns vollbringen.

Ein Gebet

Hier bitten, hier verlangen wir, dem unendlichen Bewußtsein immer näherzukommen, uns seiner Realität immer klarer bewußt zu werden, Beweise dieser Realität zu bekommen, zu lernen, wie man ihm vertrauen könne ohne Grenzen.

Wir wollen von allem Zweifel gereinigt werden. Wir bitten, in die Gemeinschaft des unendlichen Bewußtseins aufgenommen zu werden, damit es uns begleite wie ein Freund, damit wir im wirklichsten und wahrsten Sinne erkennen, wie es die *große Realität* selbst sei, die eindringt und hilft und wirkt in den kleinsten Dingen des täglichen Lebens wie in den großen Gesetzen des Kosmos! Wir bitten, in dieser Kraft ruhend, um das Gefühl der Sicherheit des Friedens von allem Leid, Sicherheit vor Elend, Krankheit und allen Übeln, die die Menschen fürchten, so daß wir in Wahrheit sagen dürfen: *Und ob ich gleich durch das Tal der Todesschatten gehe, fürchtet meine Seele nichts.*

Wie man seine Unternehmungen fördert

Welche Stellung ein Mensch auch bekleiden mag: Typist, Portier, Buchhalter, Cowboy, Beamter, kurz, was immer – wenn er in die Gewohnheit verfällt, sich immer in der nämlichen Position zu sehen, ohne höheren Wirkungskreis oder besseren Lohn, so hat er alle Chancen gegen sich! Er erzeugt diese widrigen Chancen selbst, da er die Vorstellung beibehält, die ihm sein eigenes Selbst im ewig gleichen Milieu zeigt. *Aus Luftschlössern dagegen entstehen die Paläste der Erde!*

Der Gemütszustand, in dem wir am häufigsten sind, ist eine Kraft, die Ereignisse für oder gegen uns lenkt!

Da gibt es Wesen, geboren mit Seelen, so ohne Schwung und Ziel und Weg, daß sie überhaupt nicht für sich selbst zu sorgen vermögen, nicht einmal Ererbtes erhalten können. Das sind Schulbeispiele für jene Denkform, die Mißerfolge zeugt.

Andere wieder, in Armut geboren, häufen Wohlstand fast von allem Anfang an. Sie richten all ihr Denken, werfen all ihr Wollen auf ein Ziel und haben Erfolg – soweit man Geldverdienen an sich einen Erfolg nennen kann.

Das Fördern jedes Unternehmens beginnt in der Phantasie. Wer sich aus bescheidener Stellung zum Beherrscher von zwölf Eisenbahnlinien hinaufgearbeitet hat, war geistig immer seiner Stellung voran –: hatte er eine Stufe erreicht, sah er sich schon auf der nächsten. Wer es erträgt, jahrelang Lumpensammler zu sein, hat sich gewiß nie anders gesehen, hat psychisch die Grenze des Lumpensammelns nie verlassen. Beneiden mag er wohl solche, denen es besser geht – er wünscht sich manches, was sie genießen –, aber nie hat er zu seiner Seele gesprochen: »Ich will und werde mich von diesem Berufe befreien, ich steige auf zu etwas Reinerem und Höherem als Lumpensammeln.« Neid allein bringt aber nicht vorwärts, und so bleibt er ein Lumpensammler sein Leben lang.

Wer sich »bescheidet«, die schönsten Dinge dieser Erde als zu hoch über sich, als unerreichbar anzusehen, wer sich immer am Fuß der Leiter sieht, grollend gegen alle, die über ihm sind, wird höchstwahrscheinlich auch am Fuß der Leiter bleiben. *Jeder geistige Hang, in dem wir eine gewisse Zeit verharren, bringt uns zu Dingen im Leben, die diesem Hange korrespondieren.* Wer z. B. Pferde liebt und sich innerlich viel mit ihnen beschäftigt, wird höchstwahrscheinlich, wenn sich Gelegenheit bietet, dort hingehen, wo edle Pferde zu sehen sind; dabei wird er wahrscheinlich mit anderen Pferdekennern oder Freunden ins Gespräch kommen, er wird in irgendeine Relation zu Pferdekauf oder Zucht oder Pflege gebracht werden. Geht seine Vorliebe für Pferde nicht weiter als bis zu dem Wunsch, unter ihnen zu leben, sagt er sich in Gedanken: »Ich kann nur Wärter oder Kutscher sein«, und fühlt (geistig) den Abstand zwischen sich und den großen Pferdezüchtern und Stallbesitzern, so bleibt er wohl sein Leben lang Wärter oder Kutscher. Nimmt er sich aber vor, gerade in seiner Lieblingsbeschäftigung emporzukommen, fühlt er sein Recht, ebensogut wie ein anderer große Gestüte zu besitzen, so wird er wahrscheinlich dieses Ziel erreichen.

Warum? – Weil einfach dieser Gedanke ihn schon den leitenden Männern dieser Branche näher bringt. Sie fühlen unbewußt seine Ideen, sein Interesse, die Gleichheit des Strebens heraus; und ist er eifrig und ihrem Geschäft hingegeben, als wäre es sein eigenes (wie jeder Mensch es ist, der sich im Zustand der Aspiration befindet), so fördern sie ihn. Sie finden ihn nützlich; er hat Gelegenheit, ihnen auch persönlich näherzutreten; eine intimere Aussprache findet statt! Er wird unentbehrlich, es entsteht Freundschaft, dieser wichtigste Faktor in allen Unternehmungen; denn im praktischen Leben, in jedem Zweig menschlichen Strebens sind die Leute auf wechselseitige Hilfe und auf Vertrauen angewiesen.

Wer sich selbst gering wertet, wird von anderen nicht so hoch geschätzt, wie es der Fall wäre, wenn er Selbstachtung zeigte; auch wird niemand geneigt sein, ihm zu einer besseren Stellung zu verhelfen, – es ist keine Gedankenwelle da, die ihn trägt!

Mancher, der sich prüft, mag finden, es gebe Stellungen im Leben, in die er sich nie zu träumen wagte. Von zehn Abwaschfrauen würden neun es nie wagen, sich auch nur einen Augenblick im Geiste als Directricen jenes Hotel-Unternehmens zu denken, deren bescheidenstes Glied sie jetzt sind. Gelegentlich aber steigt eine Person aus ähnlich dürftiger Stelle zu einer weit höheren –: diese wagte den Gedanken. Das war die unsichtbare treibende Kraft, die sie emporführte.

Wo immer man sich im Geiste sieht, dauernd und beharrlich sieht, dahin wird man vom Schicksal getragen. Und wenn nicht ganz an das Ziel, so doch wenigstens in die Nähe, in eine Stellung, die jedenfalls besser ist, als ziel- und ambitionslos im Rinnstein zu stehen.

Wer sich fürchtet, Verantwortung zu übernehmen, und die sichere Ecke mit dem sicheren Gehalt vorzieht, wird immer mehr oder weniger eine Maschine bleiben, der Willkür anderer preisgegeben, und muß zusehen, wie der größere Gewinn aus seinen Fähigkeiten Fremden zufließt. Wer Verantwortung zu tragen wagt, reüssiert am besten. Wer es nicht wagt, muß der schlechter entlohnte Handlanger jener sein, die wagen können. Getraue dich, wenigstens in der Phantasie ein großes Unternehmen zu leiten oder hohe Summen zu verwalten! So im Stillen, im Kämmerlein des Geistes, zu wagen, gibt dich dem Spott der andern nicht preis. Es ist gerade so billig als sich am Fuß der Leiter zu sehen. *Übe die Kunst, Erfolg zu erwarten. Ruhiges Erwarten des Erfolges ist überhaupt die beste, fruchtbarste Art, seine Gedankenkraft anzulegen, die es auf der Welt gibt!*

Unglück fürchten, Hindernisse voraussehen, über möglichen Schwierigkeiten brüten – das ist ruinierend und der sicherste Weg zur Armut.

Verantwortung braucht nicht notwendig Sorge, Ärger, Unruhe und Aufregung zu bringen. Spirituelle Kultur, die gelernt hat, von Dingen wegzudenken, bis ihre Zeit da ist, entläßt den Gedanken an die Verantwortung, bis es zweckmäßig oder nützlich ist, ihm Einlaß zu gewähren. So kann bisweilen ein kleiner Gemüsekrämer die halbe Nacht schlaflos über seinen kleinen Affären hinbringen und am Morgen dann, müde und übernächtig, weniger denn je geeignet sein, diese Dinge in Ordnung zu bringen, während ein Millionär, ein Großkaufmann der gleichen Branche die Fähigkeit hat, Sorgen abzuwerfen und im Schlafe neue Kräfte zu sammeln für die Verantwortung des kommenden Tages.

Es besteht ein allgemeines Bedürfnis nach besseren Dingen, als die Welt sie bisher gehabt hat: ein Bedürfnis nach besseren Häusern, feinerer Kost, höheren Vergnügungen! Unaufhaltsam wächst das Verlangen nach Besserem, das auch Entlohnung findet. Sage nicht innerlich, daß du der Welt von diesem Besseren nichts geben könntest. Du vermagst es. Denken »Ich kann nicht«, heißt jeder Möglichkeit den Riegel vorschieben.

Es ist einfach Vergewaltigung an dem Gesetz, das jedem gestattet, teilzuhaben an allem Besten dieser Erde. – Wer sich mit dem bloßen Bewußtsein des Wertes zufrieden gibt, den die Sache hat, die er den Menschen bietet, sei sie nun technischer oder künstlerischer Art, und nicht auf Anerkennung seines Werkes dringt, begeht ein schweres Unrecht gegen sich selbst. Ungerechtigkeit gegen uns selbst ist aber auch Ungerechtigkeit gegen andere. Wer eine gute Sache, die er den Menschen anbietet, selbst niedrig einschätzt, der sendet eine Kraft von sich, die auch andere seine gute Sache mißachten lehrt. Wenn du eine Schüssel mit echten Diamanten auf der Straße verkaufen wolltest, und deine Blicke und Gebärden drückten Zweifel an der Echtheit dieser Steine aus – neunundneunzig unter hundert Käufern würden deine Diamanten für Glas ansehen, einfach durch die Suggestion deiner Gedanken; und alle Chancen sind dafür, daß jener eine, der sie doch als echt erkennt, wenigstens den Versuch machen wird, dich zu betrügen, indem er deinen Zweifel unterstützt.

Wenn ein Mensch unaufhörlich die Sache, die er anbietet, verbessert und vervollkommnet, so wird die Welt bald die Vervollkommnung freudig erkennen und entsprechend wertschätzen. Wer die billigen Artikel verbreitet, den Schund, die Imitation, tritt die wertvollsten Instinkte der Menschheit mit Füßen, die nach dem Besseren strebt und bereit ist, dafür zu zahlen, vorausgesetzt, daß sie dann für ihr Geld auch wirklich Besseres erhält. Diese Konzession an die Billigkeit, dieses Kriechen und Unterbieten vor der Masse, die alles Minderwertige sucht, ist die Ursache jener billigen Kleider, die schon zerfallen, ehe man sie anzieht, der schlechten

Häuser mit verfaulten Fundamenten, die Miasmen ausströmen und dann die teuren Leichenbegängnisse zur Folge haben. Hätte diese Pest der Verbilligung auch freien Spielraum, in die Natur überzugreifen, unser ganzer Planet würde zu bedeutend »ermäßigten Preisen« plagiiert, und wir würden mit »abgelegter Luft und abgelegtem Sonnenschein« versorgt. Glücklicherweise sind die wunderbaren Kräfte der Ewigkeit auf wachsende Verfeinerung und Veredlung gerichtet, wie sich aus der Geschichte der Erde zeigt, die sich aus dem Chaos und den wilden Formen der Tier- und Pflanzenwelt zu der heutigen Höhe entwickelt hat, die immer noch anwachsen muß, in dem Maße, wie mehr Licht und Weisheit und Kenntnis der spirituellen Gesetze in Männern und Frauen erwachen. Meide Menschen, die mutlos und abhängig sind und mit ihrer ewigen Erwartung des Unglücks Unglück herbeiziehen. In ihrer Gesellschaft, wer immer sie sein mögen, wirst du von ihrem Geiste absorbieren und unwillkürlich anders handeln – nicht mehr du selbst sein. Du wirst erfolgreiche Methoden nicht mehr so klar sehen, du schwimmst in ihrem verderblichen Gedankenelement!

Solches Meiden ist keine Herzlosigkeit – *Unglück ist Schuld oder Mangel an Einsicht.*

Menschen des Erfolges gravitieren aus Instinkt zu ihresgleichen, meiden die Pechvögel! So folgen sie einem Teil des Gesetzes; doch auch ihr Erfolg ist meistens einseitig, weil sie eben nicht das ganze Gesetz kennen. Unter »einseitigem Erfolg« verstehe ich jene Häufung von Geld und Ehren, die mit der Gesundheit und aller Fähigkeit, den Ertrag der Mühe zu genießen, erkauft ist.

Die Absorption minderwertiger, abhängiger Gedanken von anderen hat schon manches Unternehmen zugrunde gerichtet. Du siehst heute vielleicht einen Weg ganz klar, du bist hoffnungsvoll, tatfreudig! Morgen ist alles wie umgewechselt! Du hast das Vertrauen in deine Ideen verloren, siehst nur Mißerfolg, bist im tiefsten Mauseloch! Warum? Weil du dich unter ziellosen, gleichgültigen Menschen bewegt hast. Wenn du auch nicht über deine Pläne mit ihnen gesprochen hast – ihr inferiores Denken klebt an dir wie Pech! Es hat deine Visionen erdrückt, verfärbt, umwölkt. Es ist wahr, daß fremde Gedanken ebenso in unser Wesen eindringen können wie faule Dämpfe in unser Haus. Sage dir unaufhörlich: »Ich will mich nicht von irgend jemand knechten lassen«, und du bahnst dir einen Weg aus Sklaverei, Abhängigkeit und Bettlertum!

Bist du weitsichtig, hoffnungsvoll und energisch, und ist dein Unternehmen auf Recht gebaut, so fühlt die Welt in dir den kommenden Mann. *Sie fühlt dich, ehe sie dich von Angesicht kennt.*

Der spirituelle Ozean fühlt dich und die Wellen, die vor dir hergehen! Das bahnt, bildet und baut die Erfolge in der Sphäre der Wirklichkeit. Was also zu dir strömt – gib es weiter, laß es zirkulieren – jedem wird gegeben in dem Maße, wie er gibt. Laß dich nie vom Gelderwerb hinreißen. *Vermögen um den Preis der Gesundheit erwerben, heißt sich die Füße abschneiden, um dafür ein Paar Stiefel zu kaufen.* Alle Unternehmungen können ohne Hetzerei, Mühsal und Roboten vollbracht werden. *Bist du geplagt, so ist das ein Zeichen, daß etwas an deinem Geschäft falsch ist.* Wenn Geist und Leib spielend und harmonisch arbeiten, wird die größte Kraft entfaltet. Diese Kraft, zwei Stunden lang richtig geübt, muß mehr vollbringen als zehn Stunden »Hetzerei«!

Niemand kann ein Unternehmen fördern, das er nicht liebt, bei dem nicht sein ganzes Herz ist. Er muß ein unaufhörliches Interesse haben, es zu verbessern, eine Freude, es zu heben! Niemand kann Erfolg in einer Sache haben, die er in Gedanken nicht stetig erweitert und vervollkommnet. Alle großen Unternehmungen sind Gedanken, immer und immer wieder geistig durchlebt, ehe sie die Form der Wirklichkeit annehmen. Dieses Denken zieht immer neue Kraft aus der Umgebung an sich, wie eine Lösung, die im Begriff ist, sich sichtbarlich zu kristallisieren.

Wenn du aufhörst, ein Geschäft in Gedanken auszubauen und zu erweitern, so beginnt es abzusterben; es erhält sich vielleicht scheinbar eine Zeitlang noch auf der Höhe, muß aber neueren Unternehmungen weichen, die ähnlichen, aber energischeren Gedankenströmen entfließen. Wichtige und große Pläne sollten oft durchgesprochen werden, doch nur mit Menschen, die ähnliche Ziele und Interessen haben. Die Besprechungen sollten regelmäßig zu derselben Zeit und womöglich auch im gleichen Raum stattfinden, nicht an einem beliebigen Ort, nicht in einem Restaurant, auf der Straße oder auf der Eisenbahn. Dadurch geht Kraft verloren, und Geheimnisse werden preisgegeben, auch wenn kein Lauscher zur Stelle ist. Das Sprichwort »Wände haben Ohren« ist eine Wahrheit. Ein Agens – unsichtbar, geschäftig, diebisch und verschlagen – lauert immer an vielbesuchten Orten, in jedem Raum, der nicht psychisch eingefriedet ist, und entwendet Geheimnisse, um sie in fremde Gehirne zu tragen.

Bleibt ein Zimmer ausschließlich diesen intimen Besprechungen reserviert, die friedlich und angeregt zugleich sein sollen, und wird das Zimmer durch lange Zeit in solcher Weise benützt, so wird darin eine Gedankenatmosphäre geschaffen, die den Unternehmungen selbst förderlich ist. Sie wird stärker und stärker werden, so daß neue Ideen dort leichter und schneller als anderswo sich einstellen.

Es wird ein Ort der Eingebungen werden, wo der Geist Einflüsterungen offensteht. Wird aber in einem solchen Raume zornig und heftig argumentiert, oder ist einer aus dem Kreise heimlich in seinem Inneren gereizt, so gebiert das eine üble Kraft, die nach jeder Richtung hindernd und schädigend auf alle Dinge des Lebens wirkt.

Deine wahre Frau ist dein bester Partner bei jedem Unternehmen. Ob physisch oder durch Existenzformen von dir getrennt – geheimnisvoll verbunden bleibt sie dir von Ewigkeit. Fließt ihr Leben materiell an deiner Seite dahin, so wirst du sie daran erkennen, daß alle deine Angelegenheiten – alles, was dein Wohl betrifft – ihr tiefstes Interesse wecken. Dann höre getrost ihren Rat, achte auf ihre Intuitionen, ihre Sympathie und Antipathie, was Menschen und Dinge betrifft!

Verhöhnst du sie und ihre Einbildungen, bist der Ansicht, daß »Frauen nichts von Geschäften verstehen«, scheuchst du sie zurück in die Grenze des Haushaltes, so verkümmerst du dir selbst die beste Stütze, trübst das sicherste Seherauge, das deinem Wohle strahlt.

Beichte

Für Leib und Geist ist es ungemein schädlich, mit dem Wissen um die eignen Sünden (das heißt: unvollkommene Instinkte) dahinzuleben und es unausgesprochen in der eigenen Brust zu verschließen. Diese Gedanken (oder Dinge) bleiben und zeugen neues Übel in uns, solange wir sie nicht heraussprechen, etwa vor einem bewährten Freunde, der in wahrer Sympathie mit uns lebt. Sie wachsen sonst immer mehr fest, *ob wir in der Form der Reue an sie denken oder anders; denn alles, womit wir uns innerlich beschäftigen, wächst durch diese Beschäftigung!* Das ewige Wiederkäuen der eignen Fehler ist psychisch schädlich und hat auch üble Folgen für die Gesundheit. – Wahre Nahrung des Geistes sind stetig sich erneuernde Gedanken, andere und immer wieder andere Auffassungen des Lebens, wechselnde und wachsende Deutungen alles Geschehenen in und um uns! Täglich mit frischen Augen die Dinge betrachten lernen, täglich die Pläne, Ansichten und Ziele des gestrigen Tages überflügeln – das ist der Seelenzustand, durch den der Geist fähig wird, das tägliche »Brot des Lebens« zu empfangen, das den Leib erneut. Die rastlos wechselnde Psyche verändert unaufhörlich zu ihrem Vorteil Art und Beschaffenheit der Elemente, die den Körper bilden, und verlängert so das Leben ins Unbegrenzte. Mit anderen Worten: Ist der immer wachsende und sich regenerierende Geist einmal befähigt, sein »Prana« – sein Lebendiges – auf den Organismus und seine Sinne zu übertragen, so bleibt die Verbindung zwischen ihm und dem Leib ungebrochen, da jede Zelle von Geist durchwachsen ist.

Das »Alter« sieht die Dinge meist, wie sie fünfzig Jahre vorher waren! Ereignisse und Personen erwecken immer die gleichen Gedankenassoziationen; die immer gleiche Geschichte wird Hunderte von Malen ausgelöst. Solch ein Gehirn wird nicht mit neuen Ideen genährt! Es versucht, von den alten zu leben! Verfall und Tod sind die Folge! Der Geist verliert immer mehr seine Gewalt über den Organismus! Versagendes Gedächtnis, versagende Sinne, zitternde Glieder, verdorrendes Fleisch – sie alle sind Zeichen, daß die Psyche, darbend ohne ihr »tägliches Brot« neuer Gedanken, ihre Macht über den Leib verliert.

Um in Wahrheit zu leben, mit zunehmenden Jahren an Geistes- und Leibeskraft zu wachsen, um jede Phase des Daseins mit immer steigendem Entzücken zu durchwandern, während die Dezennien dahingleiten, um endlich den letzten großen Widersacher »Tod« zu besiegen, muß ein fortwährender Ausscheidungsprozeß alter Gedanken stattfinden! Gedanken, die ihren Zweck erfüllt haben und nun neuen den Platz räumen; gleichsam wie ein Brunnen, der, um das klarste Wasser zu geben, erst von dem abgestandenen gereinigt werden muß!

Die alten Ideen soll man, um sie loszuwerden, *heraussprechen!* Nicht vor jedermann, nur vor dem einen Menschen, in den wir absolutes Vertrauen setzen können, dem wir alles sagen können, jeden Wunsch, jede Neigung, im Guten wie im Bösen.

Wesen, die solcherart ohne Gefahr miteinander sprechen können – einander beichten können, müssen in der gleichen psychischen Welle sein. Müssen die Dinge mit gleichen Augen ansehn; einander intuitiv durchdringen, Motive und Charakter so hellsichtig durchschauen, daß in wenigen Worten die Beichte sich restlos vollenden kann. Mann und Frau sind einander die besten Vertrauten!

Ist eine Tendenz zum Lügen oder Stehlen in einem Menschen oder irgendein anderer unvornehmer Trieb, so sind die Elemente von Lüge und Diebstahl auch in Fleisch und Blut und Knochen! Reinigt man den Geist von diesen Trieben, so werden auch Fleisch und Blut feiner und besser in ihrer Zusammensetzung. Jede wirkliche Sünde, im Bewußtsein festgehalten, bringt dem Leib irgendeine Form von Übel oder Unrast. Wir alle haben heute noch mehr oder weniger schädliche Überzeugungen, Vorurteile und Stimmungen dauernd in uns, deren Schädlichkeit uns noch nicht bewußt geworden ist! Alle fehlerhaften Meinungen können nicht auf einmal offenbart werden. Die Offenbarung muß allmählich von Tag zu Tag, von Jahr zu Jahr kommen! Auch kann uns die Erkenntnis unserer Irrtümer nicht von anderen zuteil werden. Das Wissen um eigene Schuld muß von innen kommen. Dann ist es endgültiges Begreifen. Eine Offenbarung Gottes. Der Geist des unendlichen Bewußtseins, der durch uns hindurchwirkt, daß wir uns als letzte Strahlenspitzen einer unsichtbaren Sonne fühlen lernen. Das Unendliche entsiegelt unsere Augen für die Flecke, Risse und Wunden unseres Geistes, die erkannt sein wollen, damit man sie entfernen könne. *Statt deprimiert zu sein, wenn wir bisher verborgene Fehler an uns entdecken, hätten wir eher Ursache zu frohlocken – wie der Seemann froh ist, das Leck gefunden zu haben, das sonst sein Schiff hätte zum Sinken bringen können.* Erkannt, unterliegen unsere Fehler schon der Selbstbeichte! Haben wir es einmal dahin gebracht und den törichten Stolz bezwungen, der nach dem »Leck« nicht suchen mag, dann haben wir einen großen Schritt auf dem Pfade zum ewigen Glück getan.

Dann wird das unendliche Bewußtsein uns das zweite Bedürfnis stillen, wird uns den Menschen senden, dem wir beichten können! Dieser Mensch wird kein Schwätzer sein, sondern befähigt, gleich uns von dem Unendlichen neue Ideen in sich zu ziehen, und auch er wird in der gleichen tiefen Not sein, uns Fehler zu bekennen, wie wir ihm.

Nicht die Beichte der wirklichen Lüge, des begangenen Diebstahls oder anderer Sünden ist das Wesentliche, sondern das Bekennen der immerwährenden Versuchung oder Tendenz, die Sünde zu begehen!

Wir können dem vertrauten Freunde z. B. sagen: »Ich kenne meine Neigung, zu lügen oder zu übertreiben, wenn es sich um Personen oder Geschehnisse handelt. Ich wünsche nicht, es zu tun. Es liegt gar nicht in meiner Absicht, wenn ich zu sprechen beginne, aber in der Erregung der Konversation entfahren mir diese Unwahrheiten und parteiisch gefärbten Äußerungen wider Willen. Mein höheres Selbst mißbilligt das und erinnert mich in stillerer Stunden, wie sehr ich zu lügen pflege.« Oder: »Ich habe eine Tendenz zu stehlen; ich bin vielleicht nicht gerade ein gewöhnlicher

Dieb, aber es gibt auch andere Formen des Stehlens. Mein besseres Gewissen verwirft diese Neigung, und ich will von ihr befreit werden.« Oder auch: »Ich fühle Neid und Eifersucht beim Anblick gewisser Personen – die bloße Nennung ihres Namens erregt Haß und Widerwillen in mir.«

Oder: »Ich hasse die Reichen – wenn sie vorüberfahren, regt sich Groll in mir!«

Gedanken wie diese schädigen den Körper und bringen ihm Krankheiten, so sicher wie Feuer Werg zerstört. Wir sind sie nicht los, wenn wir anders zu empfinden versuchen! Das ist Selbsttäuschung. Wir sind einfach nicht imstande, sie zu verwandeln. Viel besser ist es, geradeaus ins Innerste schauen, zu bekennen, was immer wir da finden mögen, und ehrlich zu sagen: »Ja, ich hasse! Ja, ich bin neidisch!«

Werden solche Empfindungen dem erprobten Freunde gegenüber ausgesprochen, mit dem ernsten Wunsch, von ihnen befreit zu werden, so sind sie dadurch materieller geworden, als da wir sie in unserem Geiste verbargen. *Indem sie materieller werden, nehmen sie eine Form an, die es ermöglicht, sie abzuschleudern! Warum und auf welche Weise das vor sich geht, ist unerklärlich! Wir konstatieren hier nur Erfahrungstatsachen.* – Niemand zu haben, zu dem man frei sprechen kann, alle Defekte und feindlichen Fehler bei sich behalten zu müssen – das erzeugt zuerst Mangel an Mut, sie sich selbst einzugestehen, später jenen falschen Stolz, der sich damit begnügt zu scheinen, was er nicht ist. Solch ein Geist ist schließlich völlig unfähig, überhaupt einzugestehen, er habe einen Fehler, und wird endlich seinen eigenen Mängeln gegenüber total blind. Er stärkt sich unbewußt im Gefühl der Vollkommenheit, wird oberflächlich, arrogant und kritisch gegen andere. Er versteinert in seiner eigenen materiellen Überzeugung.

Die Erlösung, die in der Beichte liegt, wirkt durch das Alltagsleben fast aller Männer und aller Frauen. Sie fühlen eine Bürde von sich gleiten, sobald sie ihre Sorgen einem teilnehmenden Freund erzählen können. Weil durch dieses Mittel der Gedanke, der im wahrsten Sinne des Wortes »*auf ihnen lastete*«, heruntergesprochen wurde. Mit seiner Sympathie nimmt der Freund tatsächlich einen Teil der Last auf sich. Dem gebeichtet wurde, der mag dann gedrückt und traurig sein! Die Sorge des anderen, die er absorbiert hat, wirkt in ihm. Daher müssen wir vorsichtig sein in der Art, wie wir die Lasten und Sorgen anderer auf uns nehmen. Wir müssen Ruhepausen zwischen Beichten machen, um nicht zusammenzubrechen oder in den schädlichen Gedankenstrom selbst hineingerissen zu werden – das wäre ein Unglück für alle Teile.

Die eigene Gedankenrichtung muß auf alle Fälle noch die Oberhand behalten können. Wer einem andern Sympathie gibt, gibt seine Kraft. Im Tausch erhält er die Empfindungen des fremden Geistes; mit allen Fehlern strömen sie in ihn ein. Wer täglich Weisheit vom unendlichen Bewußtsein erbittet, wird sich nicht dazu mißbrauchen lassen, die Beichte vieler Individuen wahllos entgegenzunehmen – denn seine Sympathie ist tatsächlich sein Leben: die vitale Kraft seiner Psyche! Dem Gleichgeborenen, dem Genossen auf dem Pfad der Höhe wird seine Sympathie stets offenstehen, und nur in dem Maße, wie er selbst beichten kann, wird er Beichte abnehmen. – Beichte reicht weit über bloßes Mitteilen der eigenen Fehler hinaus. Die gesamte Natur beichtet durch äußere Zeichen ihre Freude und ihre Qual! Der Angstschrei, im physischen Schmerz erpreßt, ist gebeichteter Schmerz, und es ist besser, ihn nicht zu unterdrücken – er bringt Erleichterung! Lachen und Jauchzen sind die Beichte der Freude. Würde nicht viel Glück gehemmt, dürften diese Naturlaute sich nicht offenbaren? Sie sind von vitaler Bedeutung für Gesundheit und Wohlergehen.

Wir haben ein vitales Bedürfnis nach einem Genossen, mit dem wir natürlich sein dürfen! Wir müssen wenigstens einen Menschen haben, vor dem wir unsere Launen und Gefühle herausleben dürfen, vor dem wir das Visier abnehmen, vor dem wir nicht auf unserer Hut zu sein brauchen. Wir sollen nicht immer unsere Worte wählen müssen, um immer etwas möglichst Kluges und Korrektes zu sagen; das hieße den psychischen Bogen immer in Spannung erhalten müssen – er sollte aber entspannt – sogar oft entspannt werden. Wir brauchen zuzeiten das Privilegium und die Freiheit, trivial sein zu dürfen – dumme Sachen zu sagen, ohne Furcht, höhnische oder mißbilligende Mienen zu sehen.

Wir wollen das Spielerische in uns nicht verkümmern lassen; sonst geht die Möglichkeit, es auszudrücken, überhaupt verloren, der Leib verlernt den Ausdruck seiner Jugend und damit Leichtigkeit, Grazilität und Kraft. Auch von einer Torheit kann niemand wirklich befreit werden, der sie nicht in Worte gefaßt vor einem Freunde ausgesprochen hat – dadurch wird die Torheit erst als solche erkannt –, wenn sie nicht breit, deutlich in Worten vor uns steht. Wir haben eine geistige Attitüde dieser Art gebeichtet, sie objektiviert, erkannt und – gerichtet. Der ungesprochene Gedanke gehört dem Geiste rein an, der gesprochene ist in gewisser Hinsicht materialisiert – *mit einem Lautleib bekleidet!*

Erfolg bei geschäftlichen Unternehmungen wird auch durch die

Beichte gefördert. Wo zwei oder mehrere Menschen mit gleichen Interessen ihre Meinungen über einen Gegenstand austauschen – offen und bereit, Irrtümer im Lauf der Rede einzugestehen, die eben im Gespräch leichter erkennbar werden –, da wird eine große erfolgreiche Kraft erzeugt! Jeder beichtet seine Ansicht von der Sache, *nimmt seinen Plan aus dem spirituellen Teil seines Wesens heraus und materialisiert ihn in Worten – die erste Geburt in die Wirklichkeit, sozusagen ein Lautmodell der Realität, das bei eventuellen Mängeln noch verändert und verbessert werden kann!*

Das größte Übel ist dagegen die Unbefriedigtheit, – der Tadel, der nicht laut wird, wenn Menschen ihre Pläne voreinander bloßlegen! Tausende tragen solche Gedankenbürden. Sie sind im Herzen vieler Familienkreise. Jeder Gedanke aber verlangt nach seinem physischen Ausdruck, verlangt danach, in Sicherheit ausgesprochen zu werden. Verschlossene Gedanken siegeln unseren Geist zu – die Leichtigkeit des Inflex neuer Ideen leidet darunter –, nur wer richtig schenkt, wird empfangen. Gedankengeiz führt zur Verarmung! Denn ein unnatürlicher Zustand wird geschaffen, analog dem eines Baumes, der auf künstliche Weise verhindert würde, Blüten, Blätter und Früchte zu treiben, die Ausdrücke der Idee des Baumes sind. Wer sie hemmt, tötet den Baum. Blüten und Früchte haben auch eine spirituelle Ursache. Sie sind Materialisationen des Baumgeistes, der nach Ausdruck im Physischen ringt. Ebenso verlangt unser Geist, daß alles, was spirituelles Selbst in uns ist, in einer leiblichen Form ausgedrückt, also gebeichtet werde.

Aus diesem Grunde ist es besser für den, der keinen wahren Vertrauten hat, an einen einsamen Ort, womöglich in die freie Natur, zu gehen und dort in Worten seine geheimen Fehler auszusprechen. Daß er an Neid und Habsucht leide, oder daß es ihm an Maß und Ordnung fehle. Oder daß er sich feige weiß! Nur alles heraussprechen! Wie es sich auf der Zunge formt! *Jeder Mensch gewöhne sich daran, alle Gedanken in Worte zu formen; dadurch sind sie etwas physischer geworden und können mit physischen Mitteln entfernt werden – das Wort ist der Wagen, der das Unedle aus der Seele wegträgt.*

Die Kirche
des schweigenden Verlangens

Im Lauf der Zeiten wird ein Gebäude entstehen, einer Kirche verwandt, für Menschen aller Konfessionen und Rassen, für Menschen jedes Alters und jedes Berufes, die hier ihr tiefstes Wollen der unendlichen Kraft unterbreiten und von dieser Kraft Hilfe zur Vollendung ihres Wollens erbitten. Leuten in Sympathie mit solcher Art zu empfinden soll die Aufgabe zufallen, jede materielle Störung, jedes unehrerbietige Eindringen fernzuhalten; dies Amt müßte als Zeichen heiligen und liebenden Vertrauens empfangen werden. Das Haus aber sollte ein Ort des Schweigens für schweigendes Verlangen sein. Wer eintritt, sollte ermahnt werden, keine störende Stimmung einzulassen; ein Ort ernsten Verlangens nach dem dauernd Guten, jedoch kein Ort der Düsterkeit und Melancholie.

Eine Kirche sollte ein Raum sein, darin die Konzentration höchster Gedankenkraft akkumuliert. Die höchste Gedankenkraft ist die, deren Motiv das höchste ist. Das höchste Motiv ist der Wunsch, sich und andere zu vollenden. Wer nicht die Kraft hat, sich selbst zu vollenden, kann auch anderen keine dauernde Hilfe bringen. Die Kraft aber kommt aus dem Gebet zur unendlichen Macht, deren Teil wir sind. Sie kommt schneller, wenn das Gebet an einem Ort stattfindet, der einzig solchem schweigenden Verlangen geweiht ist. Was diese unendliche Macht ist, wissen wir nicht, das aber wissen wir: Das Unendliche und Rätselvolle antwortet, irgend etwas antwortet und erhöht unsere Gebete. – Wer immer in der Kirche des schweigenden Verlangens geweilt hat, sollte dies Gedenken zurücklassen: »Ich erbitte Gutes für mich selbst von der unendlichen Kraft. Ich verlange mehr Gesundheit des Leibes, mehr Kraft und Klarheit des Geistes! Ich verlange Kraft, mich von Neid und Haß und Eifersucht und bösem Willen gegen andere zu befreien, die ich übe, obwohl ich weiß, daß sie auch mir schaden. Ich verlange Einsicht, auf das mir Mittel und Wege offenbar werden, dies alles von mir abzutun. Endlich wünsche ich, hier einen Gedanken zurückzulassen, der andern, die nach mir kommen, nützen möge. Leiden sie körperlichen Schmerz, so möge er aufhören. Sind sie schwach oder lahm oder krank oder sonstwie heimgesucht, so erbitte ich und ziehe an mich aus dem Unendlichen mein Quantum Kraft und stifte es zu Hilfe und Heilung. Kommen nach mir solche hierher, die betrübt sind in ihrem Herzen, möge das Wenige, was ich hier lassen kann für sie, ihnen wohltun.«

Wenn alle Menschen, die einen Raum betreten, sich vereinen, den gleichen Gedankenstrom auszusenden, so füllt oder lädt sich der Raum mit diesem höchst geistigen Äther. Ist es der Gedanke der Macht und Hilfe, so bleibt in dem Raum etwas zurück, das gleich einem Fluidum auf den Kommenden übergeht und Kraft und Hilfe zeugt. Kommen Hunderte und Tausende in gleichem Geist in dieses Heil- oder Heiligtum, so läßt jeder sein Scherflein an Kraft und Hilfe zurück! Der Raum wird im Laufe der Zeit zu einem ungeheuren geistigen Akkumulator, vorausgesetzt, daß er nie zu anderen Zwecken benützt wird und daß andere, niedere, weltliche oder egoistische Gedanken ferngehalten werden.

Die aufgespeicherte Kraft wird dazu beitragen, jene zu heilen, die kranken Körpers sind und hier im Glauben zu bitten kommen; es wird die Willensschwachen stärken, Bedrückte erheben – *wie von unsichtbaren Strahlen gestützt, richten sich in solch einem Raum die Menschen auf.* Nur wenige Minuten aber sollte der Aufenthalt in diesem Raume währen, daß nicht Ermüdung oder Gedanken niedrigerer Art sich einzuschleichen beginnen.

Unsere gewöhnlichen Kirchen werden aus diesem Grunde unbewußt entweiht. Leute kommen und bringen ihre Alltagsgedanken mit hinein – sie reinigen sich zwar vielleicht die Schuhe, nicht aber das Gemüt. Sie flüstern sich Bemerkungen zu, mustern neugierig die Gemeinde; zuweilen, vor Beginn der Predigt, werden an den Türen lange Gespräche geführt. Ist kein Gottesdienst, werden manche Kirchen fast als Durchhäuser benützt. Das alles trübt und schwächt die Aura der Kirche. Über ihr, mehr als an irgendeinem anderen Orte, soll das Überschattende der unendlichen Kraft ruhen, als deren Teil wir lebendig bis in die Fingerspitzen fühlen müssen. Dann würden wir aus der Kirche hinaustreten wie gebadet, gestärkt und erfrischt im Geiste! Zu lachen und zu jubeln!

Solch eine Kirche – wahrlich, ein System solcher Kirchen des schweigenden Verlangens, über die ganze Erde verstreut, tut not, da viele Tausende im eigenen Heim keinen abgeschlossenen Raum haben, wo sie sich still zur Konzentration, das heißt, zum Gebet zurückziehen können, um mit den höheren Gedankenströmen in Kontakt zu kommen. Ihre Zimmer sind dem Eindringen fremder Einflüsse zu sehr ausgesetzt.

Die Möglichkeit solchen Eindringens profaniert schon einen Raum. Privatzimmer sind zu sehr gesättigt mit Launen, Mißstimmung, ohne den Schatten eines Wunsches, von diesen Zuständen des Gemütes befreit zu werden. Solches Wesen brütet in Zimmern und erschwert es dem ernsten Geiste, sich emporzuschwingen.

»Emporschwingen« ist hier wörtlich gemeint. Gedanken sind Schwingungen einer materiellen Substanz; tiefstehende Gedanken halten wie Wolken das Eindringen der höheren feineren Vibrationen auf. Unter gewissen günstigen Bedingungen sind wir höheren Wellen mehr ausgesetzt als sonst; eine dieser günstigeren Bedingungen wäre eben die Kirche des schweigenden Verlangens, die nur Wellen einer gewissen Art ein- und durchläßt.

Wer da hereintritt, badet sich in einer reinen und starken Geistigkeit. Wer hierher kommt mit dem Wunsche, daß er und andere vervollkommnet würden, läßt in Wahrheit ein Etwas zurück, das den anderen, die nach ihm kommen, hilft, wie ihm geholfen wird durch etwas, was jene, die in gleichem Geiste vor ihm hier waren, ihm selbst hinterließen; – alle werden reicher, und keinem wird etwas genommen. Wer verwirrt und trüb und müde aus seinem Heim hierher kommt, um Frieden zu erbitten, Ruhe des Gemütes und neue Kraft, die die Alltagsmühen selbst zu Freuden veredeln kann, der wird, im rechten Geiste, etwas von der Kraft, die sein Gebet erzeugt, zurücklassen zum Wohle derer, die nach ihm kommen. Denn es ist ein Naturgesetz, daß niemand dauernd geholfen ist, der nicht anderen hilft. Jede »vollkommene Gabe« ist eine Gabe, die nicht einem, sondern allen zugute kommt. Eine vollkommene Gabe wird von dem unendlichen Bewußtsein oder dem Geiste des unendlichen Guten zugesandt. Ein Gebet an diese Macht muß immer die Bereitwilligkeit einschließen, sich höherer Einsicht zu unterwerfen. Wir müssen in unserer Seele sagen: »Ich wünsche das aus ganzem Herzen! Wenn aber eine Weisheit, die über mir steht, es nicht für mein Bestes hält, so will ich nicht darum bitten.« Wir werden so mit der Zeit das Beste erhalten, und ein Bestes, das dauert. Wenn wir aber uns nicht unterwerfen (nicht passiv sein können dem Höchsten gegenüber) und im Geiste beten: »Ich will, was ich verlange, unbeugsam, ob es andern ein Gutes ist oder nicht«, dann wird wohl auch dieses Gebet in Erfüllung gehen, wenn wir lange und ausdauernd den gleichen Wunsch wünschen. Es wird sich aber am Ende als »unvollkommene Gabe« weisen, einseitig, bitterer als süß, Fluch und Segen zugleich – eine Gabe, von der wir endlich scheiden müssen, so groß werden die Schmerzen sein, die sie uns zufügt; denn der Wunsch, der die Gabe rief, war aus dem begrenzten Wissen um das Wohl entsprungen.

In solchem Geiste verlangen die Menschen rastlos nach Geld und nur nach Geld – sie erhalten es zum Schluß, aber um welchen Preis innerer Verkümmerung! Wenn wir aber um Wohlstand in Harmonie mit dem »vollendeten Gesetz« bitten, werden wir ihn erhalten mit dem ganzen Segen der vollkommenen Gabe.

Der spontane Impuls unseres Geistes, irgendeine materielle Stiftung oder Gabe als Dank für zuteil gewordene Hilfe zu geben, sollte nie unterdrückt oder verscheucht werden. Wer seine Gabe mit dem wahren Willen zum Wohle aller in die Büchse wirft, gibt viel mehr als den Kurswert der Münze. Eine Welle von Hilfe geht mit dem Stückchen Metall, sie haftet an dem Träger, wirkt durch den Raum. Das ist der Zauber der Amulette und Liebesgaben. Ein Ring oder ein Schmuckstück aber, das dem Besitzer indirekt abgebettelt wurde, ungern oder innerlich ohne Freude gegeben wurde, trägt einen üblen Gedanken mit sich fort, denselben mißgünstigen Gedanken, der von dem Geber überfloß. Auf diese Art werden Geschenke zu effektiven Trägern der Empfindung zwischen Schenkenden und Beschenkten.

»Geben ist seliger denn nehmen.« Wenn Dinge in freudigem Impuls geschenkt werden, erhält der Geber in dem dankend frohen Gegenwunsch, der von dem Beschenkten auf ihn zurückfließt, sooft er das Geschenk betrachtet, einen ständigen Strom guter Wellen zugesandt.

Opferbüchsen sollten auch in der Kirche des schweigenden Verlangens stehen, für solche, denen ein Impuls zu geben, kommt – doch nur, wenn eine lebhafte Freude am Geben eintritt, sollte gestiftet werden, sonst nicht.

Ein mißgünstiger Gedanke würde den Raum mehr entweihen, mehr schaden, als die Gabe nützt. Wir erbitten von jedem Leser einen ernsten Wunsch für diese Kirche des schweigenden Verlangens. Jeder solche Gedanke ist eine Kraft, die sie mitbauen hilft. Tausende solcher Gedanken, vereint auf ein Ziel, werden sie bauen – die materiellen Mittel kommen dann wie von selbst, ist erst das Verlangen und der Wille zum Werk da.

Die heilende und regenerierende
Kraft des Frühlings

Unser Körper wird in seinem Wachstum und Wechsel von den gleichen Kräften und Gesetzen geleitet, die auch Wachstum und Wechsel aller anderen organischen Gebilde bedingen: der Schlangen, Vögel und Säugetiere!

Jedes Jahr, um Frühlingsanfang, kommt und wirkt eine Kraft auf diesen Planeten, die, von der Sonne stammend, die gesamte organische Materie durchdringt – vor allem aber die höchste, komplizierteste, daher empfänglichste mentale Organisation: den Erdenmenschen! Seine hochgespannten Saiten der Geistigkeit schwingen vielfältiger, als das niedere Leben es vermag, in dem kosmischen Rhythmus mit, und seine Aufgabe in kommenden Zeiten wird es sein, von dieser Sonnenemanation immer mehr zu absorbieren, zu immer größerem Heile, in dem Maße, wie er lernt, sich dieser Kraft ohne Hemmung und restlos empfangend hinzugeben!

Diese rätselhafte, nur der frühen Frühlingssonne eigentümliche Strahlung bewirkt die erhöhte Strömung der Pflanzensäfte – dieses Lebenselixiers, dem dann Knospen und Triebe und Blätter wie Wunder entkeimen!

Das Einströmen dieser Sonnenemanation verleiht dem Baum die Kraft, neuen Vorrat an Nahrung durch seine Wurzeln aus der Erde zu ziehen; auch die Kraft, die letzten toten Blätter und Reste des vergangenen Jahres endgültig abzuwerfen.

Auch Tiere und Vögel, besonders in ihrem freien und wilden Zustand, schwingen in diesem Sonnenrhythmus mit, sie erneuern Federn und Fell; doch ist dieses äußere Abwerfen verbrauchter Materie nur ein kleiner Teil jenes großen Umwandlungsprozesses, der durch den ganzen Organismus geht, jede Zelle durchdringend.

Unser Körper unterliegt dem gleichen Gesetz – zu Ende des Winters an den Frühlingsgrenzen machen auch wir eine Art »Mauser« durch! Wir werfen alte, tote Materie ab und nehmen neue in uns auf, vorausgesetzt, daß wir der regenerierenden Kraft überhaupt Gelegenheit geben, in der günstigsten Weise auf uns zu wirken; das heißt, wenn wir aufhören mit Leib und Geist aktiv zu sein, wenn sie der Ruhe bedürfen, wie es auch die Tiere zu dieser Periode tun.

Das neue Fell, die Federn, die Haut, der veränderte Kreislauf in allem Organischen, die frischen Knospen, Blätter und Zweige sind nur der sichtbare Ausdruck jener unsichtbaren Sonnenemanation. Neue Kristallisationen, die aus neuen Lösungen unsichtbarer chemischer Substanzen stammen, in denen Vögel, Tiere und menschliche Leiber sich baden! Die gelösten Elemente des vergangenen Jahres sind auf diese Art verbraucht, in den Organismus hineingebaut worden. Baum, Tier und Menschen – jede sichtbare Organisation steht zu dieser regenerierenden Lösung in dem Verhältnis des Stabes, an dem sich aus der Lösungsflüssigkeit die Kristalle absetzen!

Es gibt keine Grenzlinie zwischen dem, was wir Geist und

Materie nennen! Die Materie ist nur die Form des Gedankens, die sich den äußeren Sinnen offenbart.

Der Indianer nennt Februar und März die »schwachen Monate«! Ein schärferer Beobachter der Natur als wir, erkennt er die Neigung zur Inaktivität, Müdigkeit und Ruhe im Organismus, die nur jene erneuernde, regenerierende und schaffende Kraft begleitet.

Die größten und schönsten Kristalle bilden sich aus jener Lösung, die keiner Erschütterung ausgesetzt wird. Unser Leib unterliegt in der großen Frühlingskristallisation der gleichen Regel. Um der vollen, uneingeschränkten Wohltat dieser großen Kraft teilhaftig zu werden, muß ein Mensch ruhen, sobald er das Bedürfnis danach empfindet – sei es um Mittag oder Mitternacht!

Wer sich zur Anstrengung zwingt, geistig oder leiblich, wer durch bloßen Willen gegen den Instinkt weiterarbeitet, wie Tausende und Abertausende heute tun und zu tun gezwungen sind dank unsern unnatürlichen Lebensbedingungen, der hält die regenerierende Kraft von sich ab, schädigt und beeinträchtigt frevelhaft ihr Werk! Statt ihr geheimes Weben in sich wirken zu lassen, das im Baume die Knospen schwellt, schleppt er krampfhaft die alten, toten Reste mit sich ins frische Jahr, die abgestoßen werden sollten, wie die Eiche ihre alten Blätter abstößt, trägt verbrauchte alte, tote Last mit sich weiter statt jungen, aufsteigenden Lebens! Auch eine der vielen Ursachen, die Schultern beugt, Haare bleicht und Runzeln schafft!

Der Verfall des Körpers – was wir »Alter« nennen – beruht einzig auf der Ungläubigkeit oder Unwissenheit des Menschen, auf seiner Unfähigkeit, die Bedingungen aufzusuchen, die ihn mit unerschöpflicher Kraft bekleiden würden. – Muskelkraft und unausgesetzter Tatendrang können auch einer fieberhaft gesteigerten Innervation entspringen – einem fast düsteren Delirium, das von Geschäft zu Geschäft rast, wie gepeitscht, kein Halten kennt, noch kennen will, bis der große Kollaps kommt.

Wollten die Menschen jener Idee von der regenerierenden Frühlingskraft ohne Hohn, nur respektvoll, gegenüberstehen, gleichviel ob sie ihr Glauben schenken können oder nicht – *schon solche respektvolle Haltung bloßen Zuwartens würde ihnen große Hilfe bringen! Jede lebendige Wahrheit, die beim ersten Auftreten nicht brutal aus dem Gehirn hinausgeworfen wird, faßt irgendwo Wurzel und lebt und beweist ihr Sein durch das Gute, das aus ihr wächst.*

Menschen, die hart arbeiten, erlahmen weit früher oder gehen rascher zugrunde als andere. Die Widerstandskraft des abgehärteten Seemanns dauert oft nur wenige Jahre, mit fünfundvierzig oder fünfzig Jahren ist er ein alter Mann. Im ganzen Königreich der Natur wechseln immer Perioden der Aktivität mit denen absoluter Ruhe ab. Die Zirkulation im Pflanzenreiche ruht im Winter, und auch die Tiere tun da wenig mehr als essen und schlafen, sogar der Boden ruht frischer Saat entgegen. Würde sich auch der Mensch zuzeiten so vollkommener Passivität hingeben, er, der soviel mehr von der verborgenen Sonnenkraft aufzunehmen vermag, er würde aufleuchten in geistiger und physischer Wiedergeburt – Sinne und Kräfte würden in ihm wach werden, deren Existenz heute noch von vielen gänzlich geleugnet wird. Orientalen, Völker des Ostens, haben bis zu einem gewissen Grade, eben durch ihr ruhiges und verinnerlichtes Leben, die Macht über jene neuen Sinne und Kräfte eher erlangt als wir! Sie haben nicht die Stärke und Domination des Eroberers. Indien ist England unterlegen; und doch siegen sie am Ende über die äußerliche Kultur des Westens! Schon sitzen wir zu Indiens Füßen und lernen unsere erste Lektion, das Alphabet jener Gesetze und Kräfte, die unsere Weisen nicht wissen. Und woher diese Kräfte? Woher stammen sie? Wie haben sie sich entwickelt? Aus der Macht schweigender Geister, in Harmonie auf ein Ziel gerichtet durch Jahrtausende! Wir aber nähren den Aberglauben, nichts vollbringen zu können denn durch Hetzen, Rastlosigkeit und Mühe! *Wir vermögen nicht in jenen hochschlafartigen Zustand leiblicher Ruhe zu geraten, da unsere Gedankenkräfte in die Ferne wirken und uns hundertfach das zu Füßen legen, was nie durch äußere Anstrengung erreichbar wird.* Den jährlichen Prozeß des Knospens und Kristallisierens im Körper aber willkürlich zu unterbrechen, ist so ruinierend, wie den treibenden Baum zu beschneiden.

Viele mögen einwenden: »Aber wie können wir unsere Geschäfte im Stich lassen, uns brotlos machen, um den Körper in die ›Frühlingsreparatur‹ zu geben?« Menschliche Satzungen sind nicht die natürlichen. Wenn die Natur das Machtwort: »Ruhe« spricht und der Mensch erwidert: »Arbeit«, so wird am Ende immer der Mensch den Schaden davon haben. Die Notwendigkeit einer Sache erkennen, macht sie schon halb und halb möglich; das Bedürfnis nach ihr, das intensive Verlangen sind an sich ein Gebet – eine Kraft, die Hilfe bringt und uns allmählich hinausgeleitet aus den schädlichen Lebensbedingungen. Das ist die Keimzelle alles Werdens, alles Fortschrittes in ein höheres und würdigeres Leben! – Christus schon hat dieses Gesetz in das große Wort gekleidet: »Bittet, so wird euch gegeben, suchet, so werdet ihr finden, klopfet an, so wird euch aufgetan.« Er hat es wissentlich unterlassen, dies Mysterium zu erklären, zu sagen, woher es kommt, daß jeder hohen Aspiration, jedem ernsten Gedenken, jedem wahrhaftigen Wollen Erfüllung wird! Doch dieses und andere Geheimnisse sind unergründbar; jede Ursache, die einer Wirkung entspricht, ist nur die Quelle zu einem neuen Mysterium, als dessen Wirkung sie selbst erscheint!

Erst uns ist es gegeben, alle die unbegreiflichen lebendigen Kräfte bewußt zu nützen, ob uns auch ihre letzten Quellen verborgen sind. Die Leiber der Bäume und Tiere verfallen aus Mangel an diesem Wissen. So sind auch wir bisher verfallen! Der letzte große Feind, der besiegt werden muß, ist aber nach Paulus der Tod!

In dem Maße, wie der Mensch durch Wissen die Wunderkräfte um und in sich steigert, lernt er, *in der Linie des großen Lebens mitzuschweigen, sich in Harmonie zu bringen mit stummen Gewalten, die sein sterbliches Teil zur Unsterblichkeit wandeln, indem sie es ohne Unterlaß aus immer feineren Elementen neu erbauen.*

Die Unsterblichkeit im Fleische

Wir glauben, daß die Unsterblichkeit im Fleische möglich ist, das heißt, daß ein Körper so lange behalten werden kann, wie der Geist ihn zu gebrauchen wünscht, und daß ferner dieser Körper, statt im Lauf der Zeiten zu verfallen, sich in einer erneuten Jugend zu regenerieren vermag.

Wir glauben, daß die Mythen der Kulturvölker, die von »Unsterblichen«, das heißt, von Wesen handeln, die über höhere Kräfte als das Geschlecht der »Sterblichen« gebieten, auf irgendeinem wahren Kern beruhen. Diese neuen Möglichkeiten einer Unsterblichkeit im Fleische fließen aus dem Gesetz, daß jedem inbrünstigen, unverrückbaren und dauernden Wunsche der Menschheit irgendwann Erfüllung werden muß! Der Schrei nach Leben schwillt aus der Dumpfheit an, in dem Maße, wie die Massen die hohen und feinen Freuden und Erkenntniswerte des Daseins kennenlernen, in dem Maße, wie die Menschen für die Vielfalt ihrer Ziele das Leben als viel zu kurz empfinden!

Der Leib aber wird nur neue Lebensimpulse durch eine Reihe spiritueller *Prozesse erlangen, deren jeder ihn zu einem flexibleren und verfeinerteren Instrument und Träger machen wird, an dem gedankliche Einflüsse sich immer leichter manifestieren können.* Die Prozesse erhalten nicht *den* Körper, den ein Individuum heute haben mag – sie erhalten *einen* Körper, dessen Teile sich in ewigem Flusse, gleich dem höchst geistigen Äther, der sie formt, verwandeln! *Dieser einende Wille, dieser Wunsch, dies Gebet wird über die Zufälligkeiten des Tages hinweg den neuen notwendigen Leib formen!* Jetzt häufen wir bewußt und unbewußt Todeskeime in den Körper hinein, jeder Atemzug ist ja getragen und beschattet von dem »Wissen« um das Altern, von dem Glauben an den Verfall – Überzeugungen aber materialisieren sich in Fleisch und Blut! Der Glaube an die Möglichkeit stets sich erneuernden Lebens bringt dieses Leben!

Mit dieser Regeneration muß also wohl ein Abwerfen verbrauchter Teile Hand in Hand gehen – große »Mauser«-Perioden, wie sie das Tierreich kennt.

In verschiedenem Grade hat die organisierte Materie an der Lebensenergie teil; auch auf die einzelnen Menschen verteilt sie sich verschieden, der fortschreitenden Entwicklung gemäß aber wird es bald Individuen geben, die von diesem ewigen Strome so durchpulst scheinen, daß sie die Möglichkeit der Regeneration zu erkennen vermögen, und mit ihr ganz neue Perspektiven für ihre Existenz.

Wenn neue Ideen aus unserem inneren Selbst geboren werden, ist immer ein niederer Teil in uns, der sie bekämpft! Der Körper ist das Schlachtfeld dieser Meinungen und leidet infolgedessen. Gelingt es dem Körper auch nur zum geringen Teil, den Glauben an die unendliche Kraft sich anzueignen und einzusehen, daß physische Gebrechen und physischer Tod keine ewigen Notwendigkeiten sind, so muß das Höhere siegen! Ein alter Fehler nach dem anderen wird abgestoßen; eine neue Erkenntnis nach der anderen bricht durch; aus jedem folgenden Kampfe wird der Leib stärker hervorgehen, bis die Krämpfe und Krisen selbst immer schwächer werden, um endlich dauernder Serenität zu weichen.

Die Menschen haben bis jetzt ihre Leiber verloren, weil sie nicht wußten, daß auch Krankheit eines der Mittel ist, durch das alte materialisierte Gedanken abgeworfen werden, um neuen die Bahn frei zu geben; und eben weil sie dies nicht wußten, wandten sie ihre Kräfte falsch an, um das Alte künstlich zurückzuhalten. Sie halten es durch ihren Glauben zurück! Der Glaube ist es, durch den eine Krankheit zum Verderben oder zum Tode ausschlägt! Wer sich dahin bringen kann, in der Krankheit ein Mittel zu sehen, altes, verbrauchtes Material aus dem Organismus zu schaffen, unterstützt damit die Arbeit des Geistes ungemein. Wer aber in der Krankheit nur ein Übel sieht, lädt eine drückende Last von Irrtum auf sich, die in seinem Fleisch und Blut sich so lange manifestieren wird, bis dieses nicht mehr befähigt erscheint, überhaupt Träger des spirituellen Ego zu sein.

Mit Hohn die Vorstellung von sich zu weisen, daß der Leib durch immer erneute Umwandlungsprozesse dauernd erhalten werden kann, heißt eine Türe zum Leben verschließen und das Tor des Todes freiwillig weit aufreißen.

Wir dekretieren hier nicht: Man »sollte« so und so glauben! Viele sind jetzt geistig derart veranlagt, daß sie solches eben nicht zu glauben vermögen! Es wird viele Dinge in Zukunft geben, die heute noch keiner zu glauben die Kraft hat. *Wir können aber, wenn das Unmögliche wünschenswert ist, einen Glauben erbitten, der uns die Gründe liefern wird für das, was wir zu glauben wünschen; in dem Maße, wie wir ihn erbitten, kommt dieser Glaube.*

Gläubigkeit ist die intuitive Kraft, eine Wahrheit zu empfinden, die unsere rein mentale Sphäre noch nicht erreicht hat. Diese Gläubigkeit war in Columbus, da er die Existenz des neuen Weltteils behauptete; *sie ist in jedem, der an seinen Stern glaubt, und repräsentiert eine wirklich lebendige Macht im Menschen, die ihn auf unbegreiflichen Wegen zu seinem Ziele trägt.* Wer um Glauben, um Möglichkeiten betet, die ihm selbst noch fremd und ungeheuerlich erscheinen, betet zugleich um die Fähigkeit, Gründe für die neue Wahrheit zu entdecken. Wer unverrückbar fest nach Wahrheit und nur nach Wahrheit verlangt, wird sie erhalten, und die ganze Wahrheit bedeutet die Macht, scheinbar Unmögliches zu vollbringen.

Kein Mensch kann völlig, ganz und für immer von Übel befreit werden (das heißt: die Unsterblichkeit im Fleische erlangen), der nach einer anderen Stütze für seinen Glauben sucht als dem unendlichen Bewußtsein. In diesem Sinne muß jeder Geist völlig in sich ruhen! Niemand kann höchste Kraft in sich ziehen, der von anderen abhängig ist, er wird auf diese Art nur fremden Glauben entleihen oder absorbieren. Das mag ja zuzeiten Wunder wirken, ist aber doch auf Sand gebaut. Nur von der lebendigen Quelle in uns selbst ist keine Trennung möglich, sie wächst in uns, für uns, da ein Ewiges sie speist.

Das beste Gebet wird bewußt und unbewußt stets sein: »*Möge mein Glaube stetig wachsen.*« Wer seine geistige Attitüde Krankheiten gegenüber insofern verändert, daß er sich daran gewöhnt, sie als ein Mittel des Geistes zu betrachten, alte Irrtümer – »Gedenksünden« – abzuwerfen, die sich, von frühester Kindheit an absorbiert, im Fleische manifestiert haben, hört auf diese Weise langsam auf, sich mit neuen Irrtümern zu beladen. Er beginnt im Gegenteil abzuladen und alle frühere »Gedankenangst« aus sich hinauszutreiben. Die gefährliche Krankheit, die man vielleicht vor Jahren gehabt hat, hat die Erinnerungen an eine bestimmte Furcht zurückgelassen und mit der Furcht auch den irrigen Glauben, der ihr zugrunde liegt. Dieser Irrtum, die falsche Zwangsvorstellung von Furcht schlechthin, muß als Erinnerung alle die Jahre schädigend auf den Körper eingewirkt haben.

Sie ist ein lebendiger Teil des Ichs geworden, wie alle Erinnerungen und Erfahrungen lebendige Glieder unseres Seins sind.

Und alle diese oft unbewußten Erinnerungen nähren den alten Wahn, Verfall und Tod könnten nimmer besiegt werden! Wird nun die geistige Attitüde völlig verändert, so tritt ein Exorzismus ein! Die geistigen Abszesse fließen aus, ein Vorgang, der seine Wirkungen auch im Fleische zeigen muß. Irgendwie werden die alten Leiden und Krankheiten, deren schreckhafte Erinnerungen so schön aufgespeichert waren, wiederkehren, in einer abgeschwächteren Form – als Katharsis: als Austreibung der alten Irrtümer! – Wer aber seine geistige Attitüde nicht von Grund aus in dieser Weise umkehrt, der lädt sich mit jeder neuen Krankheit auch eine neue Erinnerungslast auf, wieder einen Irrtum, eine Unwahrheit mehr, bis er schließlich unter der Last zusammenbricht, die sein Organismus nicht mehr zu bewältigen vermag.

Es gibt keine Periode, da es zu spät wäre, umzulernen und der Wahrheit teilhaftig zu werden. Jederzeit wird eine Wahrheit ihre Wirkungen im Fleische beginnen; wenn auch vielleicht dieser eine Leib nicht mehr das höchste Ziel erreicht – verloren war die Kraft nicht; sie wird dem Geiste auf der unsichtbaren Seite helfen, einen vollkommeneren Leib zu bauen für ein neues Leben.

Wer an dem Irrwahne festhält, die Menschheit müsse – wie bisher, so auch in alle Ewigkeit – ihren Körper verlieren und ohne Macht bleiben, Krankheit und Verfall zu hindern –, der setzt seinen Glauben der Tatsache entgegen, daß auf dieser Erde alle Dinge ein Vorwärtsschreiten zu größerer Feinheit, höherer Macht, kühneren Möglichkeiten sind!

Was bückt die Schultern und bleicht die Häupter! – Dies zähe Hängen an der Vergänglichkeit, dieser fanatische Glaube an den Staub, das Erwarten des Verfalles. Beladen wird der Geist mit Tod, bis er zusammenbricht!

Ein verjüngter, verschönerter, ein blühender Leib bedeutet eine Seele, die glänzt von neuen Ideen, Hoffnungen, Plänen, Zielen und auffliegendem Verlangen. *Das ewige Leben ist nicht der halbe Tod des reifen Alters.*

Doch so sehr herrscht in dieser Rasse der Glaube an Schwachheit und Verfall vor, daß sie die Weisheit allegorisch nicht anders darzustellen weiß als in der Gestalt eines Greises, grau, kahl, auf einen Stab gestützt! Also eine Weisheit, die nicht einmal sich selbst vor dem Verfall zu bewahren versteht.

In dem Maße, wie die Sensitivität steigt, wird sich ein instinktives Abwenden von allem, was sichtbar oder unsichtbar schadet, geltend machen! *Zu- und Abneigung wird durch alle Sphären bis zur Hellsichtigkeit wachsen.* Diese wird schädliche Menschen und schädliche Gedanken wie durch Reflexbewegung abstoßen.

Wie der Glaube steigt, kommen von allen Seiten materielle Dinge dem Regenerationsprozeß zu Hilfe, in Form von Nahrung, von veränderten Gewohnheiten und Umgebungen.

Doch der Geist ist es, der dies alles lenkt – es wird nicht möglich sein, ihm nicht zu gehorchen; schädliche Nahrung kann nicht mehr verdaut, schädlicher Verkehr nicht mehr unterhalten werden, alle Hindernisse sterben leicht und von selbst in ihren Wurzeln ab.

Wer aber in allen diesen Dingen versucht, selbst strenge Regeln aufzustellen, in der Hoffnung, sich dadurch zu spiritualisieren, erlaubt seinem materiellen, niederen Intellekt, die Sache in die Hand zu nehmen. Dieses niedrigere Selbst versucht dann der Intuition, dem Höchsten im Menschen, Gesetze vorzuschreiben – nein, die am Glauben wachsende Intuition soll das Werk vollbringen; wenn es dann zum Beispiel für das materielle Ich an der Zeit ist, tierische, also grobe Nahrung aufzugeben, wird im gleichen Augenblick auch das Verlangen darnach verschwunden sein.

Da wir uns zu dem Glauben an eine Unsterblichkeit im Fleische bekennen, behaupten wir aber noch nicht, daß sie einem der gegenwärtig Lebenden erreichbar sei! Aber auch nicht, daß sie unerreichbar sei! Ebensowenig dringen wir darauf, die Menschheit solle sich in irgendeinem physischen Sinne sogleich »ans Werk machen«, um unsterblich zu werden. Wir vertreten nur die Meinung, dies alles müsse am Ende früher oder später als natürlicher Ausfluß jener Kraft kommen, die, vom Gröberen zum Feineren fortschreitend, die Wesen dieser Erde vergeistigt.

Der Unfug des Lebens

Einführung

Ist der »Unfug des Sterbens« überwunden, der »Unfug des Lebens«, sein zweiter Teil, hebt da erst an.

Denn mag der Tod seinen Stachel verloren haben – *der Alltag hat ihn noch.* – Die gedehnte Zeile der kleinsten Dinge, von Horizont zu Horizont des Daseins stehend, ihn verdeckend oft und oft verdüsternd, faßt dieses Buch. *Es ist das Buch der Banalitäten.* Nichts wird hier erwähnt, das mächtiger als ein Kragenknopf, ein Stiefelholz und, wenn es hoch kommt, eine Doppelleiter: Helden und Felde dieser Mär!

Prentice Mulford, ein paradiesischer Amerikaner (er meint wirklich nicht nur Geld, wenn er Glück sagt), erbaut sich im Jersey-Sumpf bei New York mit eigenen Händen sein Haus. – Bauherr seines Lebens; Geschöpf, das Schöpfer wird, da es bewußt den *zweiten Leib,* den Wohnleib sich erschafft. *Aus diesem Bau wird in seiner Art ein kleines psychisches Rockefeller-Institut,* nur weit sympathischer – bleibt Prentice Mulford doch sein einziges Versuchswesen.

Beim Legen des Fußbodens oder im Garten, verstrickt in eine Balgerei mit einer lieben, aber jähzornigen Eiche, strebt er, den winzigen Verseuchern der Lebensfreude in ihrer Urform beizukommen. Die psychischen Bakterien des Unbehagens, den Erreger der Ungeduld zu isolieren . . . *eine Versuchsstation für das einzellige Ärgernis.*

Geschärftem Blick tut diese kleinste Welt sich auf, die unsere große durch und durch verpestet.

Um Pfade der Heilung zu finden, infiziert der Sucher sich selbst der Reihe nach mit allen Reinkulturen der Alltäglichkeit: Im Ordnen, Einpacken, Ankleiden, Straßenbahnfahren, Rasieren spürt er Quellen sinnloser Mühsal nach oder kleiner, noch unerwachter Lust.

Einer, der Schicksale gehabt hat und sich nicht mehr quälen lassen will. Einer, der nicht mehr leiden will an diesen Dingen, die das Dasein sind zu neunhundertneunundneunzig Teilen von tausend, und alles ringsum leiden sieht in falscher Scham, zuchtlos und ohne Hilfe. Ihm aber eignet die freieste der Weisheiten: *scheuelose Banalität . . . führt sie nur zum Heil.*

In den Tropen geschieht es nicht selten, daß Betten, Sofas, ganze Häuser, will man sie benützen, auf einmal weg sind – dematerialisiert –, zerfallen bei der ersten Berührung. In Wirklichkeit marschierten diese Betten, Sofas, Häuser längst davon in kleinsten Raubwesen, den Termiten. Übrig blieb in dünner Oberschicht eine Scheinfassade der Dinge. Der weißen Menschheit Leben ist vielfach die große Linie solcher Scheinfassade – Phantom auf Fernsicht gestellt –, in Wahrheit Fraß den wimmelnden Nichtsen. Zerkaut, verschlungen, vernichtet von dem, was Prentice Mulford den »Mob der Seele« nennt.

H. G. Wells in seiner »Zeitmaschine« läßt als Folge der Tunnelbauten des Untergrundwesens eine späte Menschheit sich in zwei Arten spalten: »Eloi«, die Oberirdischen, auch Oberflächlichen, degenerieren zu schönen, spielenden Halbwesen: Edelcretins; »Morlocks«: die Unterirdischen, auch Untermenschlichen, zu zahllosen fahlen Tierzwergen – die halten das Triebwerk der Tiefe in ihren Affenhänden. Die »Eloi« dienen den »Morlocks« als Futter; davon zu sprechen aber gilt für taktlos – direkt unfein ist es. Aufgefressen werden deklassiert nicht – wird es nur, der Etikette entsprechend, ignoriert. Prentice Mulford hat mindere »Eloi«manieren. Der wehrt sich und schreit. Will kein *Besessener* sein, nicht von »Morlocks«, Dämonen, Heilanden oder Hemdknöpfen. –

Ein »Knigge« zum Umgang mit Dingen. Die quälen uns nur so, weil wir sie schlecht behandeln, »werden unerträglich wie verrittene Pferde oder verwahrloste Kinder«. Nichts ist »böse«, doch vieles »erbost«. Warum dies ängstliche Abschließen der Menschen voneinander in ihrem Alltagstun? – Weil sie ein schlechtes Gewissen haben, häßlich dabei zu sein! Es gibt aber eine gemeine und eine erleuchtete Art, mit seinem Waschlappen umzugehen; Adel und Rasse hat nur, wer auch noch höflich bleibt im Verkehr mit einem kleineren Gebrauchsgegenstand, und so viel mehr ist ja auch der Mensch dem Menschen meistens nicht. »Die Dinge nicht trivial tun – dann hören sie von selber auf, trivial zu sein«; sind doch solche Unwesen »innen« und »außen« zugleich. *Materiell mögen sie sich als rabiate Schnürriemen inkarnieren; diese aber sind nur Phantom, Schatten eines rabiaten Partikelchens am Gemüt.*

Darum auf Zucht halten in der Menagerie des Selbstbewußtseins. Etwas von der Märchenweise erneut sich da, mit Bräuchen und Art elementare Geistchen in Leben und Haus zu bannen, doch fehlt hier die silbrige Feuchte großer Waldblätter – moosig Verwurzeltes und frostverkrampfte Kraft. Mehr Sport und »go«: kleine Griffe, Vorteile, ein *djiu-djitsu* im Ringen mit dem Engel arbeitet dieser handfeste Erlöser aus. Solche, noch befremdliche Geistesweise steht auf aus einem *neuen, materiellen Fundament. Es ist aus*

Eisenbeton, ermöglicht Fugenlosigkeit und Größe, die Adelung unserer Zeit, wo sie am besten ist in ihrem Streben nach dem Einfachen und restlos Reinen. Erst in dem folgenden Geschlecht wird das ganz offensigtig werden, noch heute viel verdeckt durch Allzulanglebigkeit des Halbvergangenen. Endlich beginnen wir auch von uns selbst die Präzision und Herrlichkeit unserer Maschinen, der wundervollen Stahlwesen über den Wassern und zwischen den Wolken, zu verlangen, durch sie wachsen die Anforderungen an die eigene Konstruktion: Eugenetik. Schon Helmholtz meinte: Würde sich ein Optiker beifallen lassen, ihm ein so fehlervolles Instrument wie das menschliche Auge zu liefern – voll Entrüstung schickte er es ihm zurück.

Ein Wandel in religiösen Symbolen auch, wenn man will. In einer »Ethik des Technischen« wird nicht Jesaias, sondern der Vacuumcleanser zum Propheten. Die Asepsis greift auf das Gemüt über, duldet auch dort keine Schmutzwinkel, auf daß nicht Lebensfäule sich ansetze. Die menschliche Monade hat ja nach Leibniz keine Fenster – *leider,* um so mehr tut Reinlichkeit im Innern not zum Schutz vor Selbstverseuchung, denn es gibt auch psychische Autotoxine. Auf erneute Art ist das antik: *die heidnische Frömmigkeit, das Harmonische* über alles zu stellen. Auf daß unser Leben sich aufbaue wie ein junger Leib mit *allen Vollkommenheiten der Oberfläche.*

An der Versuchsstation im New Jersey-Sumpf ist es *ein* Seuchenherd besonders, ein ganz verruchter, dem Mulford nachgespürt, *und eine Brut von Unbehagen schwärmt da auf; wie Mücken aus Malariatümpeln kommt uns Plage angeflogen aus dem großen Warenhaus der kultivierten Welt.*

Jene Schwärme von Sachen, die jeder hat und keiner braucht, erstanden unter der Suggestion des Kurzwarenmagiers, keinem Bedürfnis entsprungen als dem des Verkäufers und das Leben belastend, ohne es zu bereichern. Wie dem Eindrang der Dinge zu wehren, wie der Kommis zu bändigen, auf daß nicht Wohn- und Lebensraum ein Massenquartier für obdachlosen Zierunrat werde, lehrt der Befreier. Impfung gegen Kaufwut! Ist nicht schon manchem Jünger Mulfords in seinem Streben nach Unsterblichkeit im Fleische der Nachtmahr aufgestiegen, lebenskräftig hieße auch: kaufkräftig bleiben, verfolgt werden von den Erfüllungen passagerer Wünsche, die anhaften wie der Dämon dem Rücken Sindbads?

Ein Ding erlangen, das allein ist *nichts,* und wäre es noch so köstlich; es zur rechten Zeit erlangen, *alles;* und *sehr wichtig,* daß es auch wieder weggehe. Nur die bestimmte Stelle, an der sie in der Zeit steht, wertet eine Erfüllung, macht sie wert.

Die Kultur Europas, der weißen Rasse besteht darin, immer reichlich zu spenden, was man gerade nicht braucht, und Werte, sind solche vorhanden, wenigstens in ihrer Einordnung zu vertauschen, ist ihre Leidenschaft. Jugend reicht sie Interessen der Reife vorweg, von der Reife fordert sie Jugendspannkraft und zwingt ihr doch zugleich schon Sitten der Dekrepitität auf. In ihren babylonischen Kurzwarentempeln streut der Kommis als Abundantia das Füllhorn des Kinkerlitz über die Welt. Tritt das suchende Menschenwesen ein, zitternd vor Inbrunst nach dem Einen, danach die Seele schreit – ihm wird Antwort: »Oh bitte, – *das* führen wir nicht, . . . aber wollen Sie nicht lieber statt dessen . . unsere Schnarcherbinde ›Erlkönig‹ . . . den neuen Spezialschrank für Schmutzwäsche ›Helena‹ . . . ›Elektra‹, das Enthaarungsmittel!«

Unter luminösen Fontänen, beim Tango in Goldhöhlen aus Byzanz läßt sie etwa unholde Ware vom Schwein begehrenswert erscheinen. Bildungskaufzwang. – »Ausgefahrene geistige Geleise« geleiten hin zu jedem Schund, und über dem ganzen Gewölbe stehe: voi ch'entrate, lasciate ogni speranza, zu finden, was ihr sucht; beladen aber mit allem, was ihr nie gewollt, werdet ihr herauskommen, und die Fakturen liegen bei.

Ein perverser Wahlspruch für die Eintagsfliege: »Zeit spielt keine Rolle«, und doch gilt er zu Recht. Das einzige Mittel, *Zeit zu haben,* ist: *sich Zeit zu nehmen. Doch* niemals etwas tun, das auch ein anderer für uns tun kann; alle Kräfte sparen für das, was wir allein nur tun können, doch dieses eine rastlos schmieden mit den kleinen Hämmern: jetzt, jetzt, jetzt – unbekümmert um die zahllosen, pochenden Werke, so sie Einlaß begehren in die gleiche Frist.

Denn auf zweierlei Art ist Prentice Mulford irreverstanden worden an seinem Wort, »*daß alles, was wir wirklich wollen, stark und unverrückbar einstens unser ist*«.

Da meinten manche, es genüge, wie Zuschauer dem Film der eigenen verwegenen Biographie gegenüber zu sitzen . . . wie dann berückende Abenteuer kommen, einem aus der Hand zu fressen, und daß schon die »geballte Faust der Attitüde« ein Diurnistendasein colleonisch silhouettiert. Andere wieder – und ihrer sind die meisten – treten in ihrer Sehnsucht ewigem Sturmlaufe nach dem Kommenden die Gegenwart in den Staub. *Auch noch das heilige Jetzt, das selig Einmalige, das einzige Dasein läßt sich das Geschöpf von seiner »Zukunft« wegeskamotieren* und schiebt überdies Hast und Gier wie Fremdkörper vor die eigenen schwingenden Strahlen.

Mit dem ganzen Ernst aller Sinne sollte ein Wesen trachten, in der Liebe zu sein mit diesem *heiligen Jetzt*. Der träumende Wunsch aber – damit er zum *Wahrtraum* werde – gehe *unbewußt* immer mit, wie etwa die *unbewußten* Funktionen *Atmung* und *Kreislauf* immer mitgehen, allem Tun mitten inne sind.

Prentice Mulford ist durchaus kein Lebenswucherer. Keiner von der Sippe, die, rentiert sich ihr das Dasein einmal einen Vormittag lang nicht mit einhundertundzwanzig Prozent Vergnügen, den Schöpfer auf Schadenersatz verklagt! Das Bild eher so: auf einer bestirnten Aue ein reiner Mensch und gar verspielt. Ganz hell auf in seinem Gemüt geht eine junge kugelrunde Minute mit gar nichts drin. Er hält sie, herzt sie, genießt sie – dann tropft langsam die nächste ins Bewußtsein. Eine andere wieder ruft er sich zurück und fragt gütig, aber ernst: »Warum warst denn du so widerlich? Und daß mir so was nicht mehr vorkommt.«

★

»Jede lebende Seele ist Thronerbe eines Weltenreichs und fiel in eine Grube.«

Sir Galahad

Alpha

Lange schon hatte ich den Plan gehegt, mir mit eigenen Händen ein Haus in den Wäldern zu bauen, Kärrner und König zugleich, und dort einsam zu leben.

Nicht daß ich zynisch oder mit der Welt zerfallen gewesen wäre.

Ich habe gar keine Ursache, mit der Welt zerfallen zu sein. Sie hat mir eine Menge Amüsement gegeben – hineingesandwiched zwischen Kopfweh, Reueanfällen und Erzeugung guter Vorsätze. Letztere konnte ich meistens deshalb nicht halten, weil sie mir so rasch unter den Händen verwesten.

Ich habe versucht, das Leben gut zu behandeln, und es hat mich belohnt. Denn das Leben erwidert unweigerlich Lächeln mit Lächeln, Tritt mit Tritt! Und ist meine Leserin ein junges Mädchen, so wird sie ihre Schönheit viel länger wahren, wenn sie liebenswürdig ist um des Lebens und nicht um der Gesellschaft willen – nicht äußerlich einen Liebenswürdigkeitskrampf im Gesicht trägt, *vielmehr innerlich in die Zukunft lächelt, dann lächelt die Zukunft auch ihr.*

In New-Jersey fand ich endlich ein Stück Wald, einen Sumpf, einen Quell, ein Bächlein und eine noble breitästige Eiche. – Unter dieser Eiche baute ich.

Das war vor fünf Jahren. Ich war damals neunundvierzig Jahre alt – und fühle mich jetzt nicht älter – sogar schon etwas jünger. Was andere über mein Alter fühlen mögen, ist eine davon verschiedene Frage. Kronzeuge aber bleibt wohl das eigene Bewußtsein.

Während eine Flasche Champagner in eines Menschen Organismus wirkt, was kümmert es ihn, wie andere über ihn oder sein Alter denken! – *Solchen Zustand berauschter Unbekümmertheit sollte man stets aus dem Leben schlürfen können.*

In diesen neunundvierzig Lebensjahren habe ich zwei indifferente als Matrose auf einem Handelsschiff und einem Walfischfänger verbracht.

Auf letzterem war ich Koch, zum Jammer aller an Bord, die in die Wirkungssphäre meiner kulinarischen Missetaten gerieten. Erst als wir auf hoher See waren, entdeckte man, daß ich von der edlen und so nützlichen Kunst des Kochens keine Ahnung hatte. – Da war es aber schon zu spät.

Zwölf Jahre war ich in Kalifornien, wo ich etwas Gold und eine mächtige Menge Schmutz grub. Ich habe Schule gehalten, eine Bar und einen Kramladen geführt, ritt das Fleisch für die Miner am Tuolamnefluß unter dem Sattel mürbe, kandidierte als Abgeordneter, startete eine Schweineranch, die versagte, diente als Schutzmann, als Steuereinnehmer und Postbote, suchte in Nevada nach Silber und fand nichts als Schnee, Szenerie und Elend – fertigte Stadtpläne an, wirtschaftete blühende Farmen zu Wüste und Heideland, hielt Vorträge und schrieb für Zeitungen. Ich habe meine Konstitution und ihre Nebengesetze in reputierlicher und auch anderer Weise ausprobiert. Sie ist noch immer intakt, wiewohl ich so viele Krankheiten hätte haben können, als ich nur wollte – wäre es mir beigefallen, dafür zu zahlen und sie bei Spezialisten und Apothekern zu erstehen. Ich habe Cap Horn, London, Paris, Wien – einen strandenden Walfisch und eine meuternde Mannschaft gesehen – auch eine Dame, die keinen neuen Hut brauchte – sie war tot.

Ich lebte zwei Jahre in England, hatte eine herrliche Zeit und sehr wenig Kapital, sah das Land von den Grenzen Schottlands bis nach Dover, verkehrte mit über dreißig Familien, hoch und niedrig, arm und reich, Patriziern und Plebejern.

Ehe ich auslief ins Leben, führte ich als vierzehnjähriger Knabe ein ländliches Hotel und brachte es in vier Jahren zum Verenden; aber die Knaben und Mädchen meiner jugendlichen Ära kostete das Reiten meiner Pferde nie einen Cent. Eine gute Zeit hatte ich als Direktor dieses Hotels, das mein Vater sterbend meiner Mutter vermachte. Sie war gezwungen, es zum größten Teil ihrem ältesten und einzigen Sohn zu überlassen. Ich war dieser Sohn. Meine Mutter – nüchtern veranlagt – hatte eine Abneigung gegen das Geschäft, und ich befreite sie bald davon, tat ihr damit einen Gefallen und hatte selber meine Freude daran. Wir hielten eine Bar, die von den Knaben meines Alters in hohem Maße patronisiert wurde, da ihre Erfrischungen sie dort wenig oder gar nichts kosteten – meistens gar nichts –, ein Faktum, das zwar die allgemeine Fröhlichkeit erhöhte, aber nicht die Einnahmen.

Meine Heimatstadt war ein Ort, in dem der bloße Versuch eines Knaben, seiner Mutter zu erzählen, was er innerhalb der letzten vierundzwanzig Stunden gedacht, getan und erfahren, genug Gezänk, Entsetzen und Verachtung hervorgerufen hätte, um ihn für einen Monat aus aller Bravheit und Tugend hinauszuschrecken.

Wo die Knaben systematisch und gewissenhaft und reuelos ihre Väter anlogen, wie diese einst die »Großväter« angelogen hatten. Wo die Hälfte der Stadt Abstinenzler waren, die alle Whiskytrinker mehr haßten als den Whisky und solchen, die anderer Ansicht waren als sie, harte Namen in maßlosen Mäßigkeitsvereinen gaben! Wo die Redner von Vorurteilen, Eifer und Bekehrungswut trunken wurden wie andere Trinker von Fusel.

Ich brachte unsere Bar zum Stillstand, indem ich es so einzurichten verstand, daß die Ausgaben die Einnahmen stets überschritten. Eine gute Folge war, daß die jungen Leute dann in einem anderen Lokal, wo sie dafür bezahlen mußten, ihre Stimulantien bezogen, und das ist immer ein starker Ansporn zur Mäßigkeit – wenn nicht zur Ethik im allgemeinen. –

Als ich all das vollbracht hatte, und es ist nicht wenig für einen Siebzehnjährigen, ging ich in die Welt, mein Glück zu suchen – und suchte es noch mit Ergebnissen, die natürlich teils für, teils gegen mich sprechen.

Aber ich habe gute Zeiten gehabt und beabsichtige, noch viel bessere zu haben.

Grundsteinlegung

Um etwa fünfzig Dollar kaufte ich Bretter und Baumaterial, die ließ ich unter meine Eiche fahren und dort ausladen. Keine Hand, außer der meinen, legte die Fundamente. Erst legte ich den Fußboden. Wohlerwogenen Bauplan hatte ich keinen, der mich hätte hindern können, erst den Fußboden zu legen, wie es mir bequem war. – Soviel Haus war dann wenigstens endgültig gebaut. Ich ließ die Struktur natürlich wachsen. Ein Zimmermann von Beruf würde wohl erst ein Gerüst errichtet haben, ich aber fühlte: War mir nur erst einmal dieser Fußboden aus dem Sinn, der Rest des Gebäudes würde schon irgendwie darauf wachsen – und das tat er auch. Ich weiß, ich vergewaltigte alle architektonischen Anstandsregeln mit meinem Gebaue und tat hundertmal mehr Arbeit, als nötig gewesen wäre; die Arbeit aber war Freude und Spiel – das Resultat nicht viel mehr als eine große Holzschachtel aus zwölf Fuß langen Brettern und selbst im Zustand der Vollendung lange nicht so ordentlich und regelmäßig wie Reiseverschalung für den Transport zur See von Waagen oder anderen großen Gegenständen. – Aber ich baute nicht um der Korrektheit oder anderer Leute willen – ich baute für mich. *Für dieses eine Mal im Leben verlangte ich vollkommene Freiheit, zu stolpern, zu fehlen, zu irren, ohne von anderen Leuten überwacht, patronisiert, kritisiert, begutachtet oder beschlechtachtet zu werden. Diese Freiheit hatte ich – und meine Irrtümer beging ich. Weitausladend – breithingenießend.*

Kein einziges Mal während der zwei Monate, da ich diese windschiefe, krummbeinige Schaluppe erschuf, kam eine Menschenseele in die Nähe – zu starren, zu grinsen und zu sagen, wie falsch ich alles mache; und wenn so eine Pest auch nicht sagt, was sie denkt, hat sie doch eine Art dreinzuschauen, als ob sie es dächte – also denkend aber macht sie mich fühlen, daß sie so denkt. Solche Leute wirken verpestend. Ich will die Dinge auf meine Weise tun, mit meinen Fehlern und im Vorwärtsschreiten lernen – und wenn ich bereit sein werde, jemanden, der es besser weiß, zu fragen, wie man es besser macht – dann – erst dann – nur dann und nicht früher will ich Rat und Belehrung. Es ist ein exquisiter Luxus – solches Vorwärtsstolpern. Ich wollte ihn mir gestatten, auch für ihn bezahlen.

Mein Grundbesitz lag am Ende eines großen Kornfeldes – ein einziges fernes Haus am Horizont in Sehweite – keine Straße; der Belehrer hätte eine Meile durch den Morast waten müssen, um an mich heranzukommen. So in Regen und Schnee und Schmutz, irrend und fehlend und verbessernd, baute ich da draußen den Januar und Februar hindurch. In dem fernen Nachbarhaus am Horizont schlief ich, trabte dann am Morgen eine Meile weit zur nächsten Bahnstation, erreichte die City um halb acht Uhr und erledigte meine zweistündige Arbeit in einer Zeitungsredaktion. – Sie bestand in der Aufzählung jener ewig gleichförmigen Ereignisse als da sind: Morde, Einbrüche, Explosionen, Selbstmorde (Revolver, Rasiermesser, Strick, Gift), Bank- und Taschendiebstähle, Feuersbrünste, platzende Kessel, stürzende Lifts, Unfälle (Gas, Petroleum, Benzin – Hitze, Kälte – Berge, Meere), Konkurse, und was eben sonst in zivilisierten Gesellschaften jahraus, jahrein immer auf dieselbe Weise geschieht, mit dem einzigen Unterschied, daß Schuft oder Opfer immer wieder anders hießen – und manchmal nicht einmal das. Ich staune, wie es die Menschen interessieren mag, so einen monotonen und grausigen Katalog der Schrecken zu lesen, wie ich ihn täglich auftischte.

Ob sie wohl so durch alle Ewigkeit zu den Frühstücken aller Tage weiterlesen werden? Sollte eine unerforschliche Vorsehung ihre unerfreulichen Leiber zu so unerfreulichem Tun erhalten? Ich staune, worin die Notwendigkeit oder der Vorteil besteht, bei Kaffee und Butterbrot zu erfahren, daß ein Strolch vergangene Nacht im Centralpark erhängt gefunden wurde, oder daß irgendein Idiot sich mit Vitriol vergiftete und auf einer Gartenbank, auf der ich vielleicht morgen sitzen werde, starb, weil das Mädchen, das er heiraten und unglücklich machen wollte, es vorzog, sich von irgendeinem anderen Idioten heiraten und unglücklich machen zu lassen.

Ich schrieb auch Fachartikel und sagte der Welt, wie auf sozialen, politischen und sonstigen Gebieten die Dinge fürchterlich verfehlt im Argen lägen und wie man es fürder besser zu machen habe. Ich beschäftigte mich damals viel intensiver damit, die Welt als mich selbst zu reformieren – hielt die elektrische Birne meines Intellekts mit erheblich mehr Ausdauer auf anderer Leute Mängel gerichtet als auf meine eigenen.

Ich blieb lange genug Journalist, um herauszufinden, es gäbe Publizisten von dreierlei Art: solche, die über die ganze Herrlichkeit schreiben können und dabei nicht praktischen Grips genug haben, um einen Nagel gerade einzuschlagen oder ein zehn Monate altes Küken in gerupftem Zustande von einer zehn Jahre alten zähen Henne zu unterscheiden – solche, die schreiben können und außerdem Verstand haben – schließlich solche, die, ohne schreiben zu können, es verstehen, andere schreiben zu machen – fremde Gehirne anzukurbeln zum eigenen Vorteil, wie es ihr gutes Recht ist, denn wer ein Talent übt und übt nicht das korrespondierende Geschäftstalent, das zugleich belebt und verwirklicht – der muß früher oder später mit ansehen, wie ein anderer es statt seiner besorgt – und die am Leben gereifte Frucht des Talentes sich pflückt.

Ich habe in Redaktionen neben hochgebildeten, staatlich über- und übergeprüften Männern gesessen, deren Hirne Lagerhäuser an Wissen waren, aber wenig sonst, die hackten mit ihren Federn emsig um acht Dollar per Woche an jeder Arbeit, die ihnen der Chef vorlegte, und schrieben und raunzten und raunzten und schrieben, die armen Hunde, weil ihre Begabung, wie sie sagten, nicht mehr Anerkennung fände. Und immer redeten sie davon, was sie alles tun würden, böte sich ihnen nur einmal eine bessere »Möglichkeit«. Und sie eiferten gegen dies merkantile Zeitalter und gegen das merkantile Gebaren des Unternehmens, für das sie schrieben, und nie wurde es helle genug in ihnen, zu erkennen: die einzige »Möglichkeit« in dieser Welt für einen Mann, seine Ideen zu lüften, ist: Verantwortung übernehmen und sich die »Möglichkeiten« selbst schaffen – wie es der Chef im ersten Stock getan hatte, der ihnen den Wochenlohn ausbezahlte und sie ausnützte als literarische Maulwürfe, weil sie selbst nie wagen würden, etwas anderes zu sein.

Ich selbst servierte mit ziemlich gutem Gewissen das tägliche intellektuelle »Stew«, aus den Ingredienzien unserer barbarischen Zivilisation gebraut, denn ich wurde gut dafür bezahlt, die Arbeit amüsierte mich, und das Publikum wollte, verlangte und liebte seine täglichen Greuel gerade so, wie ich sie ihm vorsetzte. – Des Morgens um halb elf aber floh ich schon wieder per Bahn heim nach meinem geliebten Sumpf und arbeitete dort bis zur Dämmerung, gelegentlich wohl überwacht von irgendeiner Krähe, hingehockt auf einen Nachbarbaum, müde, hungrig und verärgert, weil es kein junges Korn auszurupfen gab.

Werkzeuge kaufen – und über das Kaufen im allgemeinen

Ehe ich baute, kaufte ich vielerlei Zimmermannsgerät, damit zu bauen. Ich kaufte Werkzeuge die ganze Bauperiode hindurch – kaufte viele, viele mehr als nötig. Jeder Tischlerlehrling hätte meine Hütte mit einem Hammer, einer Säge und den nötigen Nägeln zustande gebracht. Aber Stemmeisen, Meißel, Sägen und Winkelmaße mit neuen Griffen und glitzernden Schneiden wurden zu ebenso vielen Faszinationen! Kaufend wurde ich in diesen besonderen Trichter des Werkzeugkaufens immer tiefer hineingezogen. An keinem Stahlwarengeschäft konnte ich mehr vorbeigehen, ohne die halbe Auslage notwendig zu brauchen. Ich *brauchte* sie auch. *Brauchte* das Vergnügen, das im Kaufen lag und dann . . . im Anschauen . . . aber ich *bedurfte* ihrer nicht.

Es liegt ein großer Zauber im Kaufen neuer Dinge, ob man ihrer nun bedarf oder nicht. Der Kauftaumel bricht ganz von ungefähr aus, leert die Börse im Nu und weit schneller, als der Überraschte sie wieder zu füllen vermag.

Ich kann mit den Damen fühlen, die »Shopping« gehen und triefend von Paketen heimkehren – beladen mit zehnmal mehr Dingen, als sie je zu kaufen geträumt. Es geht ein mysteriöser und gefährlicher Einfluß von Warenhäusern aus, *unbrauchbare Dinge begehrenswert erscheinen zu lassen.* Mit der Zeit fand ich die einzig erfolgreiche Methode der Gegenwehr. Man muß die Segel des Willens hissen, dann hinein in voller Fahrt, fest entschlossen, nur ein Bestimmtes zu kaufen – durch den Ozean von Schund durchtauchen und auf der andern Seite wieder heraus – *seine* Sache zwischen den Zähnen!

Auf diese Weise lernte ich in Warenhäusern ein- und auszuzugehen, unbeladen mit Kinkerlitz.

Viel Zierunrat kaufte ich anfänglich unter dem Bann jener kleinen kommerziellen Magier – der Kommis. Die tränken einen erst durch und durch irgendwie mit dem Gefühl, man müsse etwas kaufen, gern oder ungern, sonst hieße ihre Waren auch nur fünf Minuten lang betrachten, sie um ihre kostbare Zeit bringen. Man muß eintreten mit hellster Geistesgegenwart, mit dem Druck des Entschlusses, um der schweigenden Gewalt dieser Leute erfolgreich standhalten zu können. *Die ganze Atmosphäre mancher Warenhäuser ist förmlich überladen, gesättigt mit Kaufzwangideen, erstarkt an den Niederlagen aller früheren Opfer – lauter ausgefahrene geistige Geleise, die zu jedem Schund hingeleiten.* Vom Chef abwärts bis zum letzten Liftboy sind alle am Ort gewillt, überzeugt und unbeugsam entschlossen, daß kein Kunde wieder heraus darf, ehe er gekauft hat. So sind die Chancen von vornherein ungleich, und ist man überdies müde, hungrig oder gar gehetzt, am ärgsten *zerstreut,* wird man von den mentalen Magiern eingefangen und mit jedem Gegenstand behaftet, den jene loszuwerden wünschen. *Dabei vermeint man, und darin liegt das Teuflische eben, aus freier Willensbestimmung heraus zu handeln, und marschiert fremde Gedanken entlang.* Denn der Geist des Kommis ist auf eine Sache zentriert; verkaufen, das gibt ihm Macht in dieser einen Richtung. Der Geist des Kunden ist auf nichts Besonderes zentriert, das macht ihn schwach. So kauft er, was man ihn kaufen macht, und steht erst zu Hause, vom Banne befreit – entgeistert vor dem Kinkerlitz. Wer wollte es dem Kommis verübeln! – Seine Sache ist es, zu verkaufen, was er verkaufen will, nicht, was wir brauchen. Unsere Sache ist es, sobald wir Käufer werden, erstens mit etwas wie einer klaren Vorstellung von dem, was wir wollen, zum Verkäufer zu gehen, zweitens nicht in einer schusseligen Verfassung zu sein, drittens nicht schon eine halbe Stunde vor unsern Leibern mit unsern Geistern das Warenhaus zu durchstöbern, wie es bei dem allgemeinen Laster Hast unweigerlich der Fall sein muß. Dann vielleicht werden wir, zu Hause angelangt, finden, daß wir die Dinge gekauft haben, die wir kaufen wollten, nicht jene, die der Kurzwarenmagier verkaufen wollte und die dem wieder normal gewordenen Urteilsvermögen so unerwünscht unbrauchbar und unerfreulich scheinen, wie sie in Wahrheit sind. *Daß der Kommis die Waren verzaubert und überhaupt schwarze Magie betreibt, ist, genau genommen, Notwehr. Mit uns zu sympathisieren, brächte ihn in Gefahr, in denselben schlappen, ziellosen, unentschlossenen*

Zustand zu verfallen, somit uns zu folgen und untertan zu werden. Solchermaßen aber zeitweilig durch die Sympathie mit uns zum Halbidioten reduziert, könnte er leicht das Geschäft zu halben Preisen ausverkaufen. Es ist ein Wunder, daß Verkäufer und Verkäuferinnen nicht mehr oder weniger toll werden, bedenkt man die hirnverwirrte, zappelige ratlose Herde, mit der sie von morgens bis nachts zu tun haben – denn wer in einem Irrenhaus leben muß, läuft selbst Gefahr, an einem Teil seines geistigen Gefüges Schaden zu nehmen. Ein Warenhaus und ein Irrenhaus aber haben, was das Gebaren der Menschen darin betrifft, für den objektiven Zuschauer eine tiefe Ähnlichkeit. Wäre ich ein Verkäufer, ich verkaufte ihnen meinen Vater und meine Mutter und die ganze Gesellschaft bis ins vierte und fünfte Glied und blecherne Uhren für goldene, und das mit reinem Gewissen, *kämen sie zu mir in jenem sündhaften und maßlosen Geisteszustand – geboren aus Hast, Unentschlossenheit und der vagen Gier, etwas für nichts zu bekommen.*

Mit so einem Kopf unter den Leuten herumzulaufen und sie anzustecken, ist Unbill und öffentliche Schädigung, gerade als ginge man mit Masern oder Blattern unter Menschen. Und ich ging selbst mit so einem Kopf herum und tat die Unbill und die Sünde oft und oft.

Von meinen Hennen

Ich möchte hier den Rest meiner baulichen, oder soll es heißen, erbaulichen Prüfungen berichten. Ich weiß noch nicht warum, aber es bringt mich dies meinem eigenen Erleben näher.

Ich habe einen Hühnerstall gebaut und halte Hennen. Der Hühnerstall ist errichtet mit den Erfahrungen und dem technischen Geschick, gewonnen aus dem Bau des Hauses. Das Resultat ist, daß er, was Symmetrie, Grund- und Aufriß anbelangt, eine weit vollkommenere Konstruktion darstellt als das Haus.

Hennen habe ich von Kindheit auf geliebt.

Wuchs unter ihnen auf bei meiner verwitweten Großmutter, die allein in einem alten Haus mit zahlreichen Katzen und Hühnern lebte und diese seltsame Symbiose von Knabe, Geflügel und Raubzeug in Frieden verwaltete. Sie war eine verquere – stille alte Dame, ging nie zur Kirche, las ihre Bibel sonntags für sich, duldete auch keine Kohlen im Hause, nur Holzfeuer, sah nie eine Eisenbahn, fuhr auf keinem Dampfschiff, verweigerte Besuche, machte wunderbare Pfefferminzkuchen – aß davon täglich Punkt neun Uhr abends ein Stück –, gab auch mir eines und haßte bis ins Mark den alten T. . ., den Spediteur von nebenan, dessen geschäftiges Geheul von morgens bis nachts den Hof erfüllte, nebst Sattelzeug, zerbrochenen Deichseln, Fässern, Kisten und Spänen, so daß es aussah, als hätte der Satan dort umgeschmissen.

Es war das Entzücken meiner Großmutter, an den Markttagen zu beobachten, wenn einem Bauer sein Gespann durchging, was öfter vorkam, und die Butterstücke klatschend in die Straßenpfützen plumpsten, indes der Fuhrmann »whoa« schreiend hinterdrein galoppierte und bei jedem Galoppsprung eines nach dem andern aus den Pfützen wieder auffischte. Ihre Hennen aber konnte sie dazu bewegen, mehr Eier zu legen als alle andern Hennen der Stadt – es war ein Legezirkus bei uns.

Wirklich brave kleine Knaben mochte sie nicht; ich war der einzige in der Familie, den sie um sich haben wollte – sehr gegen den Willen meiner Eltern. Ich aber war gerne bei ihr – dort hatte ich viel mehr Freiheit und Torte – auch soviel blaue Flecke, als ich nur immer erwerben konnte, in abendlichen Kampfspielen mit den Gassenbuben. Ihr Haupt und Führer war »Nigger Hen«, Neger Heinrich, der uns beherrschte und wenn nötig verprügelte, jedenfalls aber stets mehr flüssiges Geld besaß als wir alle zusammen. Er war der Busenfreund meiner extremen Jugend bis zu dem Tage, da ich – angespornt von den schadenfrohen Angestellten meines Vaters – Nigger Hen bewog, in eine kleine Spielzeug-Windmühle hineinzublasen. Sie war mit Mehl gefüllt – und eine Wolke davon stieg in Nigger Hens Luftröhre und sonstige Leibesöffnungen, als er kräftig in den Trichter blies.

Da verstieß er mich!

Nun mußte ich mich mehr an »Hen Hill«, Heinrich Hügel, anschließen. Das Hin- und Herschleppen eines großen Korbes von seiner Mutter Wohnung nach seines Vaters Sirup-, Kuchen- und Sodawassergeschäft füllte das Leben dieses Knaben aus. Ich liebte Heinrich, denn auf dem Weg durch unseren Hof ließ er mich regelmäßig seine Kuchen prüfen. Wir zogen uns in das Dämmerlicht einer mächtigen leeren Kiste zurück und kannten sinnreiche Methoden, mit einem Löffel Tortenübergüsse abzuheben und vernünftige Portionen aus dem Innern zu entfernen und unserem stets froh bereiten Knabenorganismus zuzuführen. Heinrich ruhte meistens aus – während ich aß. Äußerlich war »Hen« mehr oder weniger Torte, die in Fragmenten an ihm klebte, und wo er nicht

Torte war, war er fleckenweise Eiscreme! Ließ ihn doch seine Mutter die »Gefrorenes«maschine in ihrem Keller handhaben, und wir hatten dort einen anderen alten Löffel verborgen, mit dem wir in kurzen Intervallen die Eiscreme kosteten, wenn sie vom tropfbar-flüssigen in den festen Aggregatzustand überging. – Die Aristokratie des Ortes, die in Mrs. Hills Salons Eiscreme aß, ließ sich nicht träumen, wessen Finger zuerst darin gewesen – denn drängten Zeit und Umstände, fanden wir Finger eigentlich handlicher als Löffel.

Da ich eben von Hennen spreche oder wenigstens zu sprechen die Absicht hatte, schien es mir passend, dies mit Nigger »Hen« und »Hen Hill« einzuleiten. Jedenfalls erbte ich meiner Großmutter Passion und Begabung, Hennen zu halten – und die gleiche erregende Freude durchzuckt mich noch heute, finde ich das Dutzend klarer, weißer, frischer Eier in den Nestern – wie als zwölfjähriger Knabe.

Schönheit und Wert des Lebens liegen aber darin, in gleichem Maß am Gleichen sich zu ergötzen, wie als Kind, und die unverwelkten Kindergenüsse mit den neuerblühten der Reife zu vereinen! Zu genießen, was man genoß, als der Körper neu war und der Geist also frisch gekleidet wieder einmal die Welt betrat. Zwischen vier und vierzehn ist es, daß die Sonne in einer Glorie scheint und der Mond voller Märchen ist und das Gras so sehr grün – wie später nie mehr – und warum?

Mentale Schwierigkeiten

Das Haus hat vier Seiten, ein abfallendes Dach, zwei große Südfenster – ein Loch für die Tür, ein zweites für das Ofenrohr und etwa hundertundfünfzig Ritzen, die meisten habe *ich* gemacht, zufällig oder absichtlich, bei mißglückten Versuchen, die Enden der Bretter in den Ecken ordentlich zusammenstoßen zu lassen; der Rest hat *sich selbst* gemacht durch »Werfen« und anderen Unfug des jugendfrischen Holzes.

Als die warme Frühlingssonne kam, war meines Staunens kein Ende, was da für ein Gekrache und Gedehne losging; Knoten fielen auch heraus und ließen Löcher groß und klein – »Astlöcher« eben (aber warum konnten sie das nicht gleich sagen). Ich nagelte Latten darüber und bändigte sie also. Ich hatte vorher keine Ahnung von so

vielerlei Naturkräften, immer bereit, Menschenwerk zu durch-
kreuzen.

Als der Frost aus der Erde herauskam, begann mein Fußboden
Wellen aufzurollen. Wände und Dach in Sympathie, begannen
auch, sich zu setzen – zu werfen –, das Haus ward wie ein Schlangen-
mensch. Luft stieg auf durch die Ritzen des Bodens. Da spannte ich
Wachstuch darüber. Regen kam herab durch die Ritzen von oben.
Ich spannte Wachstuch darüber – neues in schönen und freudigen
Farben.

Es ward ein heiteres Dach – heiterer als irgendein Teil des Inneren
– erinnerte an einen karierten Ulster, der einen alten Anzug voller
Jahre, Löcher und Erfahrung bedeckt.

Die Leute lachten über mein Wachstuchdach! Sie sprachen:
»Warum denn nicht Zink oder Schindeln?« Weil Wachstuch um die
Hälfte billiger ist und so lange vorhält, wie ich dieses Dach benötige.
Aber sie sprachen weiter: »Es ist ungewohnt.« Nun – jemand muß
mit dem Ungewohnten anfangen – und ich war dieser jemand.

Es war auch ungewohnt, daß man Amerika entdeckte. Ihr grinst
über alles Ungewohnte, und zwölf Monate später macht ihr es alle
nach – besonders dann, wenn auch nur zwei Cent Profit dabei
herausschauen.

Der Artikel, von dem ich am meisten hatte für den Bau, von dem
verwendete ich am wenigsten . . . Zeit.

Mein Geist war immer meiner Arbeit voraus – statt in ihr.

Ich finde, um etwas zu tun – es aufs beste zu tun –, muß ein
Mensch die ganze Geisteskraft, über die er verfügt, *jetzt – sogleich –
ausschließlich* auf sein Werk zentrieren, und sei es noch so trivial!
Sei es das Eintreiben eines Nagels oder das Schreiben eines Essays
(von dem man meint, er müsse der Menschheit die Haare zu Berg
stehen machen – kein Haar rührt sich).

Energie-Wille daneben rinnen zu lassen, gleicht einer schlechten
Wasserkraftanlage – Wasser fließt ungenützt am Werk vorbei,
ohne doch ein anderes zu treiben.

Ich bin zu dem Schluß gekommen: Die Gedanken eines Menschen sind tatsächlich die Kraft seiner Muskeln, höchste Innervation ist die beste Ökonomie bei jeglicher Arbeit. Wer mir nicht
glaubt, steige auf die Oberbramstenge bei einer Böe am Kap Hatte-
ras oder einem Pampasturm auf dem La Plata! Und während er
kämpft am Ende seiner Wache, das rebellierende geblähte Segel
einzuziehen, da es schwer von Regen und Gischt ihm auf den Kopf
schlägt mit seinen triefenden Canvasfäusten und sein Bestes tut,
den Mann ins Wasser zu schleudern, da sehe er zu, ob etwa Zeit und

Ort sei, sich zu entsinnen, was er der jungen Dame sagte, als er sie verabschiedete, oder was die andere junge Dame, die ihn verabschiedete, dabei sprach – oder er träume von Farbe und Schnitt seiner nächsten Beinkleider!

Weil bei geringeren Leistungen die Folgen des »Danebendenkens« nicht gleich letal werden, sind sie nicht weniger vorhanden. Die beste Konzentrationsübung ist – Nägeleinschlagen, weil hier jedes »Danebendenken« sich sofort in ein »Danebenhauen« auf den Fingernagel statt den Eisennagel umsetzt. –

Ich litt so unmenschlich unter Hammerschlägen auf den Daumen, unter schief gesägten Brettern, dem Stolpern über mich und andere Sachen, weil durch Erbsünde, mit lebenslanger Unart gepaart, mein Geist immer in den Dingen war, die ich tun würde – nie in denen, die ich tat.

Um zu gesunden, um mich zu befreien vom Alltagsleid, malte ich mit Lampenruß und Terpentin an alle Seiten des Hauses die Motti: »Nimm Zeit für jedes Ding« und »Nur eins auf einmal«. Und noch beim Akt des Malens kam es zuweilen vor, daß ich vergaß, was ich da malte . . . und die Moral davon und die ganze Geschichte . . . und grübelte, ob die Demokraten wohl ans Ruder kämen . . . bis ein Buchstabe windschief aus der Reihe trat und tropfbarflüssiger Ruß langsam meine letzte weiße Hose herabsickerte. Warum? Statt im Pinsel, wo sie hingehörte, war die Macht, die ihn hätte leiten sollen, viele hundert Meilen weg. Wenn sie aber in Washington ist, wie kann sie hier ihre Pflicht tun?

Was ist Besitz?

Ich besitze dieses schlecht konstruierte Fünfzig-Dollar-Haus im Jersey-Sumpf. Sehr wenige Menschen besitzen ihr Heim in so hohem Maße wie ich das meine. *Meistens besitzt das Heim sie.*

Ich beherrsche dieses Haus. Wenn ich will, kann ich es anzünden – ich wäre nicht ärmer, und Nachbarn habe ich keine, deren Besitz durch den Brand gefährdet werden könnte.

Ich wohne in keinem Dorf, in keiner Stadt, deren Bewohner, alarmiert durch den Brand, mit ihren Löschversuchen mich belästigen könnten. Ich kann überall durch die Wände Löcher bohren, ohne den Hausherrn um Erlaubnis zu fragen. Ich kann die ganze Bude vollrauchen, ohne Bewohner zu stören. Ich kann um Mitternacht aufstehen, Nägel einschlagen, Holz sägen oder einer anderen lärmenden Beschäftigung frönen, ohne daß Angst an mir zupft, es schreckte andere aus ihrer Ruhe auf. Ich kann meine Pantoffeln lassen, wie ich sie auszog, den einen mit der großen Zehe nach Norden, den anderen nach Süden gerichtet, und eine Woche später bei meiner Wiederkehr werde ich sie in der gleichen Stellung wiederfinden, nicht im dunkelsten Schlupf irgendwo versteckt.

Ich scheue mich nicht, Schmutz auf meinen eigenen Teppich zu lassen. Ich bin nicht an feste Mahlzeiten gebunden. Ich bin vor Besuchern sicher. Was immer meine Fehler sein mögen, hier innerhalb meiner vier Wände kümmern sie nur mich. – Ich habe den Eingang für mich allein. Keine Hausfrau beherrscht mich und rügt es, wenn ich eine Haselnuß im Wohnzimmer esse und die Schale auf dem Fußboden lasse. Ich kann Nägel jedes Formates in die Wände treiben, kann diese Wände mit Bildern bekleben oder sie selbst mit Fresken überziehen, ohne auf Schadenersatz verklagt zu werden. Ich kann eine Menagerie im Hause halten. Ich werde nicht durch kulinarische Nachbargenüsse gefoltert. Keine hausherrlichen oder magistratlichen Verordnungen glotzen mir von hohen Tafeln beständig ins Gesicht und bedrohen mich mit Strafen, sollte es mir beifallen, Kaffeesud in den Ausguß zu schütten. Ich kann meine Zimmer unter Wasser setzen, ein Aquarium daraus machen – darin schwimmen, ohne den Horror, daß etwas durchrinnen und die Salongarnitur im unteren Stock beschädigen könnte.

Ich habe keinen Dienstboten, den häuslichen Spion zu spielen, über die Butter zu schimpfen, ihre Verwandtschaft auf meine Kosten zu unterhalten, meine Lieblingsvasen zu zerschmettern und betrunken auf der Treppe gefunden zu werden. Mehr als ich mein Heim aber besaß Diogenes sein Faß, denn er konnte es aus unerfreulicher Nachbarschaft rollen – auch im Winter in die Sonne – im Sommer in den Schatten, und weg von steigenden Wassern – und so war er reicher sogar als ich. – *Was ist Besitz? – Ist es bezahlen für ein Ding, dessen Gebrauch von Meinungen und Gebräuchen anderer Leute reguliert wird?* Wie wenige Menschen besitzen in diesem Sinn die Kleider, die sie tragen?

Besitze ich ein Paar Lackschuhe, die mich so drücken, daß ich sie, zu Hause angelangt, sofort herunternehme, oder sind es Machtmittel, Waffen der eleganten Gesellschaft, die mich unterjocht? Besitze ich den Stehkragen, der bei jeder Kopfbewegung mir den Hals abzuschneiden trachtet – oder der Popanz der Gesellschaft? –

Besitze ich mich selbst, oder werde ich nur behaust, gefüttert, bekleidet den Wünschen und Launen gewisser Leute gemäß, vor denen ich fühle: so muß ich sein, oder ich bin nichts?

Unlängst sah ich eine Frau von ihrem »Shopping« heimkommen – mit sechs Paketen. Ich sah die Sorge in ihrem Gesicht und Mühsal in ihren Armen. Da sie in die Straßenbahn einstieg, geschah es voll Angst, ein Paket könnte zu Boden fallen. Sie setzte sich und verteilte die Pakete um sich und zählte sie, ob keines fehle. –

Verfiel sie auf der Fahrt für einen Augenblick in Unbekümmertheit und Wohlbefinden, gleich kam das quälende Aufschrecken zum Bewußtsein der Bürde ihrer Bündel. Waren noch alle da – und wo? Keines gestohlen, keines unter die Bank gefallen – oder was eben sonst Lebensinhalt der Bündel bildet? Beim Aussteigen, Straßen kreuzen – die Pein der Bündel blieb. Ihr Inhalt aber waren lauter Gelegenheitskäufe – Quelle so vieler Ungelegenheiten, erstanden unter dem Banne des Kurzwarenmagiers. Kaum hatte sie diese verdächtigen Dinge gekauft und, wie sie meinte, Besitz von ihnen ergriffen, ergriffen sie schon Besitz von ihr, begannen sie zu tyrannisieren – zu versklaven. Es war noch ein Samstagabend. Ich zweifle nicht, daß einige dieser Pakete ihr sonntags den Weg zur Kirche, zur inneren Sammlung verlegten. Ich spreche in voller Sympathie mit dieser armen Frau, denn oft und oft habe ich mich selbst von Bündeln einfangen lassen, Bündeln von kleinen Geschäftigkeiten, von imaginären Bedürfnissen, Bündeln von erborgten Sorgen und Bündeln von Snobismen. – Welch eine Last von Ärgernissen trug diese Frau in ihren Paketen nach Hause.

Da waren Sachen darin zum »Ausfertigen«! Aber die Schneiderin kam nicht zur vereinbarten Stunde. Ärgernis I. Als sie kam, nahm sie falsch Maß. Ärgernis II. Als die Arbeit fertig war, verlangte sie höhere Preise. Ärgernis III. Nun mußte der Mann um mehr Geld angegangen werden. Ärgernis IV. Natürlich wurde das Kleid nicht einmal rechtzeitig zur Soirée fertig. Ärgernis V. Besaß diese arme Frau das Kleid – oder das Kleid sie? Kann irgendein Kleid »gut genug stehen«, um solchen Verlust an Fröhlichkeit, Zeit, Spannkraft zu ersetzen! Und wie sehen die meisten Produkte solcher Mühe aus! Wie traurig, stillos und kläglich für sehende Augen. –

Während ich mein Haus baute, gestattete ich zu einer bestimmten Zeit den Brettern, mich zu haben, weil sie nicht rechtzeitig ankamen und mich das ärgerlich machte. Auch meine beiden Sohlbänke hatten mich drei Tage lang, während sie verladen irgendwo auf einem Seitengeleise standen. Ich fühle auch jetzt, wie viele Dinge um mich bestrebt sind, mich zu fangen. Sobald sie anfangen, meine Aufmerksamkeit auf sich zu lenken – sich in mir breit zu machen, sich zu räkeln in meinem Bewußtsein, droht Gefahr.

Was mir Sorgen macht, besitzt mich. Wenn ich haste und schußle, um meinen Hühnerstall bis morgen abend fertig zu bekommen – dann hat der Hühnerstall mich. Wenn ich mich nicht den Kuckuck drum schere, ob der Hühnerstall diese Woche oder diesen Monat fertig wird, dann habe ich den Hühnerstall. Ich sah einmal einen Mann, dessen unversichertes Haus abbrannte, sich davor setzen und den Flammenschein und das ganze Getriebe ringsum genießen. *Der* Mann hatte immer noch das Haus.

Religion in unserem Tun

Die Hindernisse, denen ich bei Bau und Führung meines »eingastigen« Hotels begegne, liegen in mir – nicht außer mir. »Außer mir« bin nur ich selbst – und so will ich versuchen, in mich zu gehen. –

Immer sollen die Dinge getan sein – ehe ich sie tue. Immer fixiere ich die Zeit, in der Dinge zu geschehen haben, und werde sehr ungeduldig – wenn der Herrgott auf seiner Zeit besteht, sie zu vollenden.

Warum müssen so viele Akte meines Lebens störend und unerquicklich sein? Warum mußte das Anziehen am Morgen eine hastige und unerfreuliche Mühe bedeuten? – Ich weiß von einem Angelsachsen, der sich erschoß, weil er die Routine der täglichen Toilette nicht mehr ertragen konnte. – Warum muß ich freudlos in meine Kleider fahren wie in die Grube?

Warum ist das Feuermachen im Ofen so lästig? Warum kann ich die Scheite nicht sorglich schichten – ehrfürchtig, ein bißchen Gehirn daran wenden, damit sie entzündet in bester Weise und zu meinem Besten brennen. –

Die täglichen Kleinigkeiten (sie machen neunundneunzig Prozent unseres Daseins aus) quälen uns so, weil wir sie schlecht behandeln – werden unerträglich wie verrittene Gäule oder verwahrloste Kinder. –

Gibt es nicht eine sündhafte und eine »erleuchtete« Art, Feuer zu machen? Gestattet wahre Religiosität Schlamperei? Sollte Religion – das heißt, Licht, Milde und Einkehr – nicht jeden Akt des Lebens durchdringen. Warum vergeude ich unter Ärger in Ungeduld doppelt und dreifach soviel Kraft auf das Anziehen meiner Stiefel, lasse mich dadurch ermüden und aus der Stimmung bringen für

Stunden, indes ein bißchen Geschick, ein bißchen Aufmerksamkeit, investiert in die Ergründung der Gesetze meiner Schnürriemen, das alles zum Spiel werden ließe. – Da werden Weltpreise ausgesetzt dafür, einen Ball durch zwei Pflöcke zu treiben, über ein Netz zu schlagen, aus einer Sandgrube zu schleudern. Und die ganze Menschheit hält den Atem an! Macht Kotau vor diesen ganz fiktiven Werten! Man soll Weltpreise für das erfreulichste Zähneputzen, das genialste Stiefelschnüren stiften – auf daß der satanische Alltag seinen Stachel verliere und ein Sport und eine Freude werde. –

Die Leute glauben, sie können das auch so! Warum geht dann alles schief bei der geringsten Eile? Die Technik im Trivialen fehlt. – Gefährlich ist stets das Unbedeutende. Daß Napoleon unterschlafen war, kostete ihn die Entscheidungsschlacht um Thron und Welt.

Wenn nur meine Stiefel in der Früh nicht wären – wie gottähnlich könnte ich sein. Die fünf Minuten, die ich tagtäglich auf das Ringen mit ihnen vergeude, geben akkumuliert am Ende manchen Tag, den ich zur Freude hätte verwenden können. Und das alles aus purer Dummheit, Faulheit und Gottlosigkeit. Faulheit ist die Quelle aller Mühe. – Sehen Sie sich, bitte, nur die Kleider in diesem Zimmer an. Bösartig herumgeschleudert – unrechtlich verteilt – zwei Orte für eine Sache oder zwei Sachen auf einem Ort (nur die Socken nicht). Warum brauche ich am Morgen manchmal so unmenschlich lang zum Fertigwerden und schäume dabei vor Hast: weil ich, an anderes denkend, meinen Kragenknopf am Abend vorher in die Rasierschale fallen ließ. – Ein Freund von mir hat darum ein Lavoir bis an den Rand voll Reserve-Kragenknöpfen in seinem Toilettezimmer. Aber das ist ein falscher Weg! – Eine Spinnerei könnte man mit den Pferdekräften betreiben, die ich schon auf der Suche nach dem Schuhlöffel vergeudet habe.

Aber ärger noch: Die lässige Art ist mir in die Seele gedrungen, zweite Natur geworden. Sie sickert durch, wenn ich Kohlen in den Ofen fülle oder Wasser in den Teekessel gieße – ohne Ehrfurcht – schleuderhaft. Ein Teil der Kohle geht in den Ofen – ein Teil oben drauf – der Rest daneben. Der Rest ist größer. Und beim Teekessel – das Wasser fließt zum Teil hinein, zum Teil ringsum, weil ich mich darauf versteife, das Füllen eines Ofens oder eines Teekessels als lästige Mühe zu empfinden, deren man sich möglichst geschwind entledigen will. – So begehe ich eine Sünde. Die Sünde erzeugt schon im Entstehen die Strafe. Die Strafe ist ein Gefühl des Leidens durch Ungeduld. Aber es ist eine Strafe mit Zinseszinsen, denn ich muß »Überminuten« machen – die verstreute Kohle aufsammeln –

das verspritzte Wasser abwischen – noch mehr Mühe – sinnlose Kraft- und Launevergeudung.

Wonach bin ich aus auf diesem Planeten? Nach Glück.

Gut. – Es ist uns verheißen, so wir dem Herren dienen. Liegt dieses Dienen nicht im Kleinsten, auch in den sogenannten Trivialitäten des Lebens? Auf dem Tisch drüben stehen ein paar ungesäuberte Teller. Soll ich ihnen gestatten, solcherart noch länger meine Augen zu beleidigen durch ihre Unsauberkeit? Ist Reinlichkeit nicht der Gottähnlichkeit am nächsten? Aber in welcher Gemütsverfassung werde ich sie reinigen? Werde ich in Hast mich durchschubbern – dabei den Schmutz mir ins Gemüt reibend als Ärger und Haß – wer wäscht mir dann die Laune wieder blank? – Oder werde ich auf diese Teller den gleichen Ernst, die gleiche Sorgfalt verwenden, mit der ich ein Bild malen würde? Werde ich ein Gefühl der Befriedigung erlangen, wenn leicht, sicher und präzis aus diesem graulichen Gegenstand wieder ein lieber, reiner Teller wird? Ist das nicht Anbetung? Und ist Anbetung Leid oder Freude?

Man kann dem Teufel oder dem Heiland im Tellerwaschen dienen. Triumphiert nicht die Hölle, wenn ich Eigelb in Spritzern auf dem Rand lasse und durch zu wenig Abwaschwasser das Tuch sinnlos beschmiere – mit all dem eine endlose Saat kleiner Unglücke für den morgigen Tag säend?

Warum habe ich meinem Waschlappen keine fixe Behausung angewiesen?

Warum ist dieser trübe, einsame, obdachlose Waschlappen immer im Weg, um dann, aus dem Weg genommen, sofort in den Weg von etwas anderem zu gelangen? Warum ist er eine Augenqual geworden?

Sooft ich ihn ansehe, macht er mir Kummer.

Warum liegt er wie ein feuchter Druck auf meiner Seele?

Weil ich ein Sünder bin. – – Weil ich zu träge bin, die paar Minuten auf die Seite zu legen und ihm einen festen, vernünftigen und bequemen Platz anzuweisen. Weil ich mich weigere, den Waschlappen in meine Religion einzuschließen – die doch die ganze Welt umarmen soll. Weil ich das Niedrige und Geringste verachte. Weil ich täglich aus dem Zustand der Gnade falle und nicht »jeglichem das Seine gebe« (siehe den Fall Waschlappen). Nun wahrlich weiß ich – warum ich der ärgste unter den Sündern bin! –

Trotz allem und allem dringen »die Sorgen der Welt« ein in das Schutzhaus – das Bollwerk, von meinen eigenen Händen im Jersey-Sumpf erbaut. Zum größten Teil sind sie – wie eben Sorgen sind – nicht der Mühe wert.

Ob ich mein undichtes Dach mit Zink decken lassen oder es selbst mit Wachsleinwand reparieren soll; ob ich in einer bestimmten Ecke noch ein paar Borde anbringen soll – zu welchem Zweck, ist mir selbst unklar; ob ich nächsten Sommer besser den hübschen vernikkelten Réchaud für sieben Dollar fünfzig kaufen soll oder einen gewöhnlichen; ob ich Korn oder Kartoffeln pflanzen soll, und wenn Korn, ob es dann besser ist, eine Sichel zu kaufen oder auszuleihen; wer für meine Hühner und Tauben sorgen wird, wenn ich nach Boston gehe; ob ich beim Barbier noch Zeit genug haben werde, vor Abgang des Zuges mir die Haare schneiden zu lassen; ob ich Toast zum Frühstück nehmen soll oder Eier auf Toast, ob ich die tausend Dinge der Alltagsgedanken, deren ich mich wahrlich vor anderen schämen möchte, tun oder nichttun – können oder nichtkönnen werde! All dieser Gedankenmob, diese Pläne, Spekulationen, Wünsche, Sorgen, Launen, Vorurteile groß und klein, brauchbar und überflüssig, kommen oft in einem Haufen und verpöbeln mir die Seele in der halben Stunde, da ich von dem Sumpf zur Station stapfe und die Gottheit ihr Bestes tut, mich mit der Glorie eines Sonnenaufgangs zu unterhalten.

Dann, wie ich auf dieser öden, ausgefahrenen Gedankenstraße auf und ab reise! Von Zeit zu Zeit immer wieder an die eine ranzige alte, selbe Sorge, Laune, Frage anrenne und mich lieber von dem ganzen Mob langweilen lasse als auch nur einen einzigen überflüssigen Eindringling ein für allemal abzutun!

Wie ich ausweichende Antworten gebe und Unentschlossenheiten ausarbeite, statt sofort das Pensum für den Tag zu entscheiden. Wie ich dann sage: »Oh, im Geschäft selbst werde ich schon sehen, wie mir wegen dieses neuen Besens zumute sein wird«, und »möglich, daß ich den neuen Frühlingsüberzieher kaufe – vielleicht aber auch nicht« und dem fragenden Gedanken erwidere: »Bitte, melden Sie sich gelegentlich wieder«, und drei Minuten später tut er es auch schon, und wie ich darauf bestehe, meine Hühner ungefüttert, ungepflegt und verendend zu sehen, während ich in Boston sein werde.

Vielleicht war Marthas Seele also mit Dienen überladen. Es ist gleich, um was man sorgt und dient – sei es, einen alten Topfdeckel aus dem Jahre 30 n. Chr. blank zu scheuern oder einen Überrock aus dem Jahre 1900 zu bürsten. Maria erwählte »das bessere Teil« nicht durch Vernachlässigung ihrer Pflichten, sondern da sie sich weigerte, sich von diesen anpöbeln und beherrschen zu lassen. Ich bin nie vor solchen Invasionen sicher, vor *herumstrolchenden Sorgen*. –

Gestern ging ich zur Stadt in serener, sonniger Stimmung. Es war der erste, echte Frühlingstag. Die Elemente in ihrer sanftesten, liebevollsten Laune – demütig tat ich es ihnen nach. Ich schlenderte gemächlich die Chambers Street hinauf, ließ mir die Stiefel von einem italienischen Neuling putzen, fühlte einen Moment lang Entrüstung über den kläglichen »Shine«, bereute sogleich und rief Milde und Rücksicht zu Hilfe für den armen Kerl, der sein ehrliches Fortkommen suchte, dachte mich in seine Lage – (da wurde mir besser) –, bezahlte ihn und marschierte mit einem ungleich geputzten Paar Stiefel davon – beglückwünschte mich zu meiner Güte, stopfte mich bis oben hinauf voll mit geistigem Hochmut und prahlte vor mir selber, was für eine Seele von einem Menschen ich doch sei – verglichen mit all den harten, rücksichtslosen Egoisten ringsumher.

Menschen gingen an mir vorüber voll Geschäftssorgen, voll Zweifel, voll Angst – planend, hastend, spinnend, wie es ihre Art ist. –

Ihre Gesichter zu harten finanziellen Knoten verzogen, ihre Beine aus Leibeskraft vorwärtsrasend, ihre Geister diese Leiber antreibend zu immer schnellerer Bewegung – die Seelen ganz gefangen in den »Sorgen der Welt«.

Da sprach ich »in meinem lieben Herzen«: Wie gut, daß ich nichts gemein habe mit diesen Sündern. Ich stehe Gott Lob über solchen Dingen – mich überfallen und fesseln die Sorgen der Welt nicht mehr. Ich bin zufrieden, glücklich und reich im Genuß der Stunde.

Siehe, der da steht, daß er nicht falle!

Natürlich war wieder alles falsch! Ich kenne mich nie. Habe mich nie gekannt. Seit neunundvierzig Jahren versuche ich mit diesem Kerl in meinem Inneren bekannt zu werden – manchmal schien es mir, als kenne ich ihn durch und durch und sah mich getäuscht! Irgendein neuer Zug, ein neuer Fehler oder ein alter Fehler in neuer Verkleidung sprießt immer auf. –

Manchmal glaube ich, es stecken ein halbes Dutzend Individuen wie die Zwiebelschalen in meiner Haut, jedes mit seinen Privatfaxen, Vorurteilen, Unarten und Begierden und einzeln »Urlaub«

verlangend – sich auszuleben, wie Matrosen, die an Land einen »freien Tag« haben wollen. – *Ich habe schon die Hoffnung aufgegeben, je mit der ganzen Menagerie bekannt zu werden. In verblendeten Stunden nenne ich das »reiches Innenleben«.*

Verklärt, ruhevoll, erhaben mich dünkend über »die Sorgen der Welt«, mit nichts zu tun, als die Schöpfung zu genießen, kam mir von ungefähr die Idee, eine übrige Stunde in der Stadt zu benützen, um aus meiner Stadtwohnung ein messingbeschlagenes Mahagonischreibpult, das ich hier zurückgelassen hatte, zu holen.

Ich weiß nicht genau, was ich damit tun werde. Ich habe keine Verwendung dafür in meinem Jerseyhaus. Es wäre in der Stadt ganz sicher aufgehoben gewesen. Ich werde wahrscheinlich gezwungen sein, es nächsten Winter wieder vom Lande nach New York zu transportieren.

Es war nur eine flüchtige Laune von mir oder einem der anderen Trottel.

Es war nicht nur eine Laune, sondern eine »Sorge der Welt«. Sie fing mich, band mich, hetzte mich zur City-Hall-Hochbahnstation, trieb mich wie irrsinnig die Treppen hinauf, den Zug zu erwischen, und am anderen Ende der Straße wieder heraus. Sie hastete mich, verknäult in einen anderen Haufen Gefangener, zum »uptown South-Ferry«-Zug. – In meinem Zimmer angelangt, fand ich, daß mir eine halbe Stunde weniger bliebe, den Halbvieruhrzug nach dem Sumpfe zu erreichen, als ich erwartet hatte.

Es bestand keine wirkliche Notwendigkeit für mich, gerade diesen bestimmten Zug zu benützen, als die Not der Laune.

Das war eine andere »Sorge der Welt«.

Nichts wäre verloren gewesen, niemand geschädigt oder enttäuscht – die ganze Schöpfung im Status quo verblieben, hätte ich einen der vielen Züge benutzt, die nach halb vier Uhr verkehrten.

Aber Ungeduld und Eile hatten mich!

Ich schoß herum und fand keinen Bindfaden, drei Treppen sauste ich wieder hinab ins nächste Geschäft, welchen zu kaufen – dann wieder hinauf, rang natürlich mit dem sich wehrenden Pult – es boxte und stieß, die Verpackung wurde schlampig, und andere Gegenstände stellten mir, es ist dies mein Schicksal, in dem wüsten Gemenge regelmäßig ein Bein.

Ich zerkratzte mir die Finger an den Messingbeschlägen, schwitzte, fluchte im Herzen, kochte und schäumte vor Ungeduld. Das elende Pult blähte sich ganz dick auf, als ich es zuschnürte, machte sich dann wieder dünn und schlüpfte heraus – endlich riß der Strick. Mit beschmierten Kleidern schleifte ich es hinaus und zur

Hochbahnstation, erkletterte den falschen Perron, wartete zehn Minuten auf einen Zug, der dann nach Harlem ging statt nach der City-Hall; dann boxte ich das boshafte Ding die uptown-Treppe wieder hinunter und die down-town-Treppe hinauf, wartete wieder ein paar qualvolle Minuten auf einen anderen Zug, kam in Chambers Street fünf Minuten zu spät an und fand mich endlich erschöpft außer Stimmung, mit zwei leeren Stunden vor mir und zwanzig Pfund Schreibpult auf mir, den Sechs-Uhr-Zwanzig-Expreß auf einem zugigen Perron erwartend.

Sehe, der da steht, daß er nicht falle.

Ich war gefallen! Gefallen aus dem Zustand der Gnade – einer Lockung der Welt erlegen und einer eingebildeten, selbstgeschaffenen noch obendrein.

Ich war reich noch eben, ehe das Ding mich verlockte. Ich war reich in dem Bewußtsein, gerade nichts zu tun zu haben, mit reichlich Zeit, um es zu tun. Reich an Stille im Herzen und Zufriedenheit im Sinn. Um nichts bekümmert als um die Vorgänge um mich her – und in mir, folgte meine Seele dem Fluß des inneren und äußeren Geschehens voll lebendiger Ruhe. Ist das nicht Wohlstand? Kann mein Bruder Jay Gould, von dem die meisten Menschen aus purem Neid so übel sprechen, mehr genießen? Sichern Millionen im Tresor die Ruhe? Ist denn immer Geld allein auf dem Grunde aller »Sorgen der Welt«? Es war kein Geld mit dieser Pultgeschichte zu gewinnen, und ich investierte mindestens für fünf Dollar Kraft, Geist und Sorge!

Die Sorgen der Welt umfassen Ballkleider, die nicht rechtzeitig fertig werden, entkräuselte Straußenfedern, versäumte Züge – Dinge, die mit Gelderwerb oder Notdurft des Lebens nichts zu tun haben. – Und was sollte das alles mich kümmern!

Habe ich nicht genügend Arbeit und genügend Muße, um den »Sorgen der Welt« widerstehen zu können? Und ertappe ich mich trotz allem nicht täglich dabei, gerade wenn ich am festesten zu stehen vermeine, wie ich das Gleichgewicht verliere – und aus dem Zustand der Gnade falle?

Dieses hohe Bord

Beim Bau meines Hauses – beim Planen der inneren Einrichtung, zumal dieses Haus einzimmerig ist und ich das ganze Wohnen allein besorge – werde ich zu einem bestimmten Studium hingeleitet: alles so angeordnet zu haben, daß es mit einem Mindestmaß von Mühe und Zeit erreichbar ist. Denn ein Mensch braucht die ganze Kraft, die ihm Natur gegeben hat. Lebensökonomie – Menschenökonomie! – *Warum zählt nur Geld-, nicht Kraftvergeudung als geistige Störung? Wie viele sparsame Hausfrauen müßten da unter Kuratel gestellt werden.*

Alle Menschen, die »Zeitvertreib« suchen! Zeit, das Kostbarste – das Einmalige vertreiben – totschlagen – damit sich selber totschlagen!

Kraft bedeutet Freudemöglichkeit – und als Münze, die kleinen Akte des Alltagslebens zu bezahlen, sollte mit ihr so umsichtig verfahren werden, als ein Mann mit seinen letzten hundert Dollar in fremdem Land verfahren würde. –

Ging ich müde in das zivilisierte Heim, so habe ich oft und oft meine Hausschuhe suchen müssen – die von eigens dafür bezahlten Menschen in einen fernen Schrank exportiert worden waren.

Das geht ums Leben.

Darum habe ich auch gestern meinen Waschkasten um neunzehn Zentimeter niedriger gemacht. Denn, wenn ich mir Gesicht und Hände wasche, will ich sitzen können. Ich will es gesammelt – gründlich – ehrfürchtig tun und einiges Vergnügen davon haben. Will ich Bewegung machen, dann turne ich, aber vor dem Waschkasten stehen! Wer hat den Menschen das angetan? Wahrscheinlich jemand, dem diese Waschprozedur eine verderbliche Notwendigkeit schien – ein Stück Pflicht, das rasch und freudlos erledigt wird. – Muß dem so sein? *Kann nicht jedes Bedürfnis des Leibes geadelt werden durch Kultur – entviecht sozusagen – stehen wir darin nicht höher als alle Könige vergangener Zeit? Was ist Prunk – Pracht gegen die stille Würde der Entviehung des Leibes im Alltäglichsten.*

Das in einem Heim lückenlos, bis ins kleinste durchgeführt, wäre eine Wohltat, vor deren Tragweite die Menschen wie vor Wundern stünden. Entbürdung des Lebens durch das Heim – dem Tempel der Erlösung.

Sehe man sich nun dagegen eine bürgerliche Küche an. – Nur ein Bestreben scheint den ganzen Haushalt zu leiten: mit größtmöglichem Kraftverbrauch ein Minimum an Leistung zu erzielen. Schon die Töpfe – Pfannen – Kochutensilien sind immer vom Herd so weit als möglich in einem Schrank untergebracht und darin so verteilt, daß immer ein halbes Dutzend Sachen erst verschoben werden müssen, bis das Notwendige erreichbar wird. Andere Dinge hängen nahe dem Plafond oder unter Reichhöhe – in Griffweite ist immer nur das, woran man sich verbrennen oder sonst verletzen kann. Der ganze Küchendienst scheint auf Giraffen stilisiert – Wesen von außermenschlichem Streck- und Beugemaß. Wieder ein Beispiel gegen den Indizienbeweis! Wieviel PS werden täglich an hohe Borde vergeudet! –

Haben Sie bemerkt, wie Dinge, die an einen Ort gelangen, der höher als die menschliche Schulter, eine Tendenz zeigen, lange dort zu verweilen? Warum? Jeder schreckt unwillkürlich vor einer Sache auf dem hohen Bord zurück – er lernt sie entbehren –, sie scheidet aus seinem Leben wie aus seinem Armbereich. Tausende von Dingen, die die Menschen brauchen, um die sie trauern, die sie oft suchen, und sich wundern, wer sie genommen haben könnte – oder wo sie hingekommen sind –, diese Tausende von Dingen liegen jetzt friedlich und staubig auf hohen Borden.

Haben Sie bemerkt, wie zudringlich jeder Gegenstand in Küche oder Schlafzimmer gleich wird, für den Sie augenblicklich keine Verwendung haben und keinen Platz und der immer dort herum-liegt, wo er stört? Es kann ein Buch sein oder ein leerer Papierkorb oder ein sehr kostbarer Trödel, in irgendeinem teuren Geschäft erstanden . . . ein Gralsbecher oder so! – Er steht immer auf einem anderen Ding . . . und dieses andere braucht man gerade. Man nimmt ihn herunter und stellt ihn wieder auf etwas anderes, das man fünf Minuten später brauchen wird. Das verdammte Ding quält einen und bleibt geschickt inkognito . . . man erkennt kaum, was einen quält.

Es ist die Sache, die immer aus dem Weg des einen in den Weg des anderen geräumt wird.

Ist es ein Gegenstand zum Hängen, so hängt er über zwei bis drei anderen Gegenständen, Kleidern – aber noch lieber Überziehern, weil man die sicherer braucht. Dann, klatsch, kommt er herunterge-saust, will man den Überzieher schlau hervorziehen. Endlich ver-liert man die Geduld – schleudert ihn auf das hohe Bord –, und nächste Woche, wenn man ihn braucht, ist dann des Staunens kein Ende über solch rätselhaftes Verschwinden.

Das also soll das Leben sein – zwei Drittel des Lebens! Und nur, weil die Sachen in einem Raum nicht jedes wieder seinen Privat-raum hatten. – So müßte jedes Heim in Unterheime auch für die leblosen Bewohner zerfallen – »Dienstbotenzimmer« für die Sachen vorsehen, damit es keine »Obdachlosen« im Hause gebe.

Möglich, daß Sie – meine Leser – ein großer Staatsmann sind oder ein großer Forscher oder sonst was Großes, oder es wenigstens zu sein glauben. Sie empfinden dieses Buch vielleicht als kindisch – all diese Dinge, von denen ich spreche, als trivial. Darüber schreibt man doch kein Buch! *Sie* sind erhaben! Aber Sie wissen doch – kommt alles auf einen Haufen zusammen –, daß Sie Stunden und Stunden, wenn nicht Tage, damit verbracht haben, nach Ihrem Taschenmesser oder dem Bleistift zu jagen – erst in der rechten Hosentasche und dann in der linken und dann durch die Weste hin – den Rock entlang und zurück in die Hosentasche, erst in die rechte – dann in die linke, und immer gerade bei einer bedeutungsvollen und wichtigen Gelegenheit. War es nicht damals, wo die ganze Kraft Ihrer mächtigen Geistigkeit sich ergoß – nicht in das weltbewegende Werk . . . nein, in Raunzen, Wundern und Grübeln, wo denn in aller Welt – der Bleistift oder der Zwicker hingekommen sei – der sich dann später unter einem Blatt Papier wiederfindet?

Jedes an seinem Platz

Eine der größten Schwierigkeiten macht es mir, das Gesetz »Jedes an seinem Platz« im Hause lückenlos durchzuführen. Ich laufe Gefahr, oft zwei, drei, bis ein Dutzend Plätze für eine Sache zu haben. Erst eine geringe Macht ist mein in diesem Reich – und doch ist dieses Reich nur ein Zimmer – von mir selbst – für mich erschaffen. Oft weise ich Dingen Plätze an und vergesse sie wieder. Ich hänge die Bratpfanne auf sechs verschiedene Haken. Dann bringe ich wieder Dinge zur Aushilfe in den Haushalt und lasse sie wild laufen. Eine Tasse, ein Löffel, ein Fetzen, eine Flasche ohne festen Wohnsitz ist sicher, anderen fleißigen und ordentlichen Sachen beständig über den Weg zu laufen in einem Zustand chronischer Rebellion gegen den häuslichen Frieden.

Je mehr nomadenhafte Dinge, um so erbitterter der Krieg – um so größer die Mühe, diese Revolution zu unterdrücken. – Da ist ein bestimmter Kochlöffel – aus Eisen auch noch –, seit Wochen ist eine lebhafte Fehde zwischen uns im Gang. Mindestens ein halbes Dutzendmal habe ich ihm schon einen festen Platz angewiesen und dann wieder vergessen, auf welchem Nagel er hängen soll. Resultat:

Er hängt an allen Nägeln – oder er liegt an allen Plätzen – – ein kulinarischer Ismael. Er hat auch nichts zu tun – lungert im Haus herum. Ein leerer Glaskrug ist in dem gleichen Zustand – stellenlos und rebellierend.

Ich habe ihm keine rechte Beschäftigung angewiesen, – so wandert er ziellos durch das Haus und stört die friedlichen und ordentlichen Krüge, die nach dem Rechten zu sehen haben – und ihr Pensum zu erledigen – und natürlich wollen, daß man sie in Ruhe läßt. Tief auf dem Grund dieses Übels liegt mein Hang, alle möglichen Dinge zu kaufen und zu sammeln, ohne zu wissen, was ich dann mit ihnen anfangen soll, wenn die Freude des Kaufens einmal vorbei ist. Ich habe ein wundervolles und scharfes Auge. Bin ich in der Stadt – dann sehe ich unaufhörlich Sachen, von denen ich mir sage: »Das wäre gut zu haben.« Es mag eine Gummiwanne sein – ein Tisch, eine Tasse – ein Teekessel – alles und jedes! »Gut zu haben!« Gut wozu? Das weiß ich nicht. Es paßt mir nicht, der Frage nachzugehen. Ich traue mich nicht. Ich weiche in solchen Situationen meinem bedächtigeren Selbst aus. Wie ich es nur kommen sehe, lauf' ich schon ums Eck! – Ich will eben die Sache um des Habens willen. Will das »Haben«, nicht die Sache. Es ist ein Instinkt, zu akkumulieren. Vielleicht war ich einmal eine Elster und schwelgte in Haufen von altem Mist, Knochen und Fetzen. Froh, meinen Willen gegen das andere vernünftige Wesen in mir, das ich aber ungern als »ich« anerkenne, durchgesetzt zu haben – schleppe ich meinen Schatz nach Haus. Jetzt beginnt der Jammer. Er will gepflegt sein – er will versorgt sein, einen Platz haben – abgestaubt werden. Oder er könnte zerbrechen und also meiner Seele Schmerz bringen. Auf irgendeine Weise verlangt er Teile meiner Aufmerksamkeit – meines Geistes – meiner Lebenskraft – schmarotzt sich in mich hinein – frißt an mir bis ans Ende meiner Tage. So ein Ding der Laune degeneriert sofort im Hause, wird eine Pest. Es muß auf alle Fälle isoliert oder eingesperrt werden. »Zuchthäusler« dieser Art für unbotmäßige Dinge finden sich zu Tausenden in Form von Kellern – Böden – Rumpelkammern, wo alle toten Verbrecher vom hinkenden Sessel, blinden Spiegel bis zum aggressiven Eierköpfer ihr verruchtes Dasein spinnen.

Ein Haufen solchen »Auswurfs der Sachheit« liegt in einer Ecke meines Zimmers. Ein unbrauchbarer Korb, eine große Zinndose, eine kleine, ein Deckel ohne Topf! Eine Zwiebel hat sich den Aufständischen angeschlossen nebst zwei Kartoffeln, die abwechselnd frieren und wieder auftauen – und dann ein Lampenschirm, den ich dem Tag entgegenhüte, da durch Affinität die ihm von Gott vorherbestimmte Lampe von gleichen Maßen sich ihm zugesellen wird. In den Spalten des Haufens nisten Nägel, Spagatreste und dergleichen.

Dieser Haufen gibt mir einen Riß, – so oft ich ihn ansehe. Weil er nicht nur in der Ecke liegt – sondern mir im Sinn! Schwer lastet er dort – nimmt Raum weg den lichten und größeren Gedanken.

Desgleichen tun die nomadisierenden Löffel und Tassen und Krüge. Es wäre gewinnreicher, sie zu vernichten – bei Sachen bin ich schon für Todesstrafe! –

Ich habe einen Koffer voll alter Kleider – nein, leider nicht ganz alt . . . so entre deux ages.

Wozu behalte ich sie? Sparsamkeit. Um sie erst noch abzunützen – in der Zwischenzeit nützen sie mich ab. Drei- oder viermal wöchentlich besuche ich diesen Koffer, um nach etwas zu suchen, von dem ich nicht sicher bin, ob es dort ist oder nicht. Im Durchstöbern und Herausräumen dieser alten Kleider vergeude ich nicht wenig Zeit und Kraft. Sind sie das wert?

Ich hebe das gleiche Paar alter Hosen mindestens fünfundzwanzigmal im Jahr heraus – lege es flach auf den Boden – dann wieder zurück in den Koffer, desgleichen eine Weste – eine Tropenausrüstung, die ich seit vier Jahren nicht getragen habe – vielleicht nie wieder brauchen werde, und drei bis vier Röcke, Unterkleider von geschwächter und zweifelhafter Konstitution – und nach all dieser Zeit und Mühe werde ich wahrscheinlich die Röcke einzeln – »tropfenweise« wegwerfen. Oder ich werde in gebührlichen Intervallen einen winzigen Spalt meines geizigen Herzens öffnen und vielleicht den Tropenhelm einem Bettler schenken, der ihn für Schnaps versetzt, indes ich mich herze und küsse für meine Großmut, also über einen Gegenstand verfügt zu haben, der mich belästigte. Oder ich werde einen Trödler kommen lassen, und sein Feilschen wird diesen Raum, den ich mit eigenen Händen mir gebaut, auf daß er rein bleibe, so verpesten, daß ich am besten täte, ihm das Haus noch draufzugeben.

Wäre ich nicht besser daran, wenn ich alles jetzt und gleich verschenkte oder vernichtete, für das ich keinen Gebrauch weiß oder denken kann? Befreie ich damit nicht ebenso mein Bewußtsein wie den Koffer? Ist erst gründlich Luft geschaffen – vielleicht kommen bessere Dinge.

Die Moral, die ich hieraus – und ausschließlich für mich, ableite, ist (ich bin nämlich für hausgemachte Moral – statt sie aus Glaubensfabriken zu beziehen), nie mehr Dinge im Gesichtskreis haben, als man vermutlich in den nächsten vierzehn Tagen braucht!

(Kunstgegenstände ausgenommen.) Soll aber die Moral *jetzt* damit schon aufhören. Wieviel nutzlose Abfälle von Daten, halbzerfallenen Meinungen, Tatsachen und Ereignissen sind in meinem Bewußtsein, für die ich weder eine Verwendung habe noch eine solche weiß.

Muß ich, um als weise zu gelten, für den kommenden Tag schon heute angehäuft sein mit Meinungen, Tatsachen, Ansichten, die sich vielleicht eben morgen als irrig erweisen werden? Wieviel von dem Komplex all dessen, was man »Bildung« nennt, ist es gut, zu behalten? Sollten all die »Daten« und »Tatsachen« nicht ausgeschieden werden wie »Ermüdungsstoffe« aus den Muskeln? Wenn nur der Muskel elastisch und beweglich bleibt, das ist das Wesentliche.

Warum wird die Kunst des Vergessens nicht besser gelehrt – wertlose Mitteilungen durch das Gehirn einfach hindurchfallen zu lassen? Sind wir nicht im Gemüt voller Narben, entstanden durch das rohe Losreißenmüssen der Dinge, die wir als lebensschädlich erkannt? Wo aber Narben sind, verstumpft das Gefühl.

Was, wenn ich wirklich die Namen aller Flüsse der Erde kenne und ihre Länge – und die Wasserscheiden und alle Seen und Teiche und Becken und das römische Recht und die chinesischen Dynastien und wann Sizilien an das Haus Anjou fiel – alles das habe, was man »präsentes« Wissen nennt. Warum soll ein Mensch selber tun, was jedes Lexikon für ihn kann . . . und das man noch obendrein zuklappen darf, wenn man genug hat.

Niemals etwas tun – was ein anderer für uns tun kann. Alle Kraft sparen für das, was *nur wir* tun können. Wozu soll ein Mensch die Leistung eines Almanach, eines Eisenbahnkuriers oder einer Enzyklopädie anstreben?

Haben Sie bemerkt, wie Leute, die alles vom Anfang bis zum Ende wissen – und wo es herkommt – und wo es hinkommt und wie es aufbewahrt wird –, daß diese Repetiergewehre der Weisheit, die bei der leisesten Berührung Wissen und Belehrung auf die Umgebung abschießen, meist untergeordnete Stellungen einnehmen? Ihr Wissen drückt so sehr auf ihr Gehirn, daß ihnen für den Tag, für die drängende Stunde, das wundervolle »Jetzt« keine Spannkraft bleibt – sie versagen im entscheidenden Augenblick.

Ist es wirklich nötig, vorauszulernen für alle möglichen Situationen? Wenn ich einmal ein Pferd hätte und es verfiele in Krankheit, wäre dann nicht Zeit genug zu ermitteln, wo der Pferdearzt wohnt? Aber ich habe jetzt kein Pferd, und das Pferd, das ich noch nicht habe, wird vielleicht gar nicht krank werden, und ich weiß nicht, wo der Pferdearzt wohnt, weder mag ich jetzt *mich* mit der Mühe plagen, es herauszufinden, noch später *mein Gedächtnis*, sich der Adresse zu erinnern.

Ich habe diese rauhen wildgewachsenen Jünglinge gesehen – sie hatten im philiströsen Sinn »keine Bildung« und standen in rührender Ehrfurcht vor jedem Trottel, der lateinische Zitate kannte, wie sie Kontrakte aufsetzten und ihre großen Wege über die Sierras bauten und alles Mächtige ausführten, was sie versprachen. Sah, wie sie Tausende von Menschen verproviantierten und der Gehirne diplomierter Ingenieure sich bedienten! Und wenn sie ein Faktum oder ein Werkzeug oder einen Spezialisten brauchten – so gingen sie hin, nahmen sich den gewünschten Artikel – sicherten ihn sich – verwendeten ihn und ließen ihn dann fallen.

Ich brauche nicht zwei Theorien über eine Sache – ich brauche nicht zwei Deckel für einen Topf. Ich kann nicht drei Paar Beinkleider auf einmal tragen – so nützlich diese Kleidungsstücke auch sein mögen.

Soll ich mir weiter Ofenröhre an Ofenröhre fügen, Pelion auf Ossa türmen – weil eine Ofenröhre eine nützliche Sache ist? Wieviel von meinem jugendlichen Schulwissen – war solch endlose Ofenröhre. – Was hat es mich wirklich gefördert zu wissen, daß Columbus gerade im Jahre 1492 Amerika entdeckte? Hat es mich veredelt? Hat es mich sozial gehoben? Meine Denkkraft vertieft? Hat es mich moralischer oder ehrlicher gemacht? Hat es mich in meinem Menschentum befestigt? Hat es mir Vertrauen oder Freunde gebracht? Meinen Kredit auch nur um zehn Cent gehoben?

Was war es denn am Ende mehr als ein überflüssiges Stück historischer Ofenröhre – das in gutem Zustand zu erhalten mir durchs ganze Leben eine lästige Mühe blieb? Wie viele tausend Jahre noch – gesetzt, die Erde hält so lang – wird es für das Kind weiter nötig sein zu lernen, daß im Jahre 1492 Columbus Amerika entdeckte? – Später habe ich gefunden, daß sogar dieses Stück Ofenröhre undicht war! Columbus hat gar nicht als erster Amerika entdeckt. Ich las, es waren viele Jahrhunderte früher die Normannen – und noch früher marschierte man schon über die Beringstraße hinüber . . . und nächstens sickert es durch: – die allerersten Amerikaner waren überhaupt die Ägypter!

Ich lasse mich ja gern ab und zu unterhalten durch solche Theorien, wie ein Jongleur hundert Meter Ofenröhre zum Sport auf seiner Nase balancieren mag. Aber ich wehre mich dagegen, es müsse eine Verpflichtung für mich sein – solle ich als vollwertiger Kulturmensch gelten –, in panischem Erschrecken alle Jahre zur

Historie zu rennen und nachzusehen, ob es wirklich noch Columbus ist, der 1492 Amerika entdeckte . . . und ob es wirklich noch 1492 ist!

Daß ich verpflichtet sein soll, die Reihenfolge dieser vier Zahlen lebenslänglich in mein Gehirn eingebrannt zu tragen, wie ein Stück Vieh sein Zeichen am gegenüberliegenden Organ, dünkt mich unsäglich abgeschmackt. Bildung erscheint mir oft als die systematische Ansammlung vieler Deckel zu einem Topf – vieler Stile zu einem Besen und kilometerlanger Reserveofenröhren!

Ist denn der Geist ein Papierkorb – eine Rumpelkammer – ein Dachboden –, immer vollgestopft mit jedem Gerümpel, das dort zu verstauen andere für gut finden? Oder ist er nicht vielmehr ein Spiegel, den Bildung reinigen soll, auf daß er immer klarer spiegle, was ist?

Soll das Leben noch weiter in zwei Hälften zerfallen, von denen die erste mit Anfüllen, die zweite mit Ausräumen freudelos hingebracht wird?

Ein Geplänkel mit einem Baum

So etwa eine halbe Stunde würde es mich kosten, stellte ich mir vor, ein paar Nistkästchen für Stare zwischen den Zweigen der prachtvollen Eiche zu befestigen, die mein Haus beschattet.

Diese Eiche ist der Stolz des Besitzes. Sie ist gerade, luftig gebaut, symmetrisch, jetzt auf der Höhe ihrer Kraft, ein Tempel, nicht von irdischen Händen erbaut, wunderbarer konstruiert als alle Paläste und in der Wertung meines Nebenmenschen gut für Brennholz oder Eisenbahnschwellen. In dem Bestreben, die Nistkästen anzubringen, finde ich, daß Perversität in ihren Ästen wohnt.

Oder vielleicht ist es nur der Wunsch, in keiner Weise belästigt zu werden, ein Zug starken Charakters und ausgeprägter Individualität, sei es in Männern, Frauen oder Eichen. Etwa zwanzig Fuß vom Erdboden wollte ich die Häuschen befestigen. Ich lehnte eine Leiter an den Stamm des Baumes. Der Baum weigerte sich, zu gestatten, daß die Leiter an seinen breiten Stamm sich lehne. Wie immer ich die Leiter drehen oder wenden mochte, immer prallte sie an kleinen, aber harten Ästen ab, fest wie Stahlfedern. Diese bekämpften die Leiter und schlugen jeden Nahangriff erfolgreich ab.

Ich versuchte die Leiter zwischen diese bockbeinigen kleinen

Ästchen einzuschmuggeln. Sie widerstanden voll Intelligenz jeder Taktik.

Sowie ein Leiterende hereinglitt, gelang es irgendeiner Katzenkralle von Zweig, das andere Ende zu erwischen. In all der Zeit verbrauchte ich – die menschliche, bewegliche Maschine am Fuß der Leiter – viel Kraft in diesen vergeblichen Versuchen. Denn es war eine altmodische, sehr schwere Leiter – eine Anstreicherleiter.

Ich sah: Diese Äste mußten abgesägt werden.

Von der Erde konnte ich sie nicht erreichen, noch konnten sie von der Leiter aus abgesägt werden, während diese gegen sie lehnte – da hätte ich mich in gewissem Sinne selbst mir abgesägt.

Abhauen mit der Axt erwies sich als unmöglich, denn nirgends konnte ich rechten Fuß fassen, um einen wirksamen Hieb auszuführen.

Ich flüchtete zur Handsäge. Auf meiner Fußleiter stehend, würde ich die Zweige absägen.

Die Fußleiter nahe genug zu postieren, war ein Unterfangen von ungeahnter Schwierigkeit, denn der Boden war zu uneben und mußte erst künstlich nivelliert werden, um eine sichere Basis zu gewähren. Da kam es über mich, daß ich eigentlich ein recht gutes Stück Weges davon entfernt sei, diese Nistkästen aufzuhängen. Jeder notwendige und sich natürlich ergebende Schritt schien mich von der eigentlichen Tat immer weiter zu entfernen – nämlich dem Annageln der Kästchen.

Es hatte mit meinem Bestreben, eine Leiter gegen den Stamm zu lehnen, begonnen. Geist und Leib waren durch den Eigenwillen jener Zweige aufgehalten worden, dann hatte ich die Zweige verlassen und fand mich jetzt, mit einem Spaten und einer Schaufel die Erde bearbeitend, wieder.

Ich dachte: ›Ich bin doch neugierig, wie weit ich noch von den Nistkästen fortwandern muß, um hinzugelangen!‹

Gehört auch diese zur Familie jener Affären im Leben, die mit geheuchelter Einfachheit verlocken, die sich maskieren als Tageswerk und dann Jahre kosten?

Immerhin spitzt sich das Ganze zu einem Zweikampf zwischen mir und diesem eigentlich sympathischen Gentleman von einem Baum zu. Ich will alle Hast, allen Ärger ausscheiden und einfach sehen, wer nun eigentlich von uns beiden Herr der Situation bleiben wird. – Mit der Luftlinie zwischen mir und meiner Aufgabe ist es Essig – nun heißt es Schritt vor Schritt, Brust an Brust kämpfen.

Die Fußleiter sympathisierte mit dem Baum und war ganz unvernünftig diffizil wegen des Bodens, torkelte, sobald ich auf ihr stand, einmal nach rechts, einmal nach links und dann wieder ganz woanders hin in einer dekrepiten hilflosen Art – wenn sie zu Hause ist, kann sie ganz stramm und vergnügt sein. Es war so ein schlagendes Beispiel, diese ganze Beinstellerei, davon, was einer meiner Freunde »die totale Schamlosigkeit der leblosen Dinge« nennt!

Endlich erstieg ich die Leiter und begann mit der Säge Operationen am Zweig Nr. I.

Da der Zweig grün und voller Saft war, so klebte und stak die Säge in obstinater Weise fest.

Auf der obersten Stufe der Fußleiter war mein Stand zitterig und unsicher.

Ich sägte und sorgte bei dem Gedanken an einen möglichen Bein- oder Genickbruch – das zerrte und zupfte an meinen Nerven bis zur Erschöpfung.

Zweig Nr. II erforderte einen Ortswechsel für die Leiter und neuerliche Nivellierung des Bodens.

Desgleichen Nr. III.

Um die Zeit, da diese drei Zweige unten waren, hatte ich den ursprünglichen Zweck der ganzen Unternehmung schon halb vergessen – war ab und zu voll Verwunderung, wozu ich da eigentlich drauflos arbeite.

Schließlich waren die Zweige aus dem Weg – die Bahn schien frei. Ich hob die schwere Leiter gegen den Baum – sicher lehnte sie daran. Ich stieg hinauf, eines der Kästchen in den Händen, bis zu zwei Drittel der Höhe, hörte etwas verdächtig knacken und fand, daß durch die linke Seite der Leiter ein diagonaler Riß von oben bis unten klaffte und daß mein Genick in größerer Gefahr war als je. Schnell, doch vorsichtig, kroch ich wieder herunter.

Es blieb nichts übrig, als jetzt die Leiter zu reparieren. Das Aufhängen der Starhäuschen aber verdämmerte immer mehr in der Ferne.

Ich sagte mir: ›Neugierig bin ich, wohin mich diese Unternehmung noch führen wird – es schien doch schließlich kein solch vermessenes Unterfangen! Ein paar Nistkästchen festnageln! Werden jetzt die Nistkästchen mich festnageln in Mühsal bis an das Ende der Tage?‹

Was wird noch alles nötig werden! Vielleicht führt mich diese Annaglerei zum Reparieren meines Hühnerstalles oder in die Stadt – vielleicht nach Europa! Am Ende falle ich gar einer Horde wilder Advokaten in die Hände, durch irgendeine Nebenentwicklung – einen Seitenschritt – etwas Indirektes, das sich aus der

Starhäuschenaffäre herauswächst. Schon jetzt kostet sie mich drei und eine halbe Stunde Arbeit statt der geplanten dreißig Minuten. Aber der Geist des Krieges ist über mir. Ich bin bereit. Ich will mich diesem Ziele ganz opfern, nach bestem Können, Wissen und Wollen. Es ist eine Ehrensache geworden. Die Nistkästchen selbst mag der Kuckuck holen.

Sorgfältig reparierte ich die Leiter, nagelte Metallstreifen innen und außen an – und stellte sie in Position.

Wieder kletterte ich – ein Starkästchen in den Händen – empor.

Auf der obersten Stufe angekommen, fand ich es unmöglich, mit dem Kästchen an die richtige Stelle zu gelangen. Ich stieg also wieder herab, deponierte erst das Kästchen am Boden, stieg wieder bis zur obersten Stufe und begann von dort auf allen Vieren zu klettern.

Noch mehr Hindernisse! Äste kamen von fern her, mir den Weg zu verlegen – Zweige versuchten mir die Augen herauszukratzen! Stückchen trockener Rinde ließen sich von oben kontinuierlich hineinfallen!

Noch mehr Abhacken! Ich stieg also wieder einmal hinunter um die Hacke, nahm sie und hieb mir eine Straße den Baum hinauf. Jetzt, da alles bereit schien, stieg ich wieder hinab, die Kästchen zu holen, und dann wieder hinauf. Es war nötig, einen Hammer, eine Zange und einige Nägel mitzunehmen.

Ich band mir den Hammer mit einer Schnur um den Hals und steckte Zange und Nägel in die Westentasche. Gesunder Menschenverstand oder einige Sekunden Überlegung, was dasselbe ist (Verstand ist Zeitnehmen), hätten mich belehrt, die Axt für alle Fälle im Stamme stecken zu lassen. Aber nein. Vom Baum hatte ich sie kopfüber hinabgeworfen. So stieg ich wieder der Hacke wegen die Leiter hinab.

Diese unausgesetzten Auf- und Abstiege begannen mich nachgerade zu beunruhigen. Sie schienen endlos. – Ging es in diesem Tempo fort, rückte die ganze Angelegenheit in einen Ewigkeitsaspekt – dem Auf und Ab der Engel auf der Jakobsleiter vergleichbar, aber noch immer ohne – Nistkästchen.

Die Arbeit in den Zweigen vollendete ich mit der Hacke und war eben im Begriff, meine Gedanken wieder dem Hammer zuzuwenden, als dieses Instrument – ich trug es um den Hals gebunden, plötzlich bei einer raschen Neigung meinerseits einen Purzelbaum schlug, durch die Schlinge schlüpfte und gerade zu Boden fiel.

Es fiel wunderbar gerade durch die Zweige – das muß man ihm

lassen – und lag dann da mit einer bockig mürrischen Komm-herab-und-heb-mich-auf-Miene.

Ich kam nicht gleich herab.

Ich lehnte über einen Zweig und beschimpfte den Hammer. Aber er stand nicht auf – wenn es ihnen paßt, können sie ja so leblos sein, die Sachen! – Dann fiel mir ein, wie erheiternd das alles einem Dritten erscheinen müßte, der nichts zu tun hätte, als dem Theater beizuwohnen. Ich dachte: ›Warum soll nicht ich dieser Dritte sein?‹ Überlegte aber dann, wie der Dritte eben gar nichts zu tun habe, als dabeizusitzen und amüsiert zu sein, während ich außerdem das Auf- und Absteigen besorgen mußte. Das Feld der Betätigung war zu groß! Ich konnte mich nicht so recht von Herzen amüsieren und außerdem die ganze Arbeit tun.

So stieg ich wieder hinab mit soviel Geduld, als man in der Eile zusammenraffen kann. Ich klaubte den Hammer auf. Ich hätte ihm gerne den Hals umgedreht. Aber was hat man davon, einem Hammer den Hals umzudrehen? Nichts als die Notwendigkeit, einen neuen Hammer zu kaufen.

Der Hammer wurde aufgehoben, wie er gewünscht.

Wieder kletterte ich die Leiter hinauf.

Mitten im scheinbar raschen Fortschreiten der Arbeit erschien ein neues Hindernis auf dem Plan. Der Baum hatte seine Taktik geändert und rief einen neuen Verbündeten zu Hilfe. – Eine Henne, eine meiner Hennen! Die Haustür war offen geblieben. Diese Henne war eingetreten, auf den Tisch gestiegen, verzehrte die Reste meines Frühstücks und drohte Zerstörung allem Gebrechlichen mit ihren dummen Klauen.

Diese spezielle Henne sekkiert mich mehr als alle übrigen zusammen. Während die anderen nur fremde Felder beschädigen, lungert sie um das Haus herum, auf Diebstahl und Plünderung bedacht.

Ich rief von oben wiederholt »shoo!« – Aber ohne Effekt. Sie wollte nicht »shooen«. Sie nahm nur in unrespektierlicher Weise Notiz von meinem Befehl. Sie wußte, es war reichlich Zeit zu verduften, ehe ich von dem Baum herabkam. Ich machte drohende Bemerkungen. Sie verdrehte eine Pupille – zwinkerte in verächtlicher Weise und sprang mit beiden Beinen in den Kaffee. Ich warf zwecklos Äste ins Zimmer.

Dann stieg ich hinunter und trieb sie wütend aus dem Haus. Sie entfernte sich – wie Hennen sich nun einmal von Orten, wo sie nicht hingehören, entfernen – auf dem längst möglichen Weg, mit großer Gefahr für alles Zerbrechliche durch flatternde Flügel und dummes Gebein, mit viel Gegacker und Getue, als wäre es ein empörendes

Vorgehen meinerseits, sie in der friedvollen Beschäftigung zu stören, Frühstücksreste in schöne frische Eier für meinen Gebrauch umzusetzen. Ihr Gezeter wurde von der brütenden Verwandtschaft sekundiert, die laut und von Herzen ihrer Meinung über mich beistimmte.

Also zurechtgewiesen stieg ich wieder die Leiter hinauf und stellte mich in Positur, die Kästchen festzunageln. Es war ein schwieriges Unternehmen. Ich mußte meinen Körper den Formen des Baumes anpassen – den verschiedenen Divergenzen und Konturen der Äste. In der einen Position konnte ich zu keinem ordentlichen Schlag mit dem Hammer ausholen, in einer anderen wieder die Nägel nicht aus der Westentasche nehmen durch das Dazwischentreten eines kleinen Baumgliedes. Für diese Arbeit fehlten mir immer gerade eine Hand oder ein Bein. Mir schien, als hätte ich da und dort sechs bis acht dieser Gliedmaßen ständig beschäftigen können. Ich wurde mir auf einmal der großen Vorteile bewußt, die gewisse Affenarten bei solchen Arbeiten hätten. Luftig und graziös würde sich der starke und flexible Fortsatz der Wirbelsäule um einen Ast schlingen, während das vollständige Arm- und Beinmaterial zu anderen Zwecken freiblieb.

Ganz warm und enthusiastisch geworden über solchen Betrachtungen, hörte ich einen winzigen, bescheidenen Fall zu Boden. Es war die Zange, für die ich augenblickliche Verwendung hatte. Sie war aus der Westentasche geglitten. Ein paar Nägel tröpfelten sanft hinterdrein. Dann gab es Wut.

Aber Zangen stehen so wenig auf und wandeln wie Hämmer. Ich schlug den alten und gewöhnlichen Weg baumab zur Zange ein und meditierte, als ich müde wieder hinaufstieg, ob das »tat twam asi« und »liebe deinen Nächsten wie dich selbst« auch für Hämmer und Zangen gelte.

Ich nagelte die Kästchen an Ort und Stelle. Alles schien glatt zu gehen. Ich vollendete das Werk und stieg die Leiter hinunter – wie ich meinte, zum letztenmal. – Ich betrachtete diese vier Starkästen mit Stolz und Bewunderung, zog die Leiter weg und schleppte sie in eine ferne Ecke. Dann überblickte ich noch einmal die Kästchen und sah, daß das oberste nur an einem losen Stück Rinde hing und hilflos im Winde hin und her schaukelte, weil der Nagel den Stamm nicht durchdrang.

Ich wollte nicht erliegen. Ich raffte mich auf – aller Starrsinn war geballt in mir – ganz hart ward ich vor Bockigkeit. Ich wollte meinen Willen; nicht die Starkästchen, diese herrliche Eiche mußte besiegt werden. Die Leiter wurde im Fluge wieder aufgerichtet, das Kästchen für Zeit und Ewigkeit befestigt. – Dann wartete ich ganz still, was weiter passieren würde! Welche neue Gemeinheit von seiten der Eiche. Aber nichts geschah. Ich hatte gesiegt.

Im Laufe der Woche haben mehrere wohnungsuchende Vogelpärchen die Häuser besichtigt. Sie scheinen sehr wählerisch und schwer von Entschluß.

Als ich anfing, diese Geschichte zu schreiben, schien mir, es würde irgendeine Moral an ihrem Schürzenband hängen oder sich sonst irgendwie herauswachsen. Jetzt, da ich fertig bin, finde ich keine.

So scheint es mir eigentlich zarter und taktvoller, dem Leser anheimzustellen, seine eigene Moral zu finden und gegebenenfalls anzuwenden. Ich bin früher zu viel herumgegangen und habe moralische Senfpflaster den Leuten auf die Haut geklatscht, unbekümmert, ob sie es wollten oder nicht.

Und keine Stare, keine Amseln – nicht der kleinste Vogel wollte je in diesen Kästchen wohnen.

Der Mob in der Seele

Es gibt vierzig Dinge im Haus, die »zu machen wären« – . . . wie man zu sagen pflegt.

Der Teekessel rinnt und gehörte in die Hände des Löters. Der Boden sollte gebürstet werden. Der verkrüppelte Schaukelstuhl hat das Genick gebrochen. Es gibt auch Löcher tief auf dem Grund düsterer Socken. Eine Konservenbüchse ist schimmelig geworden und verlangt nach Reinigung. Borde sollten abgestaubt werden. Eine Latte fehlt auf der Hühnersteige. Die Pläne für meine Gartenarchitektur reifen allmählich, und eine der Hennen beginnt zu brüten.

Da sind zwei Briefe zu schreiben – auch einiges Holz zu hacken und Wasser zu holen. Brot sollte beim Bäcker bestellt werden und vor allem – wichtiger als Brot – eine große, dicke Himbeertorte. Eine zerbrochene Fensterscheibe muß eingeschnitten werden.

Die Bedürfnisse sind ohne Ende – und in fünf Minuten kann ich mehr notwendige Arbeit für meine Hände zusammenstellen, als diese in einem Monat zu vollenden vermöchten. Dann sollte wirklich die Lampe gefüllt werden . . . Und wo ist denn dieses Messer hinverschwunden? Das Holz ist auch nicht gekommen . . .

Jede dieser Notwendigkeiten repräsentiert ein Individuum – fordert Zeit, Aufmerksamkeit, Arbeit. *Vollzählig auf mich eindrängend, bilden sie einen Mob – einen Pöbel der Seele –* und hindern mich, überhaupt irgend etwas zu tun. Zuzeiten fällt die ganze lärmende Bande über mich her, jedes grillt sein Begehren hinaus und besteht darauf, zuerst bedient zu werden.

Ich habe versucht, sie durch Eifer zu beruhigen, befriedigte sie nacheinander so schnell wie möglich.

Diese Methode war kein Erfolg.

Ich befriedigte keines – tat nichts ordentlich und ward weder mir noch ihnen gerecht.

Ich mühte mich, den Hühnerstall zu reparieren, während mein Geist in die Küche zurückging zum Kornbrot im Ofen.

Da meine Aufmerksamkeit vom Hammer abgelenkt war, ging dieser auf meinen Daumen nieder statt auf den Nagel und riß Haut und Fleisch ab. Dann roch es nach angebranntem Kornbrot. Es war angebrannt. Körper im Hühnerstall – Geist in der Backröhre bringt Verwirrung in die Dinge; und aus diesem üblen Gemenge erstand mir ein blutiger Finger, angebranntes Kornbrot, ein schlecht reparierter Hühnerstall – und das schlimmste: Verlust an Serenität, Herzens- und Freudekraft. – Ich versuchte, einen Privatbrief zu schreiben. Mein Geist strolchte weg und hinüber zu einem Besen, der am Boden lag. Den nächsten Satz stilisierend, stand ich auf, den Besen aufzuheben, und stieß bei der Partizipialkonstruktion einen Topf mit roter Ölfarbe um. Wieder ein wüster Knäuel von Materie und Geist.

Am nächsten Tag drängte sich abermals der gleiche Mob krakeelend um mich.

Da stand ich auf und wuchs zur Höhe der Situation. Ich sagte: »Dieser Radau hat aufzuhören, und zwar zuerst in meinem Gehirn. Mag Chaos im Hause herrschen – mag wirklich alles zu geschehen haben, so wird von nun an nur ein Ding auf einmal gemacht, und nur mit soviel von meinem Geist und Leib, als ich zu kontrollieren vermag. Hinaus mit euch! Apage! Bis ich ins reine gekommen bin, wer ein Muß ist und wer nicht – wer einfach eine Nützlichkeit und wer eine Not bedeutet, was zum Bedürfnis dieser Stunde gehört und was ohne Schaden auch morgen geschehen kann.«

Der Mob schrumpfte zusammen auf ein paar Individuen. Außer etwas Holzhacken, einigem Wassertragen und noch zwei oder drei anderem »Gemusse« war keines, das nicht hätte warten können. Nachdem die Notwendigkeiten abgetan waren, wandte ich mich den

Unnötigkeiten zu, ließ einen Burschen nach dem anderen antreten, Antwort geben, wenn er gefragt wurde, – dann Ruhe und – ab.

Einer von ihnen war mein Garten. Ich veredle ein paar wildwachsende Pflanzen der Umgegend, grabe sie aus dem nächsten Dickicht und versetze sie auf mein Grundstück. Ich will diese blumigen Wildlinge sich einmal ausleben lassen und sehen, was daraus wird.

Ich versetzte vier junge Zedern und pflanzte in die Mitte eine reizende wilde Rebenart, deren gewöhnlichen Namen ich nicht kenne und deren botanischen ich nicht kennen will.

Soweit gut. Ich arbeitete mit Muße und Freude, empfand das Ganze mehr als Feiertags- und Festhandlung, als plötzlich ein weiter Ehrgeiz in meinen Sinn kam, eine Serie von Kreisen und Alleen aus jungen Zedern zu machen und einen gewaltigen Raum mit einer Unmenge anderer Pflanzen zu füllen. Ehe ich mich versah, wuchs dieser Ehrgeiz, besaß, beherrschte mich. Ich entdeckte mich hin und her rasend zwischen Dickicht und Garten, die Arme voll entwurzelter Pflanzen und wütend darauf losgrabend. Der Geist, weit voraus, schrie und trieb die Glieder an wie ein Sklavenhalter.

Richtig hatte wieder einer aus dem Mob der Wünsche, Pläne, Launen, oder wie wir nun das alles nennen mögen, mich heimlich eingefangen und zu seinem Hörigen gemacht. Alles ließ ich aus den Armen fallen, setzte mich sofort nieder und sprach: »Dieser Aufruhr hat aufzuhören – ja, auch dieser, und Ordnung muß sein. Ich will weder von allen noch von einem herumkommandiert werden.« Ich entwurzelte die großen Gartenbauambitionen und führte alles auf den ursprünglichen Umfang zurück.

Dann ward mir besser.

Dieser Aufstand ist niedergeschlagen. Aber noch nicht alle andern. Dieses Reich des Geistes ist lange Zeit sehr schlecht regiert worden, und etwas wie Unbotmäßigkeit muckt darin auf. Die alten Wegelagerer lungern an den Grenzen, stets bereit hereinzustürzen.

Ein Schubkarren voll Gram

Es war ein Regentag. Sehr naß. Sehr schwarz. Bockiges, durchsaugtes Elend. Ein bestialischer Himmel. Ich wurde ganz zerstimmt. Stöberte gewisse alte Leiden aus der warmen Asche der Mitvergangenheit, – borgte ein paar neue Sorgen aus der Zukunft und stellte alles unter das mächtige und vorzüglich konstruierte Mikroskop einer morbiden Phantasie, das eine Vergrößerung des Jammers bis zum Zehntausendfachen ergibt und bei entsprechender Umstellung eine ebensolche Verkleinerung aller Freuden.

Ein Instrument allerersten Ranges. –

Ich sagte der Welt ins Gesicht, daß nicht der letzte Hund in ihr leben möchte, daß sie ein Abscheu und überhaupt ein Luder sei. Daß ich ein letztes Gericht, trotz der daran haftenden schmierigen Unsterblichkeit, lediglich wünsche, um einmal der zuständigen Behörde ein paar kräftige Worte sagen zu können.

In etwas weniger als einer Stunde hatte ich einen weiten und geräumigen Hades mir eingerichtet – die Wände bis oben ein Mosaik aus den Scherben aller menschlichen Hoffnungen, das Glück im Kehrichteimer, die Liebe eine rußende Stallaterne in einem düsteren Winkel.

Endlich ward das alles so grauenhaft, daß mir beifiel . . . *jetzt sei es eigentlich grauenhaft genug.* Es war jedenfalls mehr, als ich ertragen konnte.

Ich sprach in meinem lieben Herzen: »Ich bin zufrieden.«

Alles, was da zu holen war, habe ich geholt! Alle Tiefen dieses Grames ausgenossen. – Warum jetzt überhaupt noch das ganze Düster? Gestern schien die Sonne recht gut. Dieselbe Sonne scheint doch auch heute irgendwo. Die bestialischen Regenwolken sogar sind auf der andern Seite von ihr beglänzt. Auch ich habe heute das gleiche Bewußtsein wie gestern. – Bin ich ein Heliometer oder ein Hygrometer, daß etwas Licht, etwas Feuchtigkeit der Luft meine Stellung total verändern?

Gewiß, Tod und Schmutz der Landschaft dringen auch in den Menschen . . . Niemand geht in einen dunklen Keller, um sich einen fröhlichen Tag zu machen.

Aber es gibt doch Wesen, die solchem Druck von außen widerstehen, und sie sind der Natur sogar näher! Der Vogel dort singt ganz vergnügt im Regen. Wie macht er es, in Laune zu bleiben?

Unter den Leuten in mir ist einer, der zuweilen rät und mancherlei vorschlägt. – Er ist kein besonderer Liebling! Es fehlt ihm vor allem an Takt. Es liegt etwas Zudringliches in der Art, wie er stets auftaucht, wenn ich gerade etwas anderes vorhabe, von dem er nichts zu wissen braucht.

»Wenn Sie mir gestatten wollten, einen Vorschlag zu machen«, sagte er. »Ich will mit meinem Rat um Gott nicht lästig fallen. Ich weiß, es ist unangenehm. Ich kann's selber nicht ausstehen. Es hat so eine predigthafte Ich-bin-besser-als-Du-Art an sich und ist überhaupt schwer hinunterzuschlucken. Außerdem gibt's schon so viel davon. Jeder scheint ein Probepaket in der Tasche zu tragen – nicht für sich – für die anderen.

Und doch möchte ich mir gestatten, eine Bemerkung zu machen, und hören Sie auf mich, wie Sie etwa auf den Gesang jenes Vogels hören.

Sie wissen, was Sie wollen. Das ist schon sehr viel. Das ist sogar ausgezeichnet. Ein direkter Gewinn. Sie wollen Ihre Gedanken aus der düsteren Furche kriegen, in der sie jetzt laufen. In Ihrem Fall ist es ein seltenes Glück, daß Sie das überhaupt wollen können. Die meisten Leute sind viel zu genußsüchtig dazu und gestatten ihrem Geist, immer den gleichen düsteren Weg auf und ab zu wandeln – Peripathetiker der Betrübnis und ihrer Orgien. Denn wie eine greise Leopardin ihr letztes Junge hütet der Mensch seine Kränkung gegen jeden, der sie ihm abzunehmen droht. Die Welt ist so voll ungesühnter Schuld, weil den Leuten erlittenes Unrecht um keinen Preis mehr feil ist. Wer aber hat, dem wird noch dazugegeben, sagt schon die Schrift. Gleiches zieht geheimnisvoll das Gleiche an, darum hüte sich der Gourmet des Leidens – seine Passion ist die ruinöseste, die es gibt. Sie aber wollen Ihre Stimmung aus dem Düster ziehen, auf das eine helle Zukunft Raum finde.

So fahren Sie jenen Schubkarren zu dem Holzplatz: Fahren Sie ihn, so aufmerksam Sie nur können. Machen Sie einen Sport daraus – füglich die ernsteste Sache der Welt; fahren Sie ihn durch das Stoppelfeld zum Holzplatz mit dem geringstmöglichen Aufwand an Arbeit, mit Intelligenz und List, um alle Löcher, Steine und Pfützen in der Furche zu vermeiden; werfen Sie Ihr ganzes Bewußtsein in den Schubkarren! Beim Holzplatz angelangt, laden Sie ihn mit Holz, schichten Sie die Scheite vorsichtig und intelligent bis zur größtmöglichen Höhe und doch so klug im Gefüge, daß keines ins Rutschen kommen kann. Dann schieben Sie ihn wieder durch den Acker nach Hause, mit gleicher Aufmerksamkeit. Wenn Sie das Holz ins Haus tragen, so werfen Sie es nicht beim Herde nieder, als schleuderten Sie eine Schlange von sich ab! Schichten Sie einen respektierlichen netten, würdigen Haufen, und *dann sehen Sie einmal nach, ob Sie nicht eine große Portion an innerem Horror zugleich mit diesem Holz abgeladen haben.*«

›Das hat etwas von dem Rezept der sieben Bäder im Jordan, wie sie dem biblischen General für sein Leiden verschrieben wurden‹, dachte ich bei mir; ›aber da diese halfen, – warum sollte ich es nicht mit der Schubkarrenkur versuchen.‹ –

Es wurde die schwerste Tat meines Lebens! – Ich schob den Karren eine kurze Strecke wie im Spiel, so ernst konzentriert, trieb die größte Menge »go« aus dem Vehikel, es gab sein Bestes – ein Rasseschubkarren –, vermied Rillen, Steine und größere Löcher, ging im Terrain wie ein irisches Vollblut. – Mir wurde gleich um vieles leichter. Mir schien, der Karren schöbe mich aus dem Hades. Aber von ungefähr, ganz unbewußt, ließ die neue Spannung nach – die Wachsamkeit ob meinem Werk. Wir liefen wieder in zwei getrennten Furchen – der Schubkarren und ich – er in der seinen, meine Gedanken wieder in der alten, steinigen, pfützigen Rinne von Bedauern und Furcht.

›Die holden Tage, die nie wiederkehren würden.‹ Und ›wozu das alles‹. Wie die Abwesenden nie wiederkommen oder noch ärger: verändert wiederkommen. Die ganze Sinnlosigkeit. Die fliehenden Jahre, das Altwerden, die ›Oh je's‹ und die ›Ach ja's, so ist das Leben‹, mit denen immer irgendeine ranzige Erzählung zum Schluß den Schwanz einkneift. –

»Da haben Sie's«, sagte der Mentor, »schon wieder in der Rille; aber das macht nichts – es ist Gewohnheit, lieb und alt! Die Türen schwingen so leicht auf in den Hades, sind immer frisch geölt zum Gebrauch. Die Türen ins Frohe dagegen sind verrostet. – Viel Arbeit in Sicht! Versuchen und fehlen und fehlen und versuchen und fehlen – fehlen – wieder versuchen – und wieder und wieder – eine lange Zeit. – Es gibt keinen anderen Weg. *Sichere Heilung zum Schluß – aber viel Zeit, um die Heilung dauernd zu machen. Es ist ein Stück vom ›Auswirken des Heils‹. Hat man es erst zuwege gebracht, die Gedanken auf eine freigewählte Sache, sagen wir, zehn bis fünfzehn Minuten zu richten – dann bleiben sie von selbst dort – bis man sie abberuft.«*

Wieder ging ich zu Werk – schob etwa ein Dutzend Schritte weit – dann kam meine *Lieblingskränkung* dem Schubkarren in den Weg. Die hab' ich so gern – da ließ ich das Schieben – Schieben sein. Sie sagte (und sie hat ja so recht): »Wenn Soundso nur nicht das und das gesagt hätte. Ich weiß, ich war ja teilweise im Unrecht (ich bin ja so gerecht!). Aber nie wäre ich so weit gegangen, zu sagen – oder zu denken – oder zu tun . . .«

»Ja, wo sind denn Sie schon wieder«, sagte der Berater, »beim Schubkarren gewiß nicht.«

Ich trat wieder an. Es ist doch wirklich eine Schande, sein eigenes Denken nicht zehn Sekunden beherrschen zu können. Wie weichlich – wie schwächlich.

»Sie sind schon wieder in einer anderen Furche«, mahnte der Mentor. – »*Denken Sie an Ihre Arbeit und nicht an Ihre Schwächen.*«

»Ich dachte ja nur eben, wie recht Sie haben.«

»Auch das geht Sie jetzt gar nichts an, ob *ich recht habe.* Der Schubkarren geht Sie an. Bleiben Sie beim Schubkarren. Wirken Sie durch ihn Ihr Heil aus – das Heil der Stunde – das Heil der Minute.«

Ich schob zwölf Schritte weiter. Dann stand meine *Lieblingsfurcht auf* – schwarz wie ein Berggewitter, und ehrfürchtig umdüstert träumte meine Seele: »Alles wird schief gehen – immer geht es schief. Bei meinem Pech. Ich bin in diese falsche Stellung geraten; niemand wird mir glauben! Was soll ich sagen! Was . . .«

»Schubkarren – Schubkarren«, erklang es vom Mahner her. »Zum Henker mit dem Schubkarren«, rebellierte ich. *»Ich will doch in Frieden über meine Unannehmlichkeiten nachdenken dürfen, sonst hab' ich doch gar nichts von ihnen.* Und überhaupt. Was für eine skurrile Idee, alle Aufmerksamkeit auf eine so untergeordnete Sache wie diesen zwecklosen Karren richten und darüber die großen Angelegenheiten des Lebens vernachlässigen!«

»Heiliger Mumpitz«, sprach hinwiederum der Mentor. »So lassen Sie sich denn sagen, daß die großen Angelegenheiten des Lebens das sind, was Sie die kleinen nennen. ›Großzügig‹, das Pracht- und Glanzwort des Dilettantismus. An die ›Zukunft denken‹, eine wohllautende Umschreibung für die Unfähigkeit, ›in der Gegenwart‹ zu denken. Jetzt gleich . . . JETZT . . . JETZT . . . JETZT, das ist die einzige *Wirklichkeit,* die wir kennen – die einzige, die *wirkt.* Aus den Maschen des Alltäglichen, Allstündlichen webt sich das Schicksal. Der Kiesel auf der Schiene bringt den Zug zum Entgleisen. Das bißchen Arsenik, aus Nachlässigkeit in einem Schrank vergessen und statt Backpulver verwendet, tötet die ganze Familie. Die Leiter, die Sie zu bequem waren, ordentlich anzulehnen, bricht Ihnen das Genick. Der Löffel voll Speise, den Sie hinunterschütten wie Korn in eine Mühle, gibt Ihnen die Magenverstimmung, *an der dann die großen Freuden und die großen Unternehmungen scheitern.* Ein undeutlich geschriebener Buchstabe, der aus ›F‹ügen ein ›L‹ügen macht, bringt Sie in die ernstesten Konflikte mit Ihrem besten Freund.«

So keifte der Mentor weiter, indes ich, wieder vom Schubkarren fortwandernd, mich in eine *zwar nur mögliche,* dann aber *gewiß sehr peinliche* Unterredung mit einer gewissen Persönlichkeit hineinträumte: ›Wenn ich ihn sehen werde – wenn ich zu ihm gehe, soll es in einer milden und geduldigen Stimmung geschehen, in einem versöhnlichen Geist, – schon im vorhinein will ich mich in diesen Gemütszustand bringen und ihn festhalten.‹

»Sie haben sich nicht im vorhinein in Gemütszustände zu bringen«, sagte der Mentor. »Sie haben jetzt keine Gedanken und keine Worte vorwegzunehmen, die Sie in zehn Tagen denken oder sprechen werden . . . Denn so Sie ein lebender Mensch sind und für zwei Cent Temperament haben, werden Sie dann doch ganz etwas anderes denken und sagen – aber *Sie führen das Theater eben lieber jetzt allein auf, wo der Gegner nicht dabei ist, um der Heldenrolle ganz sicher zu sein.*

Sie haben aber jetzt den Schubkarren zu führen. Alle Fähigkeiten daran zu wenden. Lassen Sie die Zukunft für sich selber sorgen.

Haben Sie doch Rücksicht auf Ihre bedauernswerten Arme und Beine. Welche Muskelschmerzen für morgen sammeln Sie mit diesen imaginären Gesprächen. Kümmern Sie sich nicht um das, was sein wird, sondern um den Schubkarren.«

Aber ich konnte es nicht. Ich versagte. Mehr als zehn Schritte weit kam ich nicht, ohne daß so eine miserable Nebenidee, Nebenlaune, Nebensorge hereinschlüpfte und das, was ich meinen Geist nenne, aus den Angeln hob.

Ich konnte das Spiel nicht gewinnen.

Aber mein Vertrauen in die Heilkraft der Schubkarrenmethode steht bergefest nach wie vor.

Man muß sie nur lange genug fortsetzen.

Omega

Und allem und allem zum Trotz – am Ende wurde es doch offenkund, daß der Bau ein Fehlnis war, wenigstens soweit mein dauerndes Glück in Betracht kam. Als alles eben vollendet schien und das Korn emporschoß und die Hennen ordentlich ins Legen kamen – drei hatten schon zu brüten angefangen – und die Morgenglorie wilden Weins mir zum Fenster hereinzunicken begann – begann ich zu grämeln. Ich konnte aus meiner Einsiedlerklause nicht das Glück schöpfen, das ich erträumt. Mir schien es früher, als könnte ich mit der Natur, und nur mit ihr, eine überpersönliche Monogamie führen, unabhängig, losgelöst von dem Rest der Menschheit. Ich konnte es nicht oder mindestens nicht ohne Schaden.

Ich glaube, keiner, der lebendig ist, kann es.

Die Natur selbst lehrte mich das. Alles ging in Paaren oder in Herden. Pflanzen und Bäume blühten familienweise, und Ameisen und alles hatte ein Bestreben, sich mit seinesgleichen zu gesellen. Und da war ich – ein losgetrenntes Endchen Leutheit – und versuchte, allein zu sein. Die Vögel und Tiere fühlten sich vielleicht durch meine Bewunderung geschmeichelt, aber ganz in ihr Leben nahmen sie mich doch nicht auf . . . war es, daß ich den Wohlgeschmack junger Engerlinge nicht so recht zu würdigen wußte – kurz, es blieb eine gewisse Fremdheit. Es lag so etwas in der Luft: »Du gehörst nicht zu uns. Es ist Pose, versuchst du es; geh zu deinesgleichen und komm nur auf Besuch! In unser Leben kannst du ja doch nicht ganz hinein. Du bist kein Vogel, der in einem Nest wohnt und von Würmern lebt, kein Eichkätzchen in einem Baumloch, kein Baum, auf daß du nur an einem Orte Wurzeln schlagen und bleiben könntest. Ein Einsiedler ist ein Mensch, der versucht, ein Baum zu sein und aus einer Stelle seine Nahrung zu ziehen. Er ist aber doch soviel mehr als ein Baum und muß sein hochdifferenziertes Leben aus vielerlei Orten speisen. Ein Bär ist nicht so töricht, unter Wölfen leben zu wollen – auch ein Mensch sollte nicht versuchen, ausschließlich mit Bäumen, oder was er sonst Natur nennt, zu hausen – sie können ihm nicht alles geben, was er zu seinem eigensten Leben braucht. Es gibt Pflanzenmenschen – Tiermenschen – Gottmenschen. Der Gottmensch braucht die Aura des Geistigen auf Erden – des Menschen –, auf daß er sich vollende.«

So verließ ich denn meine Klause – wie ich glaube, für immer – und schaffte Bett und Pfannen und Töpfe nach New York in das Haus eines Freundes am Rand der Palisaden, »Tinkers« gegenüber.

Das Ende des Unfugs

Statt einer Vorrede

Zu dem Sterbenden, wer es auch sei, auf tret' ich die Tür,
Die Decken werf' ich vom Bett des Kranken,
Den Arzt – den Priester, ich schick' sie fort,
Und fasse den Menschen und heb' ihn auf mit
Unwiderstehlichem Willen.
Verzweifelter, fasse mich an!
Ich will nicht – so stark ich zu glauben vermag,
*   daß du stirbst,*
Hänge dich an mit all deiner Kraft,
Ich trage dich hoch.
Das Haus erfüll' ich durch alle Winkel
*   mit kämpfender Kraft,*
Vertrau mir!
Wer mir vertraut, der täuscht auch den Tod.

Walt Whitman

Lügen brüten Unheil,
Wahrheit macht gesund

Wer ist es, der denkt?

Lichtenberg hielt dafür, lieber zu sagen: »Es denkt«, so wie man sagt, »es blitzt«. Alles existiert ja nur, insofern es teil hat am unendlichen Bewußtsein; die Art, in der es teil hat, läßt es dann eben als Sonne, Planet, Vogel, Fels, Büffel oder Mensch erscheinen, ist schließlich nur eine der Umgruppierungen des großen »es denkt«. Ganz von Gott verlassene Sachen in den Kosmos gesetzt zu haben, ist füglich erst dem Menschen gelungen *durch tote Ungeburten, die er »Güter«* nennt: Schutzdeckchen, »Biskuit«gruppen, Haareinlagen, gedrechselte Klavierbeine, Konfirmationsbecher. Dinge, die jeder macht, um sie so rasch wie möglich wieder loszuwerden, mit denen Millionen Menschenleben eine Art wüsten Pfänderspiels treiben: rund um die Erde nur rasch, rasch mit Gewinn von Hand zu Hand und der sadistischen Schlußpointe: welcher glückose Cretin bleibt endgültig damit hängen?

Sonst aber ist alles lebenswürdig vom urgleichen Geist beseelt und jeglicher Vollkommenheit – in seiner Art – offen.

Leben und Geist sind auch noch in den Dingen, die wir »gestorben« nennen, denn der Begriff des Todes existiert nur im Menschenhirn – nirgends sonst, und entstammt seiner Unfähigkeit, über das Ende eines leiblichen Ausdrucks der unendlichen Bewußtheit hinüberzublicken. Einen Baum, der aufhört, Blätter aus seinen Zweigen zu treiben und Saft durch seinen Stamm, nennt es »tot«. Aber Leben, Geist und Bewegung sind immer noch in diesem Baum; sie zerlegen ihn jetzt nur langsam – der Mensch nennt es Verwesung – und gruppieren ihn zu einem neuen Gedanken Gottes um. Denn Gott hatte sich versprochen, auch in der herrlichsten Eiche, dem kühnsten Tier, dem feurigsten Cherub: *Er wollte gewiß noch etwas viel Schöneres, Lieberes, Beglückenderes sagen – aber man ließ ihn halt wieder einmal nicht ausreden. Gott ausreden lassen, heißt Vollkommenheit.*

Jedes freie lebendige Wesen soll eine besondere und einzigartige Form des Glücks verkörpern, das eben auf seiner Echtheit beruht. Alles Abirren von dieser Echtheit in irgendeine scheinbar vorteilhafte Lüge hinein, muß auch in letzter Linie eine Minderung an Glück zur Folge haben.

Die Vorstellung vom Tod aber ist die erste große Lüge.

Die wilde Eiche ist eine Facette der Wahrheit aus dem unendlichen Bewußtsein, so wie jedes Geschöpf, sei es Vogel, Fisch, Baum oder Alge, der planmäßige symmetrische Ausdruck einer Kraft ist, die der Mensch ebensowenig hervorbringen und begreifen kann, als er sich selbst zu erschaffen vermag. Diese Kraft wirkt sich im freien Tier, in der freien Pflanze aus der natürlichen Wechselbeziehung *von Umwelt, Innenwelt und Wirkungswelt* einen neuen Ausdruck für Glück. Alle wilden Geschöpfe haben in ihren natürlichen Lebensbedingungen eine Art Seligkeit, denn sie sind wahre Ausdrucksformen des großen Unbekannten, das wir in Ermangelung eines besseren Wortes das unendliche Bewußtsein nennen wollen. Daß fast kein Tier in der Freiheit an Altersschwäche und eines natürlichen Todes stirbt, ist kein Gegenargument. *In der wahnsinnigen, jubelnden Ekstase des Liebesschreis, mit der der große Vogel einsam in der Morgendämmerung über die Tannen hin nach einer Unbekannten ruft: daß er gerade so gestaltet, so durchlebt an dieser Stelle rufen kann, ist seines Lebens Schönheit, Wahrheit und Glück, wie es gleichermaßen der unvergleichliche Sprung für die Wildkatze ist, mit dem sie, ein Dämon der Anmut, ihm den Jubelruf in der Kehle durchbeißt.* Wo aber ist diese Wahrheit und Anmut, wenn der Mensch sein Geselchtes mit Bier hinunterschwemmt? Dann nähert sich sein Ausdruck in ganz verdächtigem Maße dem Geschöpf, in das er den behenden, reinlichen, starken, mutigen Eber infernalischerweise verzüchtet – *verschweinzt* hat . . ., *denn das Schwein ist Menschenwerk* und zeigt so recht, was aus einer »Wahrheit« wird, die er in seine Finger bekommt, um sie aus kurzsichtiger Bauchperspektive zu »verbessern«. Nicht daß er vom Töten der Tiere lebt, ist das *Schädliche*, das heißt *Sündige;* vergossenes Blut ist lang nicht so arg als zu Eiter verarmtes, zu Galle pervertiertes, zu Eis erstarrtes – das Ende ist nur ein Augenblick; *wie das Leben, nicht wie der Tod war, ist wesentlich.* Darum, sagten wir, sei es eine Sünde wider das unendliche Bewußtsein, daß der Mensch es über sich bringen könne – aus welchem Grund auch immer –, einen »Fortschritt« darin zu erblicken, wenn aus einem starken, behenden, reinlichen Wesen ein schmutziger, aasfressender, viele hundert Pfund wiegender Fleischklumpen wird, dem er eine goldene Medaille verleiht, sobald die Beine das Monstrum nicht mehr aufrecht zu tragen vermögen. Das Schwein ist eine *menschliche Lüge* und muß sich, wie jede Lüge, schließlich am Lügner rächen. Die ebenmäßige, starkbeschwingte, sich selbst erhaltende Wildgans ist eine Wahrheit: ist einer der Ausdrücke des unendlichen Bewußtseins, um Glück und Kraft zu schaffen. Die watschelnde, hilflose, flügellahme, leberkranke, geschoppte Gans ist das, was von einer Wahrheit übrigbleibt, wenn der Mensch dazukommt. Freiheit, Kraft und Glück liegen in der vollen Entfaltung des Instinkts, und Instinkt heißt: eins sein mit den Dingen. Durch ihn wirkt höchste Weisheit und Wahrheit direkt auf diese besondere Form des Unendlichen ein, und gerade ihr bringt er, wo er sich frei entfalten darf, die größtmögliche Seligkeit: *sie selbst zu sein.* Experimentiert der Mensch willkürlich mit einer solchen Verkörperung des unendlichen Bewußtseins, so beraubt er sie des Glückes, für das sie geschaffen war, und lenkt zeitweilig eine ewige Wahrheit von ihrem Ziel ab. *Denn Lüge ist eine Wahrheit, die von ihrem echten Ziel abgelenkt wurde.* Sie kann es aber nur zeitweilig werden, denn die unendliche Kraft geht geradeaus und schiebt Willkür einfach zur Seite. Endlich muß sie doch ihren Willen haben, und alles, was der Mensch – sich selbst eingeschlossen – verunstaltet, verkünstelt, pervertiert hat, wird einfach nicht anders können, als schließlich zum reinen und untadeligen Ausdruck des Unendlichen zu werden.

Natürlicher werden bedeutet durchaus nicht eine Rückkehr zur Barbarei, sondern natürliche Verfeinerung, während, was wir bisher Zivilisation nannten, gekünstelte Roheit war: künstlich aufrechterhaltene Roheit, wie sie unserem Niveau gar nicht mehr entspricht. Das unendliche Bewußtsein, nicht der Mensch, hat diesen Planeten mitsamt dem Menschen aus Chaos und Tumult in seinen gegenwärtigen, verfeinerten Zustand gebracht und schreitet darin, auf Wegen, die in ihrer Vielfalt hoch über unserem Verständnis hingehen, mit dieser Vergeistigung, die auch den Menschen sanfter, ätherischer und nobler formt, fort. Auch Ruskin sagt: »Die Ruhe und Bereitwilligkeit, mit der wir es alle zulassen, *daß etwas, weil es lange verkehrt gewesen, niemals richtig werden soll,* ist eine der verhängnisvollen Quellen des Elends und Verbrechens, darunter die Welt leidet.« Wann immer dir einer aus dem Grunde abrät, das Gute zu versuchen, weil Vollkommenheit *»utopisch«* sei, so hüte dich vor dem Mann . . . denn *»utopisch«* ist eins von des Teufels Lieblingswörtern.

Das große »Es denkt« besteht darauf, alles glücklich zu machen – nichts bleibt ausgeschlossen. Je mehr von der elementaren Kraft, dem reinen Existenz- und Persönlichkeitsgefühl freigestalteter Tiere und Vögel in den geistigen Ozean strömt, desto mehr kann und wird der Mensch davon absorbieren. In kommenden Zeiten, wenn er gelernt haben dürfte, solch natürliche Ausdrucksformen in Ruhe zu lassen – wenn er aufhören wird mit dem Versuch, sie umzulügen, dann wird er tatsächlich imstande sein, von diesem aufjubelnden Fluidum und Glücksgefühl zu leben. Der spirituelle Ozean wird von den Emanationen all dieser strahlenden Kraftgeschöpfe dicht genug werden, ihn und seine physischen Bedürfnisse allein zu tragen . . . Er wird ihm zum Lebenselixier werden – ihm Kraft verleihen und neue Möglichkeiten zeigen, um ohne den Totschlag an Tier, Vogel und Fisch zu existieren; vielleicht auch, um künstliche Verzüchtung an Pflanzen entbehrlich scheinen zu lassen.

Was ein Wesen an ungebrochenem Fluidum aussendet, wird von allen übrigen Wesen mitempfunden, strömt in das gemeinsame psychische Reservoir, *das kommunistisch verwaltet wird.* Die ganze Schöpfung soll saturiert werden mit schwebendem Geistglück: keine Orgie, vielmehr eine wunderbar organisierte Strömung wohliger Erregung wird ohne Unterlaß durch uns hindurchfließen. Willkürliche Eingriffe irgendwelcher Art – wie das Einkerkern und Verkrüppeln der symmetrischen Kräfte lebendiger Wesen mindern vorübergehend ihren und unseren Weg zu dieser Seligkeit. Irgendwie wird sich der Schaden, den wir zufügen, an uns selbst fühlbar machen, denn alles Empfundene ist ein Gemeinsames. Mit Hinweglassung langweiliger Zwischenglieder als Gedankenstenogramm kurz: Paradoxon stilisiert, könnte man sagen: *Weil sie die Gänse schoppen, müssen die Menschen nach Karlsbad.* Vermöchten die Tiere Schadenfreude zu empfinden, Schwein, Gans, Ochse und Truthahn kämen vielleicht annähernd auf ihre Rechnung, zeigt man ihnen in imposanter Statistik die Stoffwechselerkrankungen, die verfaulten Gebisse, die lieblichen Harnsäurekristalle, zu denen ihr krankes und pervertiertes Fleisch in den Körpern ihrer frechen Schänder geworden. Nur die Pferde – nein, die Pferde sind noch durch nichts annähernd gerächt – vielleicht muß das noch kommen; eine Prügel- und Jammerkur ohnegleichen. In irgendeiner Form strömt jedes ausgesandte Leid zurück; durch Schmerzen irgendwelcher Art werden wir daran erinnert, daß *wir aus der Strömung des wahren Gedankens abgetrieben sind. Die Probe auf wahre Gedanken aber ist sehr leicht zu machen: sie müssen sich durch uns hindurch immer in dauerndem Glück auswirken. – Das Anzeichen der Lüge, wie sie durch uns ausgeheckt und zeitweilig wirksam wird, ist Schmerz in irgendeiner Form.* In tiefem Ernst nach wahren Gedanken verlangen, heißt, uns mit dem unendlichen Bewußtsein in Kontakt setzen oder »einswerden«, das will sagen: immer klarer Mittel und Wege, die zu dauerndem Glück führen, erschauen lernen.

In beschränktem Maße haben wir ja schon gelernt, Freude aus der

Landschaft, aus Seen, Wäldern und Wolken zu ziehen; alle Dichter aller Völker haben es von je intuitiv getan und Liebe und Sympathie aus den Elementen dieses großen Lebens Inspirationen geschöpft, wie Wasser aus der Quelle. Aber von diesen lebendigen Wassern haben wir ja noch kaum zu trinken begonnen. Es gibt zu denken, daß in Japan, wo Kult und ekstatische Versenktheit in die Landschaft jedem Kind und jedem Kuli so natürlich und von selbst verständlich sind wie die unbewußten Funktionen von Kreislauf und Atmung, bei einem uns fast unbegreiflichen Minimum an Nahrung das ganze Volk an Gesundheit, Heiterkeit, Kraft und Freundlichkeit auf Erden nicht seinesgleichen hat. Der Anblick der Kirschblüte, wiewohl man sie nicht essen kann, hat vielleicht mehr zur Volksgesundheit beigetragen als alle Reisernten zusammen. Der Japaner lebt nicht nur in der Natur, sondern in hohem Grade von ihr, *denn der Mensch als größerer und feinerer Empfänger muß, einmal auf die Wellenlänge des unendlichen Senders eingestellt, besser und mehr von dessen Wesen erfassen vermögen als Baum, Vogel und Wild für sich.* Dann wird er auch immer deutlicher empfinden, daß etwas hoch über ihm Wirkendes und Wirkliches darauf besteht, für ihn zu sorgen, ihn ganz eingehüllt in Glück immer höher und höher zu tragen, und dieses Wirkende wird ihm immer wieder ins Herz sprechen: »Du kannst keine Wahrheiten schaffen – das kann nur ich.« Nimm daher die Wahrheiten hin, wie ich sie dir gebe, und sie werden dich in ein Entzücken geleiten, weit über dein gegenwärtiges Erfassen hinaus. Deine Art und Weise zu leben: von Verkrüppelung und Leid anderer zu leben, deine Erfindungen, deine Maschinen, deine sogenannte Gescheitheit und Zivilisation sind letzten Endes eine Blamage, denn sie haben versagt, dir das zu geben, was du doch allein suchst: *Glück.* Du hast dich soweit erniedrigt, um in Städten ohne Luft und Sterne zu vegetieren; deine Geschäftsmethoden machen die Leute irrsinnig vor Aufregung, die Nerven deiner besten Söhne reißen in der Mitte des Lebens. Du versuchst ausschließlich Lügen zu kaufen und Lügen zu verkaufen, Lügen zu schaffen und von ihnen zu leben – aber sie bringen nur Leid. Auch kann eine Unwahrheit nicht *dauern.* Sie kann nicht ewig so weiter Elend häufen, sei es auf Tier, Pflanze oder Mensch . . . In dem Maße, als wir alles »veredeln«, »verbessern«, versteifen sich die Widerstände. Krankheiten und Degenerationserscheinungen befallen die verzüchteten Tiere. Ganz neue parasitäre Schädlinge erstehen den Ernten. Die gleichen giftigen Einspritzungen und Überspritzungen muß der degenerierte Mensch *jetzt wie an sich selbst, so auch an seinen Kunstprodukten anwenden,* denn eine

Lüge will unaufhörlich gestützt, gehätschelt, und gepflegt werden, sonst geht sie ein. Auch jede gedachte und gesprochene Unwahrheit braucht Pölzung durch eine zweite, und mit jeder falschen Hilfskonstruktion wird unsere Lage labiler und prekärer. *In der Natur jeder Wahrheit aber liegt es, sich selbst erhalten zu können.* Auch die freien Tiere erhalten sich selbst, bedürfen keiner Nachhilfe, weil sie wahre Formen sind in einer ihnen *adäquaten Umwelt.* In dem Maße, wie wir selbst freier, wahrer, feiner werden, wird sich die Anwendung dieses Gesetzes auf unser eigenes Leben deutlicher offenbaren. Bringen wir nur einmal den Mut auf, diesem unendlichen Kraftozean uns anzuvertrauen, jenem Unendlichen, das trotz unseres Sträubens, unseres hirnverbrannten Bockens darauf besteht, aus uns lebendige Wahrheiten statt Mißgeburten zu machen, wird alles für uns getan, werden neue Wege sich eröffnen, ungeahnte Möglichkeiten; alles für unser Glück Nötige muß kommen wie Licht und Wasser zur Pflanze.

Denn wir sind nicht die Erschaffer, wohl aber die Schöpfer wahrer Gedanken, insofern wir sie aus einem unendlichen spirituellen Reservoir schöpfen; an uns ist es, nur richtig geformtes Gefäß zu werden, wahren Gedanken weit geöffnet, im übrigen aber diesen das Werk anvertrauend. Sie werden uns kein müßiges, passives Leben geben, sondern eine neue Art glücklicher Aktivität in Kunst, Musik, Geschäft, Erfindung – in hundert neuen Arten, dem Bewußtsein heute noch fremd.

Sich einem neuzubildenden reinen Instinkt offenhalten, der dann, individuell abgeschattet, wieder von uns strömt wie die Musik aus der Vogelkehle, darauf kommt es an. Ganz durchbebt werden von singenden Instinkten. Es wäre ja unser Privileg, dank höherer Organisation, diese strömenden Kräfte besser auszunutzen als Tier und Pflanze. Mächtigere und raschere Glücksresultate zu erreichen . . . denn jedes Geschöpf besteht aus den Gedanken, die es in sich zu ziehen . . . in seinen Organismus einzubauen versteht. Die Qualität seiner Wünsche und Aspirationen formt seinen Leib. Jede Zelle wird durch sie bestimmt an Art und Innervation. Nur Wahrheiten aber können dauernd eingebaut, Lügen müssen im Verlauf der Zeit wieder ausgeschieden werden. Was immer an Krankheit, Schmerz, Unrast und Sorge in uns arbeitet, es ist die Bemühung des Geistes, irgend etwas Verlogenes oder Fehlerhaftes heranzutreiben, nachdem es mikrobengleich sich dort festgesetzt hatte.

Wir kennen aber wahrscheinlich Lüge und Irrtum, die das Leiden verursachten, gar nicht – leben wir doch fast ausschließlich in ihnen

– machen sie alle mehr oder weniger unsere *Glaubenssätze* aus. Sie zu finden, zu trennen, auseinanderzuhalten, ist daher auf einen Schlag unmöglich. Schon in dem Maße, wie wir nach wahrer Einsicht streben, wird diese auch imstande sein, in uns zu strömen, und ihr proportional weichen die Irrtümer. Diese gehen, und neue Gedankenelemente bilden neues, feineres Fleisch – reineres Blut. In dieser Weise regeneriert sich der Körper. Schmerz, leiblich oder geistig, ist das Warnungssignal, daß etwas Falsches versucht, sich unserem ewigen Wesen einzuverleiben; *der große unbewußte Baumeister aber refüsiert das minderwertige Material.*

Es wäre eine so große Hilfe, könnten wir uns nur dahin bringen, eine Wahrheit im Anfang wenigstens zu dulden, wenn wir zuerst auch nicht an sie zu glauben vermögen, fällt sie doch allzusehr aus dem Rahmen der gewohnten Lebenslüge heraus. Wir empfinden sie vielleicht sympathisch, erwünschen den Glauben, dieser aber bedeutet im höchsten Sinn, etwas völlig in sich ausleben und auswirken lassen, ohne Frage oder Zweifel, in dem gleichen gradlinigen Vertrauen etwa, mit dem sich der Seefahrer auf Kompaß, Karte und Chronometer verläßt. Das scheint kaum möglich, ehe nicht eine Wahrheit sich in uns verkörpert hat – Teil unseres Leibes geworden ist. Wenn die wahren Gedanken vollkommener Gesundheit, ewiger Erneuerung und Unsterblichkeit im Fleische Teile unseres Hirns und Bluts geworden sind, erzwingen sie zugleich den Glauben . . . erzwingen vollendete Gesundheit, ständige Erneuerung und Unsterblichkeit. In dem Maße, als sie solcher Art schon wirken, hören wir aber auf, uns mit der Möglichkeit des Glaubens an sie noch weiter zu beschäftigen. Wir beschäftigen uns ja auch nicht mit dem Glauben, daß unser Magen wirklich Nahrung verdaue. Das von selbst Verständliche solchen Glaubens ist Kraft und Teil der Organe: Instinkt gewordenes Wissen. Ist doch ein Gedanke eine lebendige, bewegende, tätige Kraft – eine Realität, mächtig genug, um schließlich imstande zu sein, sich als Form niederzuschlagen oder mindestens durch sie hindurchzuwirken. Wunder würden wir das nennen; es ist aber nur die Auswirkung eines Gesetzes, deren erste, schwache Kontur wir eben zu erahnen vermögen.

Je mehr Wahrhaftiges der Geist in sich zieht und einbaut, desto sensitiver wird er gegen alles *Unechte, denn Unechtheit ist imitierte Wahrheit und daher noch schädlicher als schlechthin Erlogenes.* Der durch und durch echtgewordene Organismus aber vermag das alles viel schneller auszustoßen, wie ein gesunder Magen, ein gesunder Geschmackssinn Ungeeignetes einfach refüsiert . . . es gar nicht erst zu assimilieren versucht. Gerade diese Umwälzung und Erneuerung – dieser gereinigte Instinkt aber mag dem Individuum eine Zeitlang erhöhte physische Störungen verursachen, denn der erweckte und durch Wahrheit gestützte Geist ist nun ratlos an der Arbeit, auszutreiben, was er vielleicht generationenlang gezüchtet hatte und unbewußt genährt.

Der Grund, warum man nicht lügen soll, ist also *gar nicht so abstoßend »ethisch«*, sondern einfach, um Krankheit und Elend zu vermeiden; weil *Lüge und Tod eben identisch sind*. In Lügen denken, heißt in einer *falschen Richtung denken*: Krummes, Unfruchtbares in unseren Körper hineinleben, das dem Aufbau seiner ewigen Elemente entgegensteht. Aus je mehr Unechtem wir bestehen, desto schwerer vermögen wir überhaupt noch eine Wahrheit zu erkennen, wenn sie uns begegnet . . . grotesk . . . kindisch . . . lächerlich – oder am liebsten *unwissenschaftlich* werden wir sie nennen . . . letzteres schüchtert ja auch am besten die verstörte Herde der anderen Hereingefallenen ein; denn gar nichts zu glauben, verdeckt jede Unwissenheit und ist noch billiger, als alles zu glauben. Der Mut zur Wahl ist es, der den besseren Menschen charakterisiert: »Nicht Mangel an Verstand . . . nicht Mangel an Vernunft . . . Mangel an Urteilskraft ist, was man gemeiniglich Dummheit nennt« (Kant). Seit die Völker der weißen Welt mit den Dogmen ihrer Religion so hereingefallen sind, ist eine förmliche Glaubenspanik ausgebrochen allem gegenüber, was nicht jeder sofort – zu jeder Zeit und in jeder Stimmung unausgesetzt riechen, sehen und tasten kann . . . Auf Feineres auch nur hinhorchen dünkt ihn schon blamabel und halber Aberglaube. Bei solcher geistigen Haltung aber müsen, in idealem Zusammenfluß mit einer lärmenden und mechanisierten Umwelt, auch dieses Sehen, Tasten, Riechen immer stumpfer werden, so daß er schließlich nur mehr imstande sein dürfte, das wahrzunehmen und an das zu glauben, was ihn gerade erschlägt.

Die unbehagliche, ja fast feindliche Stimmung des Menschen gegen einen Weg, der jedem die gleiche Möglichkeit zu dauernder Jugend und Schönheit eröffnen würde, kraft der aufbauenden Ströme von Willen, Traum, Wahrheit und Intuition aus dem Reservoir des unendlichen Bewußtseins, hat aber noch einen tief verhangenen, fast spaßhaft skurrilen Untergrund: im »Candide« von Voltaire fliehen auch der Held und sein Gefährte nach sechs Wochen . . . ja wovor fliehen sie? . . . sieh da . . . vor dem Schlaraffenland, das sie zufällig gefunden. Halten's einfach nicht mehr aus, weil, nun – weil es *allen* dort ebensogut gehen muß wie ihnen selbst.

Relativ echt und unverdorben ist der Mensch, der überhaupt

noch weiß, wann er lügt. *Bei ihm ist die Lüge gleichsam von Erkenntnis eingekapselt wie eine Trichine im Fleisch.* Den meisten ist aber der ganze Organismus schon so völlig durchlogen, daß sie solch reinliche Scheidung gar nicht mehr vorzunehmen imstande sind. Das Wesen der Lüge ist eben die *Täuschung,* nicht nur das bewußt falsche Wort . . . auch Selbsttäuschungen; eine Lüge, die wir im guten Glauben in uns hineinbauen, versperrt ebenso wie jede andere den in Wahrheit aufbauenden Elementen je und je den wertvollen Lebensraum. Viele Lügen, die sich kaum mehr auf den Beinen erhalten können, werden oft wieder zu Kräften gebracht mit dem frischen Blut einer Wahrheit; wie man völlig überzüchtete und nicht mehr lebensfähige Kaninchenrassen mit dem reinen Typus kreuzt, weil sie sonst rettungslos eingehen müßten.

»Eine Lüge, die eine halbe Wahrheit ist, ist aber der Lügen schlimmste.« Wenn wir z. B. Menschen in unserem Haus begrüßen, während wir sie hinwünschen, wo der Pfeffer wächst. Wenn wir lächeln, ohne im geringsten dazu angeregt oder amüsiert zu sein . . . wenn wir uns und anderen ein Interesse für das Wohlergehen von Leuten vorspiegeln, weil sie Geld haben, von dem wir zu profitieren hoffen. Wenn wir einem Glauben, einem Verein beitreten aus Snobismus, Geschäftssinn, Prestige. Wenn wir von Plattform und Kanzel herunter Dinge künden, die unserer innersten Überzeugung nur halb entsprechen. *Ein halbes Ja sagen, wenn wir ein ganzes Nein meinen.* Das alles, und es ist nur ein magerer Ausschnitt und gar der Rede nicht wert, aus dem Weichselzopf der Alltagslügen wirkt sein Übel durch den Körper hin. Es ist das wie mit dem Alkohol: Nicht so sehr der einmalige Exzeß, die unaufhörlichen kleinen Dosen des Giftes tagaus tagein unbewußt genommen – in den Kreislauf gebracht, ohne daß der Vergiftete sich ihrer bewußt wird, schaffen den hoffnungslosen Zustand. So ganz saturiert mit Unechtem, vermag der Körper es nicht mehr auszuscheiden – er glaubt und empfindet nur mehr Lügen. Das bringt ihm Krankheit und schließlich den Tod. Denn Unwahrheiten vermögen nicht zu dauern, was aus ihnen besteht, muß zerfallen, damit der Geist das seinem Ziel geeignetere Instrument erlange . . . mit einem Wort: es war wieder einmal eine verpatzte Inkarnation.

Was uns Übel und Verfall dünkt, ist eben des unendlichen Bewußtseins Aufgeben einer unhaltbar gewordenen Position.

Der zweite große Nachteil des Lügens ist, daß es uns in den Stromkreis aller anderen Lügner bringt, denen wir kraft einer inneren Verwandtschaft dann viel eher zu glauben geneigt sind als einem lauteren Menschen. Der »smarte« Geschäftsmann in einer

Branche wird sehr oft von einem nur gleich »smàrten« der anderen Branche hineingelegt, denn ein echter und reiner Mensch ist ihm eher unsympathisch; ein stummer Antagonismus herrscht, ohne daß ein Wort zu fallen brauchte.

Die Lügen, von uns selbst alltäglich dem Kosmos in Wort, Atem, Gebärde und Leben geliefert, sind aber wieder gar der Rede nicht wert gegen alle jene, an die wir *unbewußt* glauben, um sie *glaubend auszuwirken in uns und dadurch wieder in andere um uns.* Es ist eine psychische Seuche. Graue Haare, Runzeln, jedes Verfallszeichen der Körperzellen sind solch materialisierte Irrtümer; Zeichen, daß falsche Vorstellungen vorübergehend sich im Bewußtsein festgesetzt haben.

Eine dieser falschen Vorstellungen hält z. B. am Verfall, dem unausbleiblichen, des Individuums fest – dem durch nichts Aufhaltbaren, Abwendbaren . . . weil von Ewigkeit zu Ewigkeit als unveränderliches Gesetz je und je dem Kosmos eingeboren.

Das ist eine Lüge – die Haupt-, Erz- und Grundlüge. Die ganze Rasse hält sich derart festgesogen an ihr, daß sie überhaupt nie mehr in Frage gezogen werden darf. Wir füttern unsere Körper förmlich mit dieser Erwartung, und man kann es nicht oft genug wiederholen: *Gedanken sind Dinge, vom Geist dem Körper gesandt, wo sie als sichtbare Substanz kristallisieren.* Der Körper ist ein Gedanke, der in substantieller Form jenen Geist ausdrückt, der ihn erschuf. Wenn unser irrender Wille versucht, aus unechten Privatgedanken einen Körper zu schaffen, so kann dieser nicht dauern. Durch den Verfall wird eben seine Unechtheit offenbar. Wenn dagegen aus dem unendlichen Bewußtsein strömende Gedanken vom Geist dem Körper zugesandt werden, müssen sie sich dadurch erweisen, daß sie imstande sind, seine Zellen so dauernd zu erhalten, wie es das Leben des Geistes selbst ist – sind doch diese nun zu verdichteten, sich selbsterhaltenden Wahrheiten geworden. Der Weg heraus aus allen tödlichen Übeln, mörderischen Lügen aber ist so einfach und so wundervoll: *nach wahren Gedanken verlangen, und nach Kraft verlangen, um sie auch glauben zu können, wenn sie kommen.* Verlange die Fähigkeit, an ein unendliches Bewußtsein glauben zu können . . . nicht nur so halb, sondern um es zu fühlen, wie wir den Atlantischen Ozean fühlen, in seinen Wellen schwimmend. Verlange andauernd und selbstbewußt, nicht als ein Almosen, nicht als eine Gnade etwas von jener Macht, deren Teil du doch bist, etwas, worauf sie esteht, daß du es haben sollst und haben wirst zur Vollendung ihres und deines absoluten Glückes – *denn der mystische Wille zur Unsterblichkeit im Fleische ist eine Richtung des*

Gemütes. Aber wo liegt diese Richtung – wie sich in sie einstellen – was tun? so höre ich alle diese gescheiten, gebildeten, zivilisierten Leute sagen, weil sie ja in spirituellen Dingen noch hilflos herumtasten wie Säuglinge. Erst eine Gegenfrage: Wie würdest du dir die Haltung eines Menschen in folgender Lage denken: Angenommen, du habest etwas für ihn bereit, das ihn fördert und veredelt, zugleich aber auch dich erhöht und beglückt; etwas, das nur zu diesem einen Zweck – und nur von diesem bestimmten Menschen verwendet zu werden vermag, wie würdest du erwarten, daß seine *Haltung* gegen dich sei? Wie müßte sein Gemüt auf Geber und Gabe sich einstellen? *Genau so, wie du es von diesem Menschen erwartest . . . verhalte dich dem unendlichen Bewußtsein gegenüber und der Wahrheit, die es für dich bereithält.* Würdest du wollen, daß er sich dafür demütige – daß er bettle und kröche für etwas, das, wiewohl von dir stammend, doch nur durch das Medium seiner Hände lebendigen Wert gewinnen kann? Nein, aber du wirst erwarten, daß er mit einer *hellen und lebendigen Spannung sich zum Empfang bereite* und zugleich aktiv mache, denn er ist nicht Empfänger eines Vollendeten, sondern vollenden soll es sich ja erst an ihm – durch ihn.

Darum hat diese Richtung und Haltung des Gemüts nicht das geringste mit christlichem Quietismus gemein; kein einfach passives Sichleermachen, dasitzen, die Arme kreuzen und auf die »Gnade« warten.

Am ehesten könnte man den richtigen Zustand als *lebendige Passivität* kennzeichnen – im unendlichen Bewußtsein gibt es weder Bettelei noch Abhängigkeit, noch Gnade – auch diese sind noch Lügen; sein Inhalt aber ist nichts als Wahrheit, und die Qualität unserer Geistigkeit hat der seinen so ähnlich wie möglich zu werden. Nur dieses heißt: Gott nahe sein.

Ernstes und serenes Verlangen beweist durchaus nicht Mangel an Ehrfurcht – ist weder Insolenz noch Insult. Je mehr wir in den Atem des unendlichen Bewußtseins eingehen, desto mehr werden wir es verehren lernen; Flehen und Betteln aber sind nicht Verehrung. Der Bettler verehrt dich durchaus nicht, weder wenn er um deinen Schilling winselt, noch wenn er ihn erhalten hat. Die unendlichen Ströme der Kraft lieben jenen Geist und neigen sich ihm, der spricht: »*Ich verlange,* ein vollkommener Mensch zu sein. *Ich verlange,* den rechten Weg zu erfahren.« *Verlangen* ist ja *Forderung* und *Sehnsucht* in einem, es ist dein gutes Recht, und das unendliche Bewußtsein will, daß du endlich deine Rechte kennst und geltend machst. Es sagt: »All dies ist dein, wozu zögern und betteln.«

»Das ist rechte Einigkeit,
wo mich entsetzt nicht Lieb noch Leid,
ich bin entworden.«

Der Gott in dir

Als Geistwesen bist du ein Teil des unendlichen Bewußtseins und der unendlichen Weisheit. Als ein Teil von ihr bist du eine ewig wachsende Kraft. Sie kann nur zu-, nie abnehmen und hat, aus dem Abgrund der Zeiten kommend, sich ewig steigernd, deine Intelligenz zu ihrem heutigen Standard hinaufgebaut. Jedes deiner Leben hat unbewußt etwas an Kraft hinzugebracht. Jedes geistige Ringen, sei es gegen Schmerz, gegen Laster, Ringen um eine Fertigkeit, ein Geschick, ein Wissen, eine Kunst – Ringen mit dir selbst aus Unzufriedenheit, in Erkenntnis deiner Mängel – das alles war ein Vorwärtstreibendes – hinein zu steigender Macht, hinauf zu relativer Vollendung deiner selbst, und durch Vollendung zum Glück – denn Glück ist der Sinn des Lebens.

Heute sind mehr wünschenswerte geistige Anlagen dein eigen als je zuvor, gerade deine Unzufriedenheit, die steigende Selbstkritik beweisen es. Wäre der Geist nicht klarer, er würde diese Mängel nicht wahrnehmen, vor allem nicht unter ihnen leiden. In der Amplitude der Erkenntnisse schwingst du aber vielleicht jetzt eben durch den tiefsten Punkt. Du überbewertest deine Mängel im ersten Entdeckerschreck. Glaubst sie im Wachsen, und es ist nur optische Täuschung – aus der Annäherung an die Wahrheit entstanden. Der Gott in dir, die ewig ausblühende Kraft in dir hat einen Mangel deines Charakters aufgedeckt, aber noch nie war dieser Mangel seiner Ausmerzung so nahe.

Unter dem Haus befand sich eine verpestete Höhle und ein verborgener Infektionsherd. Das Aufdecken brachte gewiß keine vergnüglichen Sensationen, aber besser dran als vorher sind die Bewohner gewiß, und daß jetzt ausgemistet wird, da gibt's keinen Zweifel. Der Rutengänger »Erkenntnis«, der verborgene Jaucheadern findet statt der goldenen, ist größeren Lobes wert . . . niemand braucht vor seinen Fehlern zu erschrecken – sie sind in ihm gewiß, eben wie der Gott in ihm ist, der sie aufdeckte.

Seit neunzehnhundert Jahren ist dem Menschen immer gesagt worden, er sei ein »Sündenlümmel«, die Welt ein »Pfuhl«. Man hat es ihm so lange gesagt, bis man ihn wirklich fast soweit hatte, und die Welt glücklich auch. Der erste Satz des ersten Buches, den das chinesische Kind in der Schule lernt, lautet: »Der Mensch ist gut.« Jeden Menschen von vornherein als Gentleman behandeln, heißt, ihm die Pose so lang suggerieren, bis sie zur »zweiten« und schließlich ganz einfach »Natur« geworden ist.

Niemand braucht zu jammern: Wie soll ich all dieser Schwächen Herr werden, ich gebe es auf, weiter an mir zu bessern. Aber du besserst ja jetzt. Jeder geistige Protest ist eine Verwandlung der Seele. Nur kann nicht alles in einem Tag – einer Woche – einem Jahr vollbracht werden. Auch in künftigen Existenzen wird nie eine Zeit kommen, in der du gar nichts an dir zu bessern mehr finden dürftest. Die Verbesserung aber setzt notwendig ein Limitiertes voraus: das eben zu Verbessernde. Jeder Mensch baut sich auf aus neuen Farben, neuen Kräften als lebendigen Tempel Gottes, und der Eckstein, den die Baumeister verworfen hatten, ist die Selbstachtung, das große, heilige *Ich*; nicht das kleine von heute, aber das Idealbild seiner selbst, das jeder in sich lebendig austragen soll.

Kein Talent hört je zu wachsen auf, so wenig wie der Baum im Winter. Wer Malen, Deklamieren, Billardspielen lernt – irgend etwas, was immer es sein möge, der wird nach einer Pause von einem Monat oder einem Jahr oder auch von zwei Jahren erstaunt bemerken – ist nur die Fremdheit ersten Außerübungseins einmal behoben, um wieviel besser er es kann als früher; wie ihm neue Gesichtspunkte, neue Methoden in der Stille gekommen sind, ohne Denken, Wollen und Hinzutun seinerseits.

»Was ist der Sinn des Lebens?« – Niemand kann den Sinn des eigenen Lebens bestimmen, den bestimmt ein größeres Gesamtschicksal – ein Gesetz, das herrscht und führt. Wohin? Zu einer immer sich steigernden, grenzenlosen Befähigung für Glück. Mit immer feineren, weiseren, lichteren Organen in das Glück hineinwachsen, das tun wir alle täglich und stündlich – mag der Schein noch so sehr dagegen sprechen. Die Schmerzen, die wir leiden, stammen aus dem gleichen Wachstum des Geistes, *der uns immer härter und härter gegen das anpreßt, was des Elends Ursache, damit wir sie doch endlich merken sollen und diesen Schmerz als Beweis nehmen dafür, daß wir auf einen Abweg geraten sind und heraus müssen, koste es, was es wolle.* Und wem es todernst ist, wer aus tiefster Seele schreit nach dem rechten Weg, zu dem wird immer etwas kommen und ihn führen; denn es ist eines der tiefsten und feinsten Gesetze, *daß kein echter Ruf unerwidert bleiben kann*. Jedes starke, echte Verlangen oder Gebet muß das Erbetene bringen. *Menschen, die vom Mißgeschick verfolgt scheinen, können die anständigsten, die besten Menschen sein, aber sie sind »hartmäulig« an ihrer Seele*; sie merken absolut nicht, wohin sie das Schicksal haben will; wie ein Pferd, das immer wieder zitternd, unter Peitschenhieben vor dem Hindernis ausbricht. – Wo Leid ist, ist Irrtum – wo Schmerz ist, muß immer etwas falsch sein. *Schmerz ist der Kompaß für das Kurshalten nach den Inseln der Seligen.* – Es gibt in dem kleinen Kreis der Wissenden heute ein paar so in Harmonie mit dem Unendlichen, daß die Linie ihres Schicksals das Leid der groben Abwege nicht mehr kennt. Diese Wenigsten behalten daher absichtlich einen kleinen Defekt, irgendeine »schwache Stelle« ihrer Physis – um für ganz feine Abweichungen von der Wahrheit noch *eine irdisch körperliche Bussole zu haben,* etwas, woran auch der geringste Fehler offen, sozusagen noch fleischlich »ausschlagen« kann.

Der Sinn des Lebens! – Lerne so zu leben, daß jeder neue Tag die Sicherheit immer gesteigerter Fülle, immer feinerer und reinerer Freuden auf seiner Stirn trägt; daß so etwas wie »Stunden, die man totschlagen müsse«, nicht einmal mehr in der Vorstellung existieren können. Die animalische Seligkeit, das tierische Vergnügen an der Sonne, die Ekstase des Atmens: die lebenerhöhende genießen lernen; sich erheben über Krankheit und Leid, so Herr über den Gedanken werden, daß er fern, frei ausgesandt nach Willen, wie ein »Dshin« des arabischen Märchens dem Herren bringt, was dessen Begehr: Haus und Land, Nahrung, Kleidung, Freund und Geliebte – *alles ohne Raub oder Unrecht an anderen, denn der »Dshin« schafft – er nimmt nicht.* So an Macht gewinnen, daß der Geist nach Belieben seinen Körper veredeln, verjüngen, verwandeln kann und ihn behalten nach Lust, ohne daß einer seiner Teile sich schwäche, welke oder verfalle. Von immer neuen Brunnen der Freude trinken und von dem Trunk anderen reichen, immer ein Geber, ein Bringer werden, allen willkommen, niemandes Feind . . . *das ist der Sinn des Lebens,* in Regionen, *wo Menschen,* ebenso »real« wie wir, nur lebendiger als wir, gelernt haben und immer noch weiter lernen, den Himmel aus der Erde zu schöpfen. – Das ist unabänderliches, wenn auch fernes Schicksal jeder individuellen Seele – es gibt einfach kein Entrinnen vor dem endgültigen Glück. In dem Maße, als der Geist durch seine Leiber wächst, lernt er alle Qualen, die er leidet oder gelitten hat, als weise Püffe werten, um ihn aus Sackgassen herauszutreiben in die Richtung, die von allem Leid wegführt:

einer Lebenserhöhung entgegen, in der die Zeit dahinsinkt wie in einem erregenden Schauspiel, in der Liebesekstase, in Musik und herrlicher Gefahr.

Auch das indische Nirwana ist nichts außerhalb des Menschen Liegendes. Es ist hier in der Lotosblume des Herzens: »Geist ist sein Stoff, Leben sein Leib, Licht seine Gestalt«. Und die Reihe der Entwicklung: ein nur aus Nahrung bestehendes Selbst, in diesem steckt, wie in einer Kapsel, das odemartige Selbst, in diesem das emotionelle Selbst, in diesem wieder das erkenntnisartige, das »manasartige«, genannt, als innerstes endlich das *wonneartige Selbst* . . . »fürwahr dieses ist die Essenz, denn wer die Essenz erlangt, den erfüllet Wonne, denn wer möchte atmen, wer leben, wenn in dem Weltraum nicht diese Wonne wäre. Er (der Atman, der Geist) ist es, der diese Wonne schaffet, denn wenn einer in diesem Überkörperlichen, Unaussprechlichen, Unergründlichen den Frieden, den Standort findet, dann ist er zum Frieden eingegangen, wenn aber in ihm noch eine Höhlung ist, ein anderes, dann hat er Unfrieden, *es ist der Unfriede des, der sich weise dünkt*« (Vedanta).

Es kann nicht oft genug betont werden: In der *Serenität* liegt das Geheimnis aller Erfüllung. Nicht polternd hoffen, nicht reißend begehren, nicht sein Herz heraussehnen! Nur milde Gewißheit festhalten durch Schlaf und Wachen, daß jede Arbeit, jede Mühe, jedes Unternehmen gelingen *muß*. Daß Entfaltung, Steigerung im Heute nur Stufe sind zur Steigerung und Entfaltung im Morgen. Die Reise nach fernen Ländern, die du erträumst, hat deinem Herzen so sicher zu sein wie der morgige Sonnenaufgang. Unruhe, Sorge sind sinnlose Worte geworden dem, *der weiß*, seine ureigenste Mission, sein Triumph – als Maler oder Redner, Bildhauer, Architekt, Kaufmann, Erfinder, sei etwas so von selbst Verständliches, wie die Treppe hinaufzugehen.

In einem relativ vollendeten Leben muß es so kommen, wenn uns die richtige und fruchtbare Anwendung der Gedankensubstanz – ihre anziehenden und abstoßenden Kräfte so vertraut geworden wie Atmung und Herzschlag jetzt . . ., wenn wir lebendig erkannt haben werden, der richtig geformte Wunsch sei ein geistiges Seil, um Gelegenheiten, Kräfte, Mittel, Helfer so gewiß heranzuziehen, wie der Muskel des Armes ein Ruderboot mit dem Tau ans Land zu ziehen vermag.

Wir geben ja auch heute ruhig ein Telegramm auf und sorgen uns herzlich wenig, daß es den Bestimmungsort etwa nicht erreiche, weil wir über das wahre Wesen der Elektrizität noch so gut wie gar nichts wissen. Ob sie ein magnetischer Wirbel im Äther, ob es überhaupt einen Welttäter gebe oder ob dieser bloß als Hilfshypothese zulässig und wenn, ob als ideale Flüssigkeit zu denken oder röhrenförmig und von der Zähigkeit des Stahles? All das sind Fragen der mathematischen Physik, und da diese – *es ist das eben ihre Größe und ihre Qualität* – durch ungeheure Denkumschaltung alle zwanzig Jahre sich von Grund aus ändert, so wissen wir heute ebensowenig, was Elektrizität ist, als zu Zeiten Franklins, *aber sie verwenden haben wir gelernt,* und eine dieser Verwendung ist, sie Botschaften tragen zu lassen. *So ist auch die Verwendung der Gedankenkraft eine rein praktische Frage, ist Sache des Experiments* – das steht jedem offen – soll gerade von jedem höchst persönlich erprobt werden. Wer die psychischen Phänomene, wie sie hier gelehrt werden, ohne Probe ablehnt, einfach aus dem Grund, weil sie unerklärlich scheinen, müßte auch logischerweise es ablehnen, sich mit den Einrichtungen von Telephon und Telegraph bekannt zu machen, insolange ihm das Wesen der Elektrizität selbst unbegreiflich bleibt. *Eigentlich dürfte dieser Vorsichtige auch nicht leben* – denn was Leben ist, weiß niemand.

Ehe Menschen die Elektrizität zu verwenden wußten, war ebensoviel von ihr da – war sie ebenso gewaltig wie heute, für unsere Bequemlichkeit, unsere Macht aber so gut wie nicht vorhanden, weil uns eben Methode und Übung abgingen, ihr Kraft und Richtung zu geben. Die überwältigende Macht der Gedankenströme wird bis zum heutigen Tag nicht nur vergeudet, nein ärger: Durch Unwissenheit und lebenslange Gewohnheit arbeiten wir unsere Batterien nach der verkehrten Richtung. Schlag auf Schlag wird Übelwollen, Neid, Hohn und Gegrinse – irgendeine Form von Gemeinheit und Häßlichkeit akkumuliert und dann entladen – alle reale Gedankensubstanz durch üble Transformatoren geleitet – anderen *vielleicht* zum Schaden und uns gewiß.

Der Eckstein aller erfolgreichen Bemühung in dieser und jeder anderen Existenz: nie in Gedanken etwas unmöglich nennen. Nie auf den ersten Impuls hin eine noch so wilde oder verwegene Idee abweisen. *Erst abwarten, bis die Instinkte sich gesammelt haben,* denn sie sind nicht immer präsent. Dann erhebt sich vielleicht erst *jener feine Schauder der Frühe, an dem nur jene teilhaben, die im Aufgang der Dinge stehen.* Das größte und reinste Wunder – wäre es allen sichtbar, dauerte aber nur einen Augenblick –, *es fiele durch das Hirn der Menschheit glatt durch. Je verblüffender, phantastischer ein Gedanke, um so mehr Zeit muß ihm zur Wirkung zugebilligt werden.* »Unmöglich« zu rufen, weil etwas unmöglich scheint, heißt die verhängnisvolle Gewohnheit der Ablehnung überhaupt züchten. Das Bewußtsein ist da wie ein Gefängnis voll verriegelter Türen gegen das Unendliche, *draußen* und *drinnen* bleibt einsam der eine *kleine Mensch*. Zu irgendeinem Ziel in sich »unmöglich« sagen – zu ewiger Jugend, zur Unsterblichkeit im Fleische, ist Sünde wider den Geist, da es ihn hindert, durch dich hindurch sich selbst zu wirken. Oder ist es nur Verzögerung? Denn stemm dich, wie du willst, stell dich quer, strample im Leeren, es gibt auf die Dauer keinen erfolgreichen Widerstand gegen die Vervollkommnung aller Dinge (dich inbegriffen), aber mit jedem vorlauten »unmöglich« *wird eine passagere Barrikade aufgeworfen.*

Stets sich sagen: Es ist möglich für mich, alles zu werden, was ich bewundere. Es ist möglich für mich, Schriftsteller, Künstler, Redner, Erfinder zu werden – gleichwie schön, geschmeidig, gesund und glücklich. Dann hast du die Türen weit geöffnet in den unsichtbaren Tempel des Inneren. Das »Ich kann nicht« war der Riegel, der dich vor dir selbst verschloß.

»Gegen jede Hoffnung hoffen« ist eine hohe Weisheit, die bisher nur von der *Liebe* erreicht wurde. *Die weiße Magie des Wünschens* wird keiner aus fremder Erfahrung lernen; seien Zeugnis und Beispiel noch so einleuchtend, die Wunder des fremden Lebens noch so gewaltig. Diese können immer nur als Anregung, als ein Vorschlag dienen, nie als Beispiel, denn wie es allgemeine Gesetze gibt, denen alle unterstehen, so auch individuelle, weil eben jeder Mensch einzig, unvergleichbar und unersetzlich ist. Ich kann nicht in deiner Spur zum Glück gelangen und du nicht in der meinen, *denn wir kommen aus verschiedenen Richtungen der Ewigkeit her.* Unsere Wesenskerne sind mit Leben, das *einander fremd,* behangen – nicht zwei Worte haben für zwei Menschen die gleiche Bedeutung, geschweige die gleichen Erfahrungen. Wenn der Eisbär jauchzt, bekommt der Tiger Frostbeulen . . .

Jedes Wesen muß die allgemeinen Gesetze individuell auswirken. Es ist ein allgemeines Gesetz, daß Wind Segelschiffe vorwärtstreibt, nicht jedes Schiff wird aber seine Leinwand gleich setzen. Es ist allgültiges Gesetz, daß Gedanken fern vom Körper einander beeinflussen und Resultate in der Körperwelt wirken, daß diese zum großen Teil abhängig sind von der Gedankenfärbung jener, mit denen wir, unbewußt im spirituellen Ozean, uns vermischen. Gerade deshalb aber wäre es verfehlt für mich, sähe ich jemanden von weit überlegenem Geist seinen Weg vorwärts finden, wollte ich seine Lebensweise, seine Methoden, seinen Verkehr sklavisch nachahmen. Wir haben Eisen und Phosphor und Schwefel, organi-

sierte Minerale, Verbindungen und Aberverbindungen aller chemischen Elemente in einer Feinheit und Variation in unserem
Körper, welche die physiologische Chemie noch lange nicht erschöpft hat. Wir haben in unserem geistigen Wesen die unsichtbaren Korrespondenzen all dieser Elemente und ihrer Verbindungen –
subtil und unendlich verschieden gelagert bei jedem einzelnen. Wer
also, außer dir selbst, vermöchte die besonderen Aktionen und
Reaktionen dieser einzigen Zusammensetzung, die dein ICH ist, zu
beurteilen und zu lenken? Du mußt deine Freunde, deine Nahrung,
deine Bewegung, alle hygienischen Maßnahmen des Leibes und der
Seele selbst herausfinden durch Schärfung der Instinkte. Daß ein
Mensch heute erst einen Arzt fragen muß, was er essen soll . . . der
es ebensowenig weiß, solche Instinktfremdheit kommt ja in der
ganzen Natur höchstens noch bei einigen degenerierten Raub-
ameisen vor, die nicht einmal mehr ihr Futter selber finden können
und sich von Sklaven füttern lassen müssen. *Der Arzt versteht im
besten Fall etwas von Krankheit, aber nichts von Gesundheit*, schon
des seltenen Vorkommens der letzteren wegen. Er ist ja mit norma-
len, gesunden Menschen sein Leben lang nicht in Berührung. Daher
die wahnwitzigen Statistiken über die dem Menschen täglich nötige
Eiweißmenge, zu der beispielsweise der große Liebig kam, weil er
lauter aufgeschwemmte, mit Bierbäuchen behaftete deutsche Cou-
leurstudenten zu Versuchsobjekten hatte, miserable Motoren,
dreifachen Heizstoffes bedürftig. Wegen dieser am »untauglichen
Objekt« konstatierten Eiweißmenge wurde dann die Blutbahn ganz
normaler Menschen, besonders *Kinder*, in ganz Europa durch
dreißig Jahre mit Eiweißgiften überladen; Blinddarmentzündun-
gen, Gicht und Stoffwechselerkrankungen geradezu gezüchtet.

Jeder bessere Mensch hat in jedem Zweig seiner Tätigkeit, sei es
Kunst, Wissenschaft, Geschäft, seine besonderen Methoden, so
eigen, so differenziert, daß, wollte er sie erklären, kein Wortgitter
fein genug wäre, sie zu fangen – und was seinen Leib, den Kern
seiner Sinne betrifft . . . da müßte er einen anderen fragen? Von
früh auf Geruch, Geschmack, Gefühl schärfen an *zarter Kost*; nicht
bei jeder Kleinigkeit sich als Medikament *relativ* »*tonnenweise*« in
den Organismus schütten lassen, was dieser in homöopathischen
Quantitäten selbst als Regulativ produzieren kann und soll.

Gewiß können Menschen mit größerer Erfahrung, allgemeine
Gesetze betreffend, viel nützen und helfen, besonders als Erreger;
durch Hoffnung, die Kraft, den Mut, die sie verbreiten. Mit ihnen
zu bestimmten Stunden, womöglich immer im gleichen Raum,
zusammenzutreffen, sich zu besprechen in ernster und freundli-

cher Weise, ist von unabsehbarer Wirkung. Aber wer irgendeinen Menschen, Mann oder Frau, Prophet oder Heiligen, als *unfehlbaren Führer und Autorität annimmt* und genau tut, was er sagt, ist aus der Richtung gekommen, denn er macht die Experimente eines anderen, der, anders in seinen Elementen zusammengesetzt, auf die Umwelt verschieden reagiert und sie auf ihn.

Sich an einen Menschen hängen, ist immer ein Zeichen für *die Sünde der Furcht.* Am Kleinen, scheinbar *Sicheren,* weil *Sichtbaren* kleben, statt der unerschöpflichen, unendlichen Kraft selbst sich hinzugeben! In ihr zu schweben, sich an ihr hinaufgleiten lassen in das Lichte! Diese Kraft selbst wird nie ein Geschöpf erblicken, es sei denn in ihren wechselnden Gestalten: Sonne, Sternen, Blumen, Tieren; doch an ihm ist es, sie in sich selbst als *den künftigen Erzengel der Erde* in neuer Form zu verkörpern. Diese Kraft arbeitet in jedem, ob Mann, Frau oder Kind. Ganz gleich, auf welcher Stufe des Lebens, der Intelligenz oder der Ethik sie stehen mögen, *heute* sind sie klüger, stärker, besser als je zuvor, mag der Schein noch so sehr dagegen sprechen. Der Drang nach Verfeinerung, in allen Formen von Natur und Geist sich herauswindend aus der Materie, ist bis zu einer bestimmten Stufe der Entwicklung unbewußt. Der sehnsüchtige Gott ist an der Arbeit – auch im Betrunkenen, während er in den Straßengraben rollt. Der Geist will überall heraus und herauf: aus dem gemeinsten Lügner, dem verächtlichsten Schuft, und ein großer Fehler ist es, von irgendeinem zu sagen: »Er sei vor die Hunde gegangen«; man solle ihn endgültig fallen lassen. Dieser Gedanke wirkt wie ein psychischer Stoß, der durch das Unsichtbare geht und den Menschen in die Brust trifft. Er wirft ihn zurück, ist ein retardierendes Element in dem blinden Mühen, aus einer Wolfsgrube innerhalb der Inkarnation herauszukommen: so wie der stumme Gedanke eines anderen gewiß auch *uns* unabsichtlich und oft gehindert hat, aus solch einer Patsche zu kommen: Patsche der Unentschlossenheit, Patsche der Abhängigkeit, der schlechten Laune, hämischer und hassender Gedanken. Jedes wegwerfende Urteil schadet nicht nur dem Verworfenen – es verschlechtert die Aura der Welt – hält sie ein winziges bißchen auf.

»Was mich nicht umbringt, macht mich stärker.« Das Ringen gegen die ewig krittelnden, hämischen, niederzerrenden Ausstrahlungen der Umwelt können einen Menschen auch zu einem Punkt bringen, wo er, *plötzlich positiv geworden,* sich stählt und durch die Welt hindurchfährt wie ein Schwert. Die Kraft des rein positiv gewordenen Menschen ist maßlos, maßlos die Wirbel, die er durch seine gegenläufige Bewegung plötzlich im Geistäther erzeugt. Nur

muß er *einmal, irgendwann, irgendwo* wieder eine Insel seinesgleichen finden, *wo er negativ aufnehmend* werden kann. Pausenlos positiv sein, hält niemand ein Leben lang aus.

Jeder aber hat das Recht, einer nörgelnden Umwelt zu sagen: »Ich ziehe zwar Zustimmung vor, hänge aber von keinem fremden Ja und Nein ab; *der Gott in mir ist die einzige Instanz, die ich anerkenne.* Vor seinem Urteil fällt jedes Sophisma dahin, und an den Runzeln seiner Braue bricht sich alle Flucht.«

Es wird im realsten Sinn niemandem nützen, sich bei Mord, Betrug und Diebstahl mit unwiderstehlichem Zwang, mit Neurosen und Psychosen, sechserlei pathologischen Fachworten und sieben Sachverständigen herauszureden. Juristisch vielleicht – nach dem natürlichen und unendlichen Recht niemals, das seine eigenen Ahndungen für jedes mögliche Abirren hat. *Die heutige Menschheit in dem kritischen Stadium ihrer Entwicklung, in dem sie schon Geistmacht genug hat, um gigantische Fehler zu begehen, leidet daher vielleicht mehr unter diesen Ahndungen als je und lebt infolgedessen in einer Haßhölle.* So vielgestaltig ist gewiß noch nie gehaßt worden: Nicht nur nach Kasten und Schichten, vertikal und horizontal wird gehaßt – nein, auch noch in die Diagonale von Volk zu Volk wird »patriotisch« gehaßt und über quer von Partei zu Partei . . . dazwischen zickzacken noch, wie gesprungene Äderchen am Leib der Menschheit, die zahllosen Privathasse von Herz zu Herz; alles nur, weil der Geist schon so stark geworden ist, daß sein Stemmen gegen die unendlichen Gesetze viel größere Wirkungen auszulösen vermag als bei Tieren und primitiven Wesen.

Nun aber sind der Qual und Leiden so viele geworden, das Falsche, ohne daß man wüßte, worin es besteht, lastet so erdrückend, daß auch die Sehnsucht, doch mehr über die Gesetze, an die all dies gebunden ist, zu wissen, übermächtig zu werden beginnt, auch im Stumpffesten. Darum wird dieser Sehnsucht entsprochen . . . diese Fragen beantwortet werden; ist es doch das Naturgesetz kat' exochen: Wessen der Menschengeist verlangt – das muß sich ihm, je nach Kraft und Zahl der Wünschenden, rascher oder langsamer erfüllen. Je größer die Zahl der Fragenden, um so rascher, um so vollständiger wird die Antwort sein.

Es gibt ein magisches Wort, das den Kosmos zwingt: »Ich will« – mit dem Blut gesagt – mit den Generationszellen – mit der Seele.

Dampfkraft kam der vorigen Generation in ihrer Sehnsucht nach Überwindung des Raumes entgegen, das Fernsprechen, das Fernhören verwirklichte die Elektrizität. Beide waren ja immer schon da, aber es fehlte die weiße Magie wünschenden Verlangens in Millionen, um dann in den paar Hunderten zum Erfindergeist zu werden, und gerade aus diesen Kräften sich die Erfüllung zu holen. Doch auch sie sind nur wie Strohhalme als Wegweiser zur Entdeckung weit mächtigerer, weit feinerer und innerlicherer Hilfen – nicht Elementen draußen, Elementen drinnen, unsichtbaren, die dich und mich machen.

Die Unrast, das Unbehagen, dies »um Gottes willen anders« und »So kann es nicht weitergehen« von Millionen heute hinausgeschrieen als *gefluchtes Gebet,* reißt die Rasse aus dem Übel oder aus den dumpferen Formen, was identisch ist.

Es gibt zwei Wege tiefster Erschütterung, auf daß der Mensch außer sich gerate und also über sich hinaus: *der Weg der Qual und der Weg der Freude.* Der Weg der Freude hebt an, sobald die rein und instinktiv erkannten Gesetze des unendlichen Bewußtseins befolgt werden, nicht aus Angst vor dem nun wohlbekannten Leid, das jedes »Dagegenleben« auslöst, nein, aus innerster Bejahung.

Schiller definiert die Tugend als »Neigung zur Pflicht«. Faßt man »Pflicht« nur weit genug, als Harmonie mit dem Unendlichen, dann ist Tugend eben schon der *Weg der Freude.* Wir meinen: wenn die Menschheit zu dem weiseren Kurs sich überreden läßt aus Begier nach dem Entzücken, das er bringt – aus Entdeckerfreude an dem Entschälen neuer Kräfte. Man ißt mit Maß von zarten Dingen, weil die Erfahrung eben gelehrt hat, wie sehr der Geschmackssinn auf diese Art sich steigert und mit ihm der Genuß. Wie Geruch und Geschmack in letzter Linie Heilinstinkte auslösen, von denen ein mit Tierblut, Nikotin und Alkohol versumpfter Leib sich abgeschnitten hat. Man wird liebenswürdig und rücksichtsvoll gegen einen Freund sein, nicht aus egoistischer Furcht, ihn sonst zu verlieren, nein, weil liebenswürdig sein und rücksichtsvoll sein zur angenehmen Sensation geworden sind, wie das Atmen klarer und ozonisierter Luft. Alles hängt an der Verfeinerung – Vergeistigung, bis eben die Wandungen der Materie zwischen Mensch und Mensch fein genug geworden sind, um jede Zuckung durchvibrieren zu lassen als tat-twam-asi: das bist du. Je und je war Furcht das Fundament aller Gesetze, von nun an soll es die Freude sein. Der ganze Angstkomplex »Sünde« soll aus dem Bewußtsein der Menschheit gelöscht werden. Der »Versucher« wird künftig nur noch von der anderen Seite kommen . . . wird »verführen« zu Güte, Weisheit und Verfeinerung durch die Werbekraft steigender Freude. *Die Warnung durch Qual war nötig, solange die Menschheit roher war.* Sie war nur mit der Peitsche zu erreichen . . . die Rasse war seelenblind, mußte somit durch schmerzhafte Püffe halbwegs wenigstens Richtung halten lernen. Bei klarem Sehen aber – und die Rascheren, die Feineren aus der Rasse haben schon angefangen damit, wird Leiden überflüssig. *Brauche ich denn einen Mann mit einer Keule, um mich zu einem Fest zu treiben?*

Das Gesetz des Erfolges

Erfolg in allen Unternehmungen, seien sie nun praktischer oder ideeller Art, kommt als Auswirkung eines Gesetzes, nie als Zufall: Zufall wäre Willkür, die im gesetzmäßigen Ablauf aller Naturvorgänge keinen Platz hat. Alles ist durch den Denkzwang von Ursache und Folge unentrinnbar aneinander geknüpft: *Wenn ich den kleinen Finger bewege, so muß das bekanntlich eine Umlagerung des gesamten Kosmos zur Folge haben*, wenn auch eine unwägbar geringe auf dem Sirius oder auf der Milchstraße.

Da die Naturgesetze nicht an der Gehirnrinde aufhören können, so ist auch unser inneres, geistiges Schicksal so wenig durch Zufall entstanden wie das des Baumes aus dem Samen. Es ist das Produkt wirkender Gesetze, und in dem Maße, als unsere Erkenntnis ihrer Eigenart wächst, werden wir sie, gleich dem Wasserfall, gleich Dampf und Elektrizität, uns dienstbar zu machen verstehen.

Der ganze Komplex von Denken, Fühlen, Hoffen, Wollen – das ist unser wahres Ich, nicht der Körper.

Diese Gedankensubstanz strömt aus uns – um uns, von einem zum anderen, bewegend, beeinflussend und: ». . . was unterscheidet Götter von Menschen? Daß große Wellen vor ihnen hergehen; uns hebt die Welle, uns trägt die Welle und wir versinken.« *In diesem Sinn aus Menschen Götter machen, das wollen diese kleinen Essays lehren.*

In der Kraft der Wellenzüge, die vor uns hergehen, liegt alle wahre Macht. In dem Maße, als wir lernen, sie zu erregen, zu steigern, zu lenken, werden wir mehr erfolgreiche Leistungen in einer Stunde zu vollbringen vermögen als jetzt in einer Woche. Durch Übung wird diese Macht unaufhörlich noch wachsen. Hier und nur hier liegt die Wurzel aller Wunder, aller Magie und okkulten Kräfte in alter Zeit. Denn ein Wunder steht nicht im Widerspruch mit der Natur, sondern nur mit dem, was wir bisher von der Natur wissen. Und übersinnlich heißt noch lange nicht übernatürlich.

Unsere vorherrschende Stimmung hat mehr mit Erfolg oder Fehlschlag jedes Unternehmens zu tun als irgend etwas sonst . . . mehr als Arbeitskraft, Intelligenz, Scharfsinn und Fleiß. Jedes einzelnen Geist ist eine Summe psychischer Substanz – zusammengetragen aus dem unendlichen Abgrund der Zeiten – aufgebaut aus der Erfahrung und Erinnerung vieler Leiber. Diese psychische Substanz wirkt wie ein Magnet. Sie hat die Kraft, Gedanken anzuziehen und Gedanken wieder von sich strömen zu lassen, auch – gleich dem Magneten – durch Arbeit immer stärker zu werden . . . *Wie jedes gewöhnliche Stück Eisen magnetisch gemacht wird durch Kontakt, so kann auch der gewöhnliche Mensch, der scheinbar Unbegabte, geistige Kräfte an sich ziehen und dadurch selber geistig schöpferisch werden.* Welchen Strömen er sich eröffnet . . . das wird die Qualität seiner Ladung bestimmen. Strahlt von ihm Entschlossenheit, Hoffnung, Freudigkeit, Kraft, Gerechtigkeit, Geduld, Ordnung und Präzision aus, so muß er im Lauf der Zeit immer mehr von diesen Gedankenelementen in sich aus der Umgebung heranziehen, *diese aber gehören schon zum Komplex des Erfolges selbst.* Es bildet sich ein magnetischer Wirbel, der im Unsichtbaren immer rascher die gleichgerichteten Kräfte dem Zentrum zuführt, denn die eigenen Elemente sind jetzt draußen im Raum und bringen ihresgleichen zu uns in Körpern, denen wir in der Zukunft begegnen sollen, die bestimmt sind, uns zu fördern oder zu vernichten, *es sind jene, mit denen unsere Fluida sich längst vermischt hatten fern vom Leib.*

Wo entschlossener Gedanke auf entschlossenen Gedanken stößt und beide sich vereinigen zu gleichem Zweck, muß aus solcher Vereinigung verdoppelter Erfolg erwachsen, seien die Körper, durch die sie wirken, im gleichen Haus oder durch Meere und Länder getrennt . . . Wer aber Entmutigung, Zorn oder irgendeine Form übler Laune als domonierende Empfindung züchtet, sendet auf Hunderte und Tausende von Meilen in der Runde die Magnete für Hoffnungslosigkeit, Kleinmut und Ungeduld aus, als reale Teile seines Selbst, mit ihresgleichen zu verschmelzen, zu wachsen und schließlich auch im Leib jene Pechgenossen zusammenzuführen, die sich gegenseitig an Gesundheit und Glück schädigen müssen.

Bist du imstande, fest, klar – *serenen* Geistes ein bestimmtes Ziel zu verfolgen, das auf *Recht basiert* (klingt das wie ein moralisches Traktätlein? – Geduld, *es klingt nur so!*), so hast du damit die stärkste schweigende Kraft in Bewegung gesetzt, die es überhaupt gibt, um dich mit jenen Gelegenheiten, Menschen und Verhältnissen in Verbindung zu bringen, deren dein Ziel zur Verwirklichung bedarf. Ist dein Plan nicht auf *Recht* basiert, so bleibt diese geistige Kraft ebenso in Bewegung, nur daß ihr Nutzeffekt in seinen letzten Auswirkungen für dich weniger vorteilhaft sein wird als wenn das Ziel zugleich auf deinen höchsten ethischen Idealen ruht.

Willst du durch Betrug und Hinterlist gewinnen? Es geht auch so – gewiß! Du wirst dann auf gleichem Wege durch gleiches Gesetz, betrügerische und hinterlistige Gedanken – als Herolde von Körpern anziehen: deine zukünftigen Kompagnons und Kompliken, denn unsaubere Gedanken herden sich zusammen kraft natürlicher Gravitation. Ganz zum Schluß aber schaden sich Gauner immer gegenseitig auf irgendeine Weise. Nun pflegen aber nicht wenige Menschen zweifelhaften und schäbigen Methoden, insofern sie Erfolg versprechen, zwar nicht restlos abgeneigt zu sein, im Privatverkehr aber ziehen sie noble Geister entschieden vor, einfach, weil diese stets die Gebenden . . . *die wahrhaft Anregenden und Beglückenden* sind und – *man bei ihnen sicher ist.* Diese angenehme und erfreuliche Trennung zwischen Geschäfts- und Privatverkehr schließt aber das Gesetz der psychischen Korrespondenz nicht aus – *die Gedankenströme halten sich an keine Bürostunden und auch der Privatverkehr muß vergaunern.*

Betrug, einfach um der Freude des Betrügens willen, aber ist doch fraglos selten unter den Menschen. Meist soll er doch nur Mittel zum Zweck sein. Wird erst den Leuten offenbar, daß richtige Ausnützung der Willenswirbel – der Ströme und Energien im freien Ozean der Gedanken, ebenso rasch zu Erfolgen führt und dabei alle Vorteile der sonnigen und hochschöpferischen Art in sich vereinigt, dann wäre doch wirklich nicht einzusehen, warum sie diese nicht vorziehen sollten. *Jetzt stehen die Leute ja meist vor der Wahl zwischen dumpfer, wehrloser, passiver Anständigkeit und dem schlauen, beweglicheren Betrug. Die werteschaffende – die strahlende – die geniale Anständigkeit – trauen sie sich eben einfach nicht zu. Die meisten werden Schufte rein aus falscher Bescheidenheit. Diese werteschaffende – strahlende – geniale Anständigkeit ist aber, das lehren wir ja eben, keine Feengabe in die Wiege der Begnadeten, sondern allen zugänglich, allen gleicherweise erreichbar, einfach durch die weiße Magie wünschender Sehnsucht.*

Daß ganz junge Menschen manchmal in verblüffend kurzer Zeit, scheinbar über Nacht, Staunenswertes erreichen, liegt daran, daß die Zielstrebigkeit der jungen Phantasie eben noch viel reiner, ungebrochener im Geistigen wirkt – noch weniger durch *lügnerische* Scheinerfahrung getrübt ist und daher imstande, den gewiß

schon *von früh auf gehegten Kindertraum, den niemand kannte
. . . in den keine Erzieherklaue Risse hineinfetzen konnte*, ungestört in seiner ganzen Pfirsichoberfläche, aus dem Rosenroten in die
Wirklichkeit zu heben . . . denn auf was immer man *in sonniger,
klarer Träumerei — in siegender Leuchtkraft den Entschluß richtet*,
das beginnt als zartes Gedankengerüst in einem unsichtbaren Nebel
von Leben bauende Kräfte als liebe Helfer an sich zu ziehen. Der
Äther um uns ist voll solch zarter Konstruktionen: *glimmernde
Traumskelette noch ungeborener Wirklichkeiten*. Aber wie wenige
von ihnen zu Ende bauen, haben wir die Konsequenz — wir, denen
ein einziger unvollendeter Skyskraper (Wolkenkratzer) als heller
Wahnwitz und verlorener Kapitalaufwand eine Unmöglichkeit
dünkte —, wir schicken den braven kleinen Minuten, die da an
Unschätzbarem mit Freudigkeit, Heiterkeit, Unbekümmertheit
hämmern, immer wieder Scharen mit zerstörender Gegenordre:
mit Grant, Übellaune und Zweifel entgegen — bis alles glücklich
abermals dem Erdboden gleich ist . . . dann fangen wir woanders
von vorn an und schimpfen auf unser »*Pech*«.

*Wenn die Leute nur endlich einsehen lernten, daß Luftschlösser
fertigbauen das solideste Realitätsgeschäft ist und der Grund sie
noch obendrein gar nichts kostet.*

Wer der Stimmung Einlaß gewährt (und das heißt denken), er
könne in irgendeiner Unternehmung nicht reüssieren, der wird mit
Hilfe dieser Stimmung, die wie die Nebenhülle um den Kern eines
Kometen um ihn steht, andere mutlose, abhängige »kann-nicht«-
Gedanken aus dem Raum an sich ziehen und sich damit den
mutlosen und abhängigen Körpern nähern, denen sie vorangehen;
wird seine sonnigen Freunde, seine Gesundheit, sein Unterneh-
mertalent einbüßen und zum Schluß nur mehr in persönlichen
Kontakt mit Leuten kommen, die sich gegenseitig zum Ruin verhelfen.

Denn die Gedankenkraft läßt sich wie eine Lokomotive verwenden: Man kann in herrliche Gegenden mit ihr fahren oder sich von
ihr den Kopf abreißen lassen . . . ganz nach Belieben.

Wer still und unverrückbar in seinem Herzen an einem lebendigen Wunsche baut, entschlossen zu siegen, zieht aus dem unsichtbar Flutenden so sicher Hilfskräfte in sein Geisterschema, wie der
Embryo planmäßig und unbewußt zugleich aus dem mütterlichen
Blut unfehlbar alle Elemente an sich zieht, die er in jedem Stadium
der Entwicklung gerade braucht . . . *dem Wollenden ist der ganze
Kosmos sozusagen die Placenta für seine Tat.* Unter »Hilfskräften«
ist in erster Linie gemeint: stets wachsende geistige Fruchtbarkeit,

neue Wege, neue Mittel zu entdecken: »*es*« *fällt uns etwas ein* . . . »*es*« *verwirklicht* »*sich*« . . . die Sprache weiß das schon lange, und *grammatikalisch* verwenden alle auch ganz richtig dieses große schaffende »*Es*«, nur noch nicht praktisch. In zweiter Linie aber werden die »Hilfskräfte« in der wachsenden Fähigkeit bestehen, immer den geeignetsten Menschen zur Förderung unserer Pläne zu begegnen.

Verschwende nie deine Kraft, nach solchen Hilfskräften und Helfern mit deinen körperlichen Sinnen zu suchen. Laß Unbewußtes das allein besorgen, du selbst hast nur die Stimmung festzuhalten. Eine werdende Mutter wird ja auch den Embryo sich möglichst ungestört nach seinen eingeborenen, geheimnisvollen Gesetzen aufbauen lassen, die ihn schließlich ans Licht treiben . . . sie hat nichts zu tun, als »*guter Hoffnung*« *zu sein*. . . noch besser »*froher Hoffnung*«. So auch der Geist, wenn er mit einem Plane schwanger geht.

Unaufhörliche Entschlossenheit denken – unaufhörliches »Vorwärts« denken – *nichts tun, als es denken, nicht nur mit dem Gehirn, mit dem Herzen, mit jeder Bewegung, jeder Zelle, das wird, das muß eine Kraft erzeugen, um Resultate so sicher in die Wirklichkeit zu heben wie der Kran seine Last.* Die Gewalten, dem Geist aus dem Unsichtbaren angeboren, werden auch, während der Leib bewußtlos liegt, weiterwirken: »den Seinen gibt's der Herr im Schlaf«; sie erwachen und sehen alle Wege offen, lauter neue Pläne, neue Methoden konvergieren zum geliebten Ziel. Diese neuen Pläne sind es, die den Körper selbst in Bewegung setzen werden, denn niemand kann mehr stillsitzen, sieht er alle Erfüllungen schon leibhaftig vor sich: nun ist der Moment zum Handeln gekommen, zum raschen, sicheren Zugriff. Aber man kann schon vor dieser *Tatreife* so abgerackert sein in seinem Leib durch sinnlose Jagd nach »günstigen Gelegenheiten«, daß dann die Frische fehlt, jene erlösende Idee aufzunehmen, wenn sie wirklich kommt. Jeder geschäftliche Erfolg basiert aber auf dem ständigen Einströmen neuer Pläne, Gedanken, Kombinationen und Einfälle.

Unser unsichtbares Ego verwendet den Körper zur Verrichtung materieller Leistungen, etwa beim Fällen eines Baumes, genauso, wie wieder der Holzfäller die Axt verwendet: Ist dieser fertig, so legt er die Axt nieder und geht spazieren . . . in die Feierstunde und in die Freiheit hinein.

So geht das geistige Ego – dieser schwebende Komplex von Gefühlen, Gedanken, Aspirationen, im Freien spazieren, während der Körper im Schlaf liegt, und ist imstande, nun sein ganzes Wesen

zu entfalten, angezogen oder abgestoßen von den anderen Egos . . .
gleich ihm Zentren verdichteten Geistes im unendlichen psychischen Äther.

Wohl wirkt unser Gedanke auch im Wachen für oder gegen uns
. . . fern und nah bei den Menschen, zu denen er gravitiert; doch ist
seine Macht während des Körperschlafes um vieles stärker, weil
weniger behindert durch Hemmungen und Vorurteile der kleinen
Täglichkeiten, wie sie auch dem mutigsten Willen noch anhaften.
Darum erscheint es besser, im Wachen nicht allzu fest sich auf ganz
bestimmte Personen zu kaprizieren, sich an ihre Mitwirkung zu
klammern – sie in unsere Tagträume zu verweben, weil das »Ego«,
im Schlaf befreit, einen viel weiteren Aktionsradius besitzt – einen
größeren »Bekanntenkreis« sozusagen als im Wachen. Manisch
konzentriert auf wenige Menschen, senden wir diesen unser ganzes
Fluidum zu und verhindern so vielleicht seine Vermischung mit
weit mächtigeren, noch unbekannten Helfern oder lenken es mindestens von diesen ab – es wird nach zwei Richtungen gezerrt, statt
geradlinig ans Ziel zu schießen. Noch etwas nicht Unwesentliches:
Auch der Geist jener unbekannten Helfer ist im Schlaf freier und
mächtiger, darum empfiehlt es sich, die allgemeine Schlafenszeit
möglichst einzuhalten; wer die Nacht zum Tage macht, versäumt
die wichtigsten Rendez-vous' im Unbewußten.

Sympathie ist Kraft. Es gibt ein *aktives Zuhören*, das befruchtend
wirkt, und eines einzigen Menschen Wohlwollen, ohne Schatten
von Neid oder Hohn, ist ein unwiderstehlicher, vorwärtstreibender
Strom, sein Wert in Dollar und Cent gar nicht auszurechnen. Aus
dem gleichen Grunde ist Übelwollen ein Element, das der Mensch,
der es stumm empfindet, als unsichtbare Wand von Widerstand dir
entgegenwirft, mag er auch nie mit einem Wort, nie mit einem Blick
gegen dich aufgetreten sein. Nur ein ununterbrochener Strom von
Freundlichkeit deinerseits wird imstande sein, die Wirkung harm-
los zur Seite zu lenken. Deshalb ist es auch so gefährlich, sich Feinde
zu machen, sei der Grund noch so gerecht, noch so triftig.

Jede turbulente Versammlung, jeder Familienstreit, jeder Auf-
tritt zwischen Mensch und Mensch überflutet das Unsichtbare mit
zerstörender Substanz. Und wer zufällig selbst durch irgendeine
geringfügige Kleinigkeit gereizt ist, hat sich damit automatisch in
die Wirkungsrichtung dieser zerstörenden Substanz gestellt . . .
eine noch so winzige Übellaunigkeit wird immer sofort von allen
Seiten reichlich gespeist, und es ist viel leichter in sie hinein- als

herauszukommen. Da hilft nur Übung im Wegdenken – sofort die Geistesrichtung ändern, höchstens noch sich einen kleinen Rückblick über die Schulter voll Genugtuung gönnen nach dem Haufen fremden Ärgers, der sich in unseren lieben kleinen Privatgrant stürzen wollte und jetzt begossen draußen steht, mitsamt dem kleinen Privatgrant.

Wenn Freudigkeit, Sympathie und guter Wille zusammentreffen, um sich in friedvoller Weise über ein bestimmtes Thema zu einem bestimmten Zweck, etwa eine Stunde lang zu unterhalten, dann geht von dieser kleinen Insel höheren Lebens etwas aus, das in jedem Intellekt fern und nah eine verwandte Saite zum Klingen bringen wird, neues Interesse erregen oder altes auffrischen für den gleichen Plan, nur abgestuft nach seiner Feinfühligkeit und Befähigung, Gedanken zu empfangen. *Denn kein Gedanke ist wirklich originell, keiner wird von einem einzelnen erfunden. An allen möglichen Gehirnen abgeschattet, schwebt vielleicht die gleiche Idee im Lauf einer Stunde durch Tausende . . .* Erfinder heißt man die menschliche Antenne, die eben bereits fein genug abgestimmt ist auf eine besondere, bisher noch nicht aufgefangene Geistesschwingung. Die harmonische Gemeinschaft Gleichgesinnter aber wirkt als besonders hoher Sender, über alles hinweg undurchkreuzbare, unwiderstehliche Wellenzüge hinstrahlend.

Bespricht diese harmonische Gemeinschaft eine maschinelle Verbesserung, einen technischen Fortschritt, irgend etwas den Menschen Förderliches, so wird ihre Schwingung, in Kugelwellen sich ausbreitend, gar bald in unzähligen Wesen Sympathie, Interesse und Sehnsucht nach der reifenden Idee erwecken. Menschen, die sich für eine Sache begeistern, bedeuten aber ebenso viele Helfer, Käufer, Interessenten . . . vielleicht auch *Konkurrenten;* denn natürlich ist es möglich und unvermeidbar, daß all die freien Gedankenzüge im Raum, wenn sie in fremde Gehirne fallen, auch von diesen verwendet werden können. Die Luft ist voll vermeintlicher Geheimnisse. Dem entgeht aber auch der einsamste psychische Geizhals nicht, nur begibt er sich der fördernden Kräfte, die bei stillbewußter Gemeinschaft sein Werk rascher in die Wirklichkeit hineinzutreiben imstande wären. Wer eine Erfindung, einen Plan, ein Geschäft vorhat, rufe daher in seinem Herzen ohne Unterlaß nach den besten *ihm unbekannten* Menschen zu Freundschaft, Hilfe und Kooperation – einfach durch die ziehende Kraft des Wunsches werden sie kommen, und mit ihnen auch der seelische

Zustand, der geistige Hang, den er braucht. Armut wurzelt meist in zwei Ursachen: Scheu vor Menschen und Scheu vor Verantwortung.

Erfolg selbst aber besteht auch aus ganz getrennten Teilen: eine Erfindung in Kunst oder Technik machen ist der eine, sie durchzusetzen der andere; um erfolgreich zu sein, muß man aber beide beherrschen. Diese Kunst des Sichdurchsetzens ist lernbar, indem man sich in der Phantasie mutig, ehrlich und unbeugsam der Welt gegenüber an der gebührenden Stelle sieht, ohne mit ihr vorher zu raufen, zu streiten, zu argumentieren. Schon nach einiger Zeit wird auch der Unsichere, Bedrückte merken, wie diese *geistige Übung* ihm Nervigkeit, Mut – *auch mehr Takt* im Verkehr und mehr Neigung bringt, sich unter verschiedenerlei Menschen zu mischen, die Welt bei den Schultern zu packen und sie zu zwingen, ihm zu geben, was ihm gebührt. Denn es ist immer ein Bedürfnis nach besseren Waren, besserer Einsicht, besserem Können in irgendeiner Richtung, und wer die Überzeugung hat, das Bessere zu bringen, hat auch die Pflicht, es durchzusetzen und anerkannt zu sehen. *Unrecht ertragen ist vielleicht eine noch verwerflichere Eigenschaft als Unrecht zufügen.*

Sich eine Erfindung, eine Verbesserung, ein Verdienst stehlen lassen, heißt *eben den Dieb daran hindern, seinerseits Werte für die Welt zu schaffen, denn jedes Wesen ist da, die Welt zu bereichern und dadurch in zweiter Linie sich selbst.* Jeder Mensch wird so, wie er sich am häufigsten selbst zu sehen gewohnt ist, und darf es nicht dulden, daß andere ihn nach ihrem Gedankenbilde formen, nämlich so, wie es *ihnen* am bequemsten scheint. Daher das Ideal des »braven« Kindes, der »tugendhaften« Frau. Was wirklich »weiblich« ist, wird man erst wissen, wenn die Frauen angefangen haben werden, sie selbst zu sein; dann wird die Welt sich psychisch auf einmal doppelt so reich finden als heute, wo der Mann, der doch füglich nur das Ideal seiner selbst, des »Männlichen«, aufzustellen hätte, ein Zwangsideal der Weiblichkeit dekretiert.

Die vorsichtigen, die alles bedenkenden, alles voraussehenden Menschen fallen stets herein, *denn immer mit Schwierigkeiten rechnen, heißt sie erschaffen.*

Eine Gewohnheit, so festsitzend, daß sie kaum ausrottbar scheint.

Bei widrigen Zufällen selbst hast du gar nichts zu tun, als den Geist wie einen Magneten nach *der* Richtung in Bewegung zu setzen, aus der Kräfte, Methoden und Pläne kommen sollen, um das Hindernis zu überwinden. *Gibst du deinem Körper Gleichmaß und*

*Ruhe der Konzentration, so werden deine Eingebungen gleich aus
einer solchen Tiefe herkommen, daß sie sich restlos verwirklichen
lassen.* Mangelt dir die Zeit zur Konzentration und zu diesen
geistigen Übungen, so verlange sie ruhig und hartnäckig. Dann
wird endlich die Gelegenheit kommen, deinen Lebensunterhalt zu
verdienen, ohne so viele Stunden an Mühsal und Hetzerei. Sie wird
kommen kraft jener geheimnisvollen Anziehung von Mensch und
Ding, die jedem gibt nach der Stärke seines Verlangens und nach der
Ausdauer im Verlangen.

*So kommt das Üble wie das Gute, denn vielleicht erweist sich
eben das als Übel, was man erst glühend gewünscht. Deshalb
meinen Pessimisten, unwiederbringlich verloren sei nur das Erreichte. Wer aber nicht drauflos wünscht, sondern vor allem nach
Einsicht und Weisheit verlangt, zu erkennen, was denn dauerndes
Glück für ihn sei – wird vor den »lendemains« seiner Erfüllungen
bewahrt bleiben.*

Kommt eine Gelegenheit, die endlich vier oder fünf Stunden
Muße im Tag gewährt, dann sie nur nicht etwa zu Nebengeschäften
verwenden, um ein paar extra Dollar willen, sie ist vielleicht die
erste Stufe zu einem höheren inneren Leben. Muße ist schöpferisch. *Fürchte nicht, dich zu unterhalten.* Freude brütet Erfolg.
Pläne, im Unbewußten aus der Heiterkeit geboren, reißen dann
schon von selbst den Körper mit, sie auszuwirken. Eine auskömm-
liche Stellung mit Pensionsberechtigung in was immer für einer
Branche ist nicht der Weg zu dauerndem und immer steigendem
Erfolg. Der liegt in der freien Verantwortung, wo man selbst zu
leiten, zu bestimmen, zu führen hat. Verantwortung allein kann
alle Kräfte und mit ihnen volles Glück entfalten.

Eine Methode, Mut zu züchten

Mut und Geistesgegenwart sind ein und dasselbe. Auch Feigheit
und Unbeherrschtheit sind identisch. Feigheit wurzelt in der Über-
stürzung, in dem Mangel an Ruhe. Alle Grade und Arten jeglichen
Erfolges aber beruhen auf Mut – an Leib und Geist. Auch Mißerfolg
und Verschüchterung sind identisch. Man kann zu jeder Stunde des
Tages Mut züchten, ihn stündlich steigern, kann die zweifache
Genugtuung haben bei allem, was man tut, zugleich mit der
Leistung, einfach durch die Art ihrer Ausführung, wieder ein Atom

der Mutsubstanz für immer dem psychischen Tresor gewonnen zu haben. Man erreicht dies durch Kultivieren der *Bedachtsamkeit* – (nicht zu verwechseln mit »behäbig« oder »langsam«).

Wo ein bißchen Eile ist, ist immer ein bißchen Furcht. Wer zum Zug eilt, eilt aus Angst zurückzubleiben, und mit dieser Angst kommt jene vor all den Konsequenzen des Zurückbleibens. Wer zu einer Gesellschaft, einem Rendezvous stürmt, tut es aus Angst vor den schädlichen Folgen seines Zuspätkommens. Es ist erstaunlich, wieviel »Kleingeld« an Furcht tagtäglich verausgabt wird. Diese winzigen Psychosen können durch unbewußtes Training eines Menschen Geist derart überschwemmen, daß er gar nicht mehr anders kann als überall und zu jeder Zeit irgendeinen Verlust fürchten, wo absolut keiner droht. Er saust zum Beispiel einem Straßenbahnwagen nach wie etwas Unwiederbringlichem, kalt vor Erbitterung, als hätte er sein Liebstes begraben, während ein zweiter Wagen knapp hinterdrein fährt oder schlimmstenfalls drei Minuten später. Aber die Furcht, diese drei Minuten warten zu müssen, schwillt zu einem Berg wie die Kissen im Fiebertraum . . . zu einer ganz scheußlichen Möglichkeit.

Einfach durch Gewohnheit wird eine ähnliche Katastrophenstimmung einen solchen Menschen durch seine Mahlzeiten, Spaziergänge, Korrespondenz – »Erholung« – kurz alles, was er tut, begleiten und es ihm immer schwieriger machen, einen klaren Kopf zu behalten. Die Emotion, die dieser ganzen gehetzten Stimmung und gehetzten Tat zugrunde liegt, ist aber einfach *Furcht*. Furcht ist nur ein anderer Name für die Unfähigkeit, die Entstehung von Gedanken zu beherrschen. Das spritzt alles aus unserem hilflosen Ich wie aus einem mud-geysir, unseren ganzen Tag bekleckernd und grau überkrustend.

Dieses ganz unbewußte Training zeugt einen chronischen Zustand des Geistes, der ihn großen und kleinen Paniken bei den trivialsten Anlässen ausliefert – Enttäuschungen brütet, wo keine vorhanden wären. *Wer aber Angst in irgendeiner Form kultiviert, schafft in sich ausgefahrene Geleise, in die dann auch das große Entsetzen sich im Schicksalsmoment stürzt.* Wer sich hinreißen läßt, eine halbe Stunde voll Angst dazusitzen und zu harren, ob der Wagen, der ihn zur Bahn bringen soll, auch rechtzeitig kommt, der wird wesentlich empfänglicher sein – nicht nur für alle trivialen Hindernisse, die auf dieser speziellen Reise ihm vielleicht bevorstehen, sondern auch die wirkliche Gefahr bei einem Eisenbahnunglück – einem Schiffszusammenstoß – wird ihn nicht bei voller Geistesgegenwart finden.

Oder man schreibt, arbeitet, denkt etwas unendlich Fesselndes, man will nicht gestört werden; da fällt der Zirkel herunter, die Feder, irgendein kleines Mistvieh von einer Sache, natürlich ein unentbehrliches; wütend bückt man sich danach mit einer linkischen, weil unfrohen Bewegung, während der Geist ganz woanders weilt. Man mag ihn nicht von dem Interessanten wegnehmen um des albernen Zirkels, des albernen Bleistifts willen, versucht die erste Arbeit fortlaufen zu lassen und zugleich den Gegenstand aufzuheben. Nun wird die Bewegung des Körpers augenblicklich linkisch und unfroh, weil es uns nicht verlohnte, für eine Minute jene Kraft in sie herüberzuwerfen, die ihr zukam. Jede Handlung aber – und gerade die *trivialste,* weil sie die *häufigste,* ja geradezu *Tagesinhalt* ist, sollte eine Freude sein und kann es auch, wenn mit der größten Grazie, Geschicklichkeit und Präzision jedes spielenden Muskels ausgeführt. Wer es als »kindisch« belächelt und ablehnt, einen Essay über das Aufheben von Scheren ernst zu nehmen, mache sich einmal klar, welches Armutszeugnis sich ein Mensch ausstellt, *der es nicht riskieren will, für die Arbeit einer Minute seinen Denkapparat umzuschalten*: erstens gibt er damit zu, daß seine Ideen so locker sitzen, so wenig in ihm verankert sind, daß er von einer Minute zur anderen nicht sicher ist, noch ein Genie oder schon ein Strohkopf zu sein, zweitens aber läßt er ganz deplorable Schlüsse auf seine *persönliche Gleichung* zu: ein Fachausdruck, der das *Maß der Denkgeschwindigkeit* bezeichnet, kurz dessen, was der Engländer »bright«, der Berliner »helle« nennt. Es ist die Zeit, die ein Eindruck braucht, um von der Peripherie der Sinne kommend, im Gehirn bewußt zu werden. Um sie zu messen, benutzt man meist ein astronomisches Ereignis: etwa einen Sterndurchgang, den Apparate automatisch registrieren und der außerdem mathematisch vorausberechnet ist. Nun läßt man einen Menschen den Sterndurchgang beobachten und den Moment der Beobachtung etwa an einem Taster fixieren. Die Differenz zwischen der mechanischen Registrierung und der menschlichen Perzeption heißt »persönliche Gleichung«. Diese ist bei höchststehenden Menschen nur verschwindender Bruchteil einer Sekunde, bei einem Büffel zwanzig Sekunden (nach anderen Methoden gemessen), bei manchem Fachmann zweiundzwanzig. Der Leser, dessen persönliche Gleichung ihm das ordentliche Aufheben der Schere nicht mehr lohnend erscheinen läßt, ziehe nun selbst die Konsequenz seines Hohnes.

Die Fähigkeit, Kräfte blitzschnell aus einem Zentrum ins andere zu werfen, wächst wie alles, auf das man einmal sein Augenmerk gerichtet, durch Übung.

Wer hastig eine Nadel aufhebt, einen Schuhriemen verknüpft, tut es nicht nur, weil ihm die Handlung lästig ist, sondern auch aus Furcht, eben für diesen Moment ein Stückchen Freude zu verlieren. Er hat sein Herz also schon wieder dem Angststrom eröffnet, der Angst, etwas zu versäumen.

Die Züchtung des Mutes aber beginnt mit der Pflege der Bedachtsamkeit in diesen allerkleinsten Tagtäglichkeiten. Mut und Bedachtsamkeit sind so eng verbunden wie Angst und Hast. Wer die Kraftbeherrschung, die Präsenz der Bewegung nicht an den kleinsten Dingen übt, wird sie auch in den großen dann nicht zur Hand haben.

Analysiert man die größere Form der Furcht, so stellt sich heraus, daß der Geängstigte es immer mit zuviel des Gefürchteten auf einmal aufnehmen will. Das Gefürchtete in relativ kleine Teile zerlegen, jeden einzelnen der Reihe nach überwinden und nur mit dem ihm gebührenden Aufwand an Kraft: das ist der Weg. Mit zunehmender Gewohnheit, in jeder Gefahr nur schrittweise vorzugehen, wächst die Fähigkeit, alle Kraft blitzschnell in die gebotene Richtung werfen zu können . . . eine Kraft, die sich in unaufhörlicher Zucht auf die trivialsten Dinge erstrecken sollte, bis sie zur zweiten Natur, noch besser zur ersten Natur geworden.

Wer zu einer sehr gefürchteten Unterredung geht mit einer schroffen, unbeugsamen, überhebenden Persönlichkeit, pflegt die ganze Sache schon vorher durchzuleben, setzt sich alle Augenblicke mitten hinein und betrachtet sie a priori als peinlich und unangenehm – vielleicht war er schon heute früh in ihr während des Ankleidens –, *damals aber war doch das Ankleiden seine Aufgabe!* Als notwendiger Schritt zu dieser Unterredung . . . und sich *gut anzukleiden obendrein.* Vielleicht beschäftigte sie ihn auch während des Essens, damals aber war doch zu essen seine Aufgabe, und zwar weise und richtig zu essen, möglichst viel Wohlbefinden und Nutzen aus dieser Mahlzeit zu ziehen. Das war der zweite Schritt. Je friedlicher und geruhsamer die Speisen durchgeschmeckt werden, desto besser gehen Assimilierung und Blutbereitung vor sich. Möglicherweise kämpfte er auch die Pein der Unterredung auf dem Weg zu ihr durch, während es doch seine Aufgabe gewesen wäre, aus dem Gehen alle mögliche Freude zu schöpfen. Das war wieder ein Schritt. Mit dem vorteilhaftesten Äußeren, gesättigt, somit frei von körperlichen Hemmungen, gesund durchpulst von einem anregenden Spaziergang – so hätte er nun dem Gefürchteten gegenüberzutreten gehabt.

Vergnügen resultiert aus richtiger Innervation; aus dem Zaubergewirk von Trieben und Hemmungen kann jegliches Tun zu einem kleinen Kunstwerk gelingen, während aus dem Wegschicken der Lebenskraft dorthin, wo sie nichts zu tun hat – durch *die Verarmung des Moments,* notwendig früher oder später Pein und Unfreude folgen müssen.

Wer beim Essen, Ankleiden, Gehen seine Gedanken woanders hat, macht aus dem Essen, Ankleiden, Gehen etwas Störendes und Unangenehmes, *ja, alles muß da schließlich unangenehm werden,* durch dieses Training, Willen und Wirklichkeit überquer zu stellen. Was alle doch anstreben, ist Glück – Glück aber ist *Stimmung schaffen können* – freier Herr sein über die Gedanken immer und überall. Das ist nur durch Training im kleinsten erreichbar. Auch jeder Soldat hat Reih und Glied zu halten, damit die Armee in Präzision große Manöver ausführen könne. *Nur Präsenz des Wissens ist Wissen – Präsenz des Könnens – Können.* Wenn mir etwas nur Mittwoch früh einfällt und ich brauchte es *unerwarteterweise* einmal Dienstag nachmittag, so ist das so gut, als wüßte ich es gar nicht. Das Leben besteht aber aus lauter *Unerwartetstem* und gerade dort, wo es am lebendigsten ist – »das Glück ist nur ein Augenblick« –, wer immer gleich einen Nachmittag davon verbürgt haben will, ehe ihm ein Zustandswechsel lohnt, weiß überhaupt noch nicht, was Glück ist: *sich leben spüren:* sein ganzes Ich – in jedem Augenblick, an jeder Stelle, wo es auch stehen mag! Es ist aber durchaus nicht zur Stelle, wenn wir ein Schuhband knüpfen (verknüpfen) und eine Meile weg denken – einen Bleistift spitzen und in der morgigen Sorge herumstochern. Lebenslängliche Gewohnheit der Gedankenvagabundage, dieses »nie bei der Sache sein«, läßt es nicht nur immer schwieriger werden, die Geisteskraft zurückzurufen, nein, auch die Zurückgerufene funktioniert nicht mehr reibungslos, läßt sie sich wirklich einmal herbei zu folgen.

Umgekehrt kann jede beliebige Masse Energie durch Training so lange und so intensiv auf eine Sache konzentriert werden wie einem beliebt, dann ist man Herr über jeden Gedanken, Herr über jede Stimmung, Herr des Schlafes, Herr der Träumerei, und auch all dies ist nur verschwindendster Teil dessen, was dem menschlichen Geist zu erreichen bestimmt. Denn erreichbar ist alles, was Phantasie nur ersinnt. Macht ohne Grenzen und ohne Ende. *Die Schritte, die dahin führen, sind aber so klein, so einfach und relativ so leicht, daß sie aus diesem Grunde wahrscheinlich verschmäht werden dürften.*

Es ist zweifellos, daß diese Konzentrations- und Innervations-übungen und ihre Resultate den Wenigen schon seit Menschenal-tern bekannt waren, doch haben sie sich fast immer wechselnd versteckter Ausdrucksweisen bedient, sind ja auch die mystischen Wege der Rassen verschieden. Der weißen Menschheit mangelt eben noch das erweckende, nur ihr verständliche Wort. Indianer und Asiaten vermochten und vermögen stets, wie tausend beglau-bigte Fälle beweisen, ihr Bewußtsein nach Willkür zu verlegen, das Zentrum zu wechseln, um für Schmerz und Furcht völlig unemp-findlich zu werden. Hier hilft sich die Eitelkeit des weißen Mannes leicht, indem er Unempfindlichkeit eben als Merkmal tieferen Niveaus dekretiert, vergißt aber, daß diese Rassen mit einer Sin-nenzartheit und Sinnenschärfe auf Eindrücke reagieren – wenn sie wollen –, die ans Wunderbare grenzt. Nur der Weiße beweist, wie man stumpf und wehleidig zugleich sein kann. Er hat nämlich alles kultiviert, nur nicht sich selbst.

Die Kraft, sich in einen geistigen Zustand zu werfen, war es eben, was den Indianer Nordamerikas befähigte, als Gefangener jede Folter zu ertragen, mit klarer Stimme sein Todeslied zu singen im Feuer und unter Martern, die, zu grauenhaft für Worte, jeden Europäer zum Wahnsinn getrieben hätten.

Der Indianer ist viel ruhevoller, dabei lebendiger in jeder Bewe-gung als die meisten unserer Rasse . . . schon von ferne wird man ihn am wunderbar freien, gleichsam *genießenden* Gang erkennen. Unbewußt, ein natürlicheres Leben lebend, kultivierte er das *ani-malische Genie*, die Herrschaft des Willens, aus der allein *Leidver-löschung* fließt.

Was linkisch, ungeschickt, taktlos macht, ist immer wieder die direkt trainierte Unfähigkeit, ein Ding zu seiner Zeit zu tun.

Der panikbefallene Mensch läuft bei plötzlicher Gefahr planlos auf dem Schiffsdeck auf und ab, und diese »Tätigkeit« korrespon-diert genau jenem lebenslangen Geisteszustand, der Gedanken wie ungezogenen Hunden gestattet, alles benagend, alles verunreini-gend, ziellos hin und her zu schießen. Ein Konzentrierter hingegen, der weiß, *wie lange zehn Sekunden richtig angewendet sind* – wie vieles sich *nacheinander* in ihnen vollbringen läßt, wird sich Zeit nehmen, nach einer Rettungsgelegenheit systematisch auszuspä-hen. Diese beiden Menschen werden aber auch eine Nadel auf ganz verschiedene Weise aufheben. Ruhe in großer Gefahr ist eben das blitzhafte *Nacheinandersehen* von zwanzig Dingen und das *Nach-einandertun* mit der Präzision einer Maschine. Der Feigling sieht nicht nur die Tatsache der Gefahr, sondern auch noch die möglichen

Folgen, was ihm passieren oder nicht passieren kann . . . alle Schrecken auf einem Haufen.

Keine Eigenschaft ist aber wichtiger für den Erfolg als Mut, Mut und wieder Mut. *Der Untrainierte wird im entscheidenden Moment einen guten Gedanken ebenso linkisch aus dem Hirn fallen lassen wie den Zirkel aus den Händen.* Denn Mut im Denken ist ebenso wesentlich wie Mut im Handeln . . . einen neuen Gedanken lang genug halten können, bis der erste Schreck über seine Neuheit vorüber ist, und statt ihn fallen zu lassen, lieber der Zeit eine Chance geben, ob es sich nicht verlohne, nach Wegen der Verwirklichung zu suchen, gerade weil er so kühn, gerade weil er so neu.

Nur kein Mißverständnis: Nicht die ganze Geisteskraft hat in jeder sogenannten kleinen Trivialität zu fokussieren, etwa im Schließen einer Tür, dem Einfädeln einer Nadel, dem Öffnen der Schublade . . . nur eben soviel, als der Akt erfordert – das richtig abzuschätzen, ist *leibliche Vollendung;* der Rest bleibt in Reserve und für unvorhergesehene Fälle. – Wer ein Gewicht stemmt, wird ja bei einem Pfund auch anders zu Werk gehen als bei fünfzig. Wer seine Gedanken woanders hat, wird eben diese erforderliche Kraft immer falsch kalkulieren . . . wie sähe aber ein Kaufmann aus, der das bei seinem Lager täte, da jedoch hier nur das *Leben*, das einmalige, einzige, unwiderrufliche, verschleudert wird, verlohnt das ja keinen Gedanken. Diese Durchblutung, Belebung, Beherrschung in ihren tausend Variationen eines einzigen Tages ersetzte den Stadt- und Stubenmenschen auch bis zu einem hohen Grad den *Sport*, der ja nichts anderes als die *ausnahmsweise* Befolgung unseres Lebensrezeptes ist.

Man erinnere sich auch, daß alles im Geist Getane und dann noch einmal erst körperlich Vollbrachte Vergeudung ist. Da liegen jeden Morgen Leute im Bett, kalt wie Metall vor Entsetzen über das Frühstück, das nun zu kochen, die Zimmer, die aufzuräumen, die Einkäufe, die zu besorgen sind . . . liegen auf dem Rücken und rackern sich ab dabei.

Jeder Tat ihr Maß von Kraft zuweisen können, ist das Geheimnis der *Vitalität*, deren vielbeneidete Besitzer aus scheinbar unerschöpflichen Reserven strahlende Speise ziehen. Kein »Vitamin«, keine Tube Ambrosiaersatz »Speiofix«, nichts in noch so schöner Verpackung aus dem Kehrichthaufen der Farbfabriken gewonnen, mit dem Gutachten aller Fakultäten bekleistert, wird diese unentgeltliche Methode erreichen. Nicht nur Mut, auch Takt und Geschick sind Charakteristika der Vitalität. Sie gab jenem amerikanischen Offizier, als er sich in der Verwirrung der Schlacht plötzlich allein britischen Truppen gegenübersah, die Ruhe zu fragen: »Welches Regiment?« »Royal scots«, war die Antwort. »Royal scots stehenbleiben«, und er ritt ruhig zu seinen Linien zurück.

Fechter, Tänzer, Dirigenten haben oft diese Treffsicherheit der Innervationen, doch außerhalb ihres Berufs sind sie zuweilen ebenso fahrig, launenhaft und unsicher wie die meisten anderen.

Hier sollen aber »all-round«-Menschen gezüchtet werden, nicht nur ein Bizeps, ein Ohr, ein Oberschenkel, wie die Arbeitsteilung, die nichts als Menschenteilung ist, es gerne sähe. Es ist vielleicht nicht für die »Wirtschaft«, aber für den Menschen besser, an allen Enden und symmetrisch rundum zu wachsen als zu einem einseitig überzüchteten Monstrum . . . oft fälschlich Genie genannt.

Hunderte und Hunderte dieser kleinen Bewegungen, die das Leben ausmachen: Aufheben und Weglegen von Gegenständen, Schließen von Läden, Reichen und Nehmen, Frisieren und Ankleiden werden linkisch, unachtsam, daher *freudlos* ausgeführt, besonders wenn Wichtigeres droht. Solches Herumfahren zwischen den Dingen macht müde, häßlich und schließlich *feig*, denn Panikstimmung wächst aus dem ganz Kleinen.

Langandauernde Gewohnheit kann natürlich nicht in einem Tag und nicht in einem Jahr gebrochen werden, noch können die seelischen und geistigen Folgen ohne weiteres ausheilen . . . langsames Wegwachsen ist alles.

Wer diesen Essay liest mit dem Gefühl, daß vielleicht doch »was dran ist« – irgendeine Stelle den eigenen Fall trifft, hat mit der Selbstheilung begonnen. Überzeugung, lebendige Überzeugung kann nur von innen kommen, hört dann aber nie mehr zu wachsen auf.

Niemand erfindet eine Wahrheit, braucht es auch gar nicht, denn Wahrheit ist – man sollte es gar nicht glauben – die weitverbreitetste Substanz der Welt, ein »freies Gut« wie Wasser, Licht und Luft. Wer andern hilft, hilft ihnen nur, sich selbst zu helfen, wie der Laternenanzünder weder Feuer noch Licht erschafft, wenn er dem Gas im fremden Leuchtkörper mit seinem Lichtchen naht.

Gefragt, ob ich »Spiritist« sei, pflege ich meist mit »nein« zu antworten. Es spart das eine Menge Schererei. Fatales Herumwaten in einem Brei von Mißverständnissen, wie er in solcher Zählebigkeit sich kaum je aus einer anderen Materie menschlichen Denkens zu entwickeln pflegt.

Dies schlichte, gesegnete »Nein« enthebt mich seit Jahren der zwecklosen Mühsal, den Ultragläubigen wie den Ultraskeptischen (Frager gehören stets diesen Kategorien an) immer wieder auseinanderzusetzen, was ich und was ich nicht glaube, die Verbindung von sinnlichen mit übersinnlichen Domänen des Daseins betreffend.

Das Wort Spiritismus ist nämlich mit üblen Nebengeräuschen überladen. Vielen klingt es dabei ums Ohr wie Hysterie, Taschenspielertricks, Düpieren und Düpiertwerden. Auch fatale Bilder erstehen dem Habitué: brünstige Horden, von Séance zu Séance den »lieben Spirits« nachlaufend – Erleuchtete mit assyrischen Knebelbärten – das halbvertierte Medium, affektiert und schlechtrassig, wenn älter, in schwarzen Schmelzperlen, wenn jünger, in weißem Nachthemd; »Goethe« und »Napoleon«, deren Geister so wenig bei einer spiritistischen Séance je fehlen dürfen wie auf einer europäischen Speisekarte Sacher und Linzer Torte. – Zerpatschtes Grünzeug: Materialisationsphänomene, vom Plafond niederrieselnd zur Unzeit – Astralflirts zwischen Damen entre deux âges und jenseitigen Verehrern . . . dieses ganze makabre Eroteln und noch manch anderes Unerfreuliches haftet modernem »Spiritismus« an. Und doch liegt allem Schlamm und Gebrodel ein Ozean an Wahrheit zugrunde wie der irdische Ozean seinen Quallen und Tang aufwerfenden Brechern.

Triviales, Kindisches, Irrlichterndes in jenen Zwei-Dollar-Séancen zeigt nur, wie heikle Grenzphänomene verwildern können in den Händen Unmündiger. Denn die mit allen Kautelen raffiniertester Laboratoriumserfahrung systematisch durchgearbeiteten spiritistischen Versuche eines Lombroso, eines Zöllner, eines Crookes präsentieren sich schon ganz anders, wenn auch diese weltberühmten Naturforscher der – man möchte sagen, *trotzköpfigen* Besonderheit solcher Art Erscheinungen stets Rechnung getragen haben. Hämische Ablehnung durch dogmatische Ungläubige aus dem Grunde, weil ein Kontakt mit außerweltlichen Erscheinungen . . . dies zarte Sichhereinsenken fremdester Phänomene ins Grobphysikalische sich nach *seinen eigenen Gesetzen vollziehen muß* – sich nicht den willkürlichen, plumpen, verständnislosen Forderungen jedes beliebigen Outsiders unterwirft – solch unwissenschaftliches Gebaren haben wirkliche Gelehrte nie mitgemacht. Jedes physikalische, jedes chemische Experiment gelingt ja auch nur unter den ihm allein eigentümlichen Voraussetzungen, und unser unentwegter Skeptiker müßte dann logischerweise auch das Photographieren leugnen. Er für seine Person sehe jedenfalls das Zustandekommen eines Bildes nie, kaprizierte er sich darauf, die Platte dürfe etwa nur bei »vollem Licht« entwickelt werden, jenes berühmte »volle Licht«, das er so obstinat auch während der Materialisationsphänomene fordert. – Dem Kronprinzen Rudolf von Österreich, als er während einer Séance durch vorzeitiges Dazwischenfahren . . . durch Störungen aller Art die Phänomene verhindert und das Medium Slade »entlarvt« hatte, erwiderte auf seine Frage ein gleichfalls anwesender Mathematiker von Weltruf: »Kaiserliche Hoheit, dies ist wie bei Kristallen: In dunklen Räumen, nach Monaten der Vorbereitung, innerhalb ganz bestimmter Temperaturgrenzen und von keinem Schritt erschüttert, da vermag sich aus der satten Lösung vielleicht der Kristall zu bilden . . . *wenn man aber mit einem Knüppel* in der Lösung herumrührt . . .« er vollendete zwar nicht, erhielt aber auch so keinesfalls den Franz-Josef-Orden.

Was »Temperatur« für die Kristallbildung, ist »Stimmung« für das Gelingen der Séance. Sinkt durch Skepsis, Hohn und Mißwollen die geistige »Temperatur« unter Null, bleiben die Phänomene aus – sollte aber die richtige Brutwärme voll zitternder Wundergier, wie sie in jenen Zwei-Dollar-Séancen vorherrscht, nicht wiederum zur »kritischen Temperatur« für den Verstand werden, in der feste Urteilskraft sich zu verflüchtigen droht?

Wie zog sich nun Sir William Crookes, einer der größten Physiker Englands in neuer Zeit – Entdecker der strahlenden Materie, aus dieser schier unlöslichen Doppelschlinge? – Bei seinen spiritistischen Versuchen mit dem Medium Katie King – sie erstreckten sich über einen Zeitraum von fast zwanzig Jahren, fanden in seinem chemischen Laboratorium, und zwar nur im Beisein weniger erlesener Freunde statt – ließ er die Stimmung als *Erzeugende* ruhig bestehen, das Urteil über die tatsächlichen Vorgänge aber sprachen – Maschinen. Völlig parteilose Mechanik, versiegelte Platten, Registrierapparate, automatische Waagen walteten sine ira et studio ihres Amtes. Von dem hier aufgewendeten Scharfsinn, von den sinnreichen Vorrichtungen, alle Fehlerquellen auszuschalten, dem

»skeptischen Laien« auch nur eine Vorstellung zu geben, reichen hier weder Zeit noch Raum – setzen auch eine über die allgemeine Bildung weit hinausgehende chemische und physikalische Laboratoriumspraxis voraus. Wer sich dafür interessiert, sei an das »Journal of psychical research« gewiesen, das die über viele Jahre sich erstreckenden Sitzungsprotokolle der Crookeschen Experimente enthält. Automatische Waagen registrierten stets selbsttätig das Gewicht des Mediums vor, während und nach dem Trancezustand. Es zeigte sich, daß sein Körpergewicht fast regelmäßig um die Hälfte abnahm, während jene nebelartigen Gebilde – Köpfe oder ganze Gestalten – sich aus seinem Leib, meist aus der Gegend des Sonnengeflechtes, bildeten und loslösten, somit aus der Materie des Mediums selbst hervorgehen mußten. Diese leuchtenden Nebelgeschöpfe wieder wurden mit Platten, man hatte sie versiegelt aus verschiedensten Fabriken bezogen, photographiert, später mußten diese Platten wieder aus dem versiegelten Apparat von dritten Personen . . . und in Gegenwart von Zeugen herausgenommen und entwickelt werden. Auf Verlangen entstanden während dieser Materialisationsphänomene auf der Innenseite zweier hermetisch geschlossener Tontafeln Hand- oder (nach Wunsch) Fußabdrücke. Von den Teilnehmern der Séance wurden den Geistern immer nur Aufgaben gestellt . . . die Ausführung aber registrierten automatische Apparate. Das Resultat wurde erst nach Aufhebung der Sitzung abgelesen. – Und doch !

Was blieb schließlich von dem Geisterhaften in diesen seinen materiellen Restbeständen – in all den kunstvollen Apparaten übrig? Notgedrungen wieder nur ein *Materielles*. – Zahlen – Maße – Gewichte . . . auf den Photographien verschieden belichtete Kontur, die ebensogut aus dichten Normalkörpern durch Retouche hätte gewonnen sein können. Die Beweiskraft lag immer wieder nur in der Überzeugung der Teilnehmer selbst. *Die Vorgänge*, deren Resultat dann jene Zahlen, Maße, Bilder darstellten, hingen in letzter Linie doch von einem menschlichen Auge ab . . . von einem vielleicht durch Hypnose verwirrten . . . oder irrenden oder schwärmenden Auge. In ihm allein lag die Bürgschaft, es sei wirklich das Medium gewesen, das eben in *jenem* Moment auf der Waage saß, als diese nur das halbe Normalgewicht anzeigte, und nicht ein Stuhl oder ein Stück Holz ! Und was das Kameraauge sah: Es zeigt, was man von seiner Natur verlangen kann, nicht mehr, d. h. die *scharf*konturierte Gestalt des Mediums auf der Waage mit unscharfen, d. h. chemisch nicht ganz wirksam gewordenen Teilen der Platte, die man in diesem Fall »Geister« nennt. Oder vielleicht sind es zwei Aufnahmen auf ein und derselben Platte, von denen die eine unterexponiert war. Und hätte es zur Zeit der Crookesschen Experimente schon das Grammophon gegeben! Was hülfe das? Es würde Stimmen . . . es würde Antworten registrieren . . . was irdisch registrierbar, kann aber ebensogut wieder auch irdischen Ursprungs sein. Was all diese Phänomene wie: verschiedene Gewichtsregistrierung, ausblühende, sprechende und sich bewegende Nebelgestalten aus dem Leib des Mediums, Fernwirkungen durch Abdrücke unsichtbarer Gliedmaßen auf verschlossene Tontafeln, Knoten in geschlossenen Schnüren – was all das verbindet – ihm Beweiskraft leiht, ist doch nur die Überzeugung des Zuschauers, alle diese Vorgänge, raumzeitlich verknüpft, in eben diesem Zusammenhang *erlebt* zu haben. Mit all seinen *ingeniösen, materiellen Beweisscherben in Händen* steht er wie am Anfang vor der Alternative: an »Geister« zu glauben oder an eine raffinierte Täuschung durch Autosuggestion während der Séance.

Und erst die »anderen«, die nicht dabei waren . . . nur das Protokoll lesen! Schon Lincoln rät: Nie etwas glauben, was ein anderer gesehen hat, und nur die Hälfte von dem, was man selber gesehen hat.

Also könnte denn das Wunder nichts beweisen, weil das, was an ihm dem Beweise unterwerfbar wäre, eben damit schon aufgehört hätte, »Wunder« zu sein? – Wir wollen noch warten – Crookes, der berühmte exakte Naturforscher . . . also Frager . . . *Mißtrauer von Beruf*, hat sein mächtiges Ja dem Spiritismus gegenüber nie revoziert. Noch vor wenigen Jahren hat er öffentlich gegenteilige Gerüchte dementiert und für die im »Journal of psychical research« niedergelegten Experimente gleiche Beweiskraft beansprucht wie für seine Arbeiten auf physikalischem Gebiet, speziell dem der Strahlenforschung, auf dem er anerkannt der Größten einer war.

Es gibt Gruppen, die, wie bei allem, so auch bei der Beurteilung des Spiritismus für den berühmten »goldenen Mittelweg« sind – (meiner bescheidenen Meinung nach verläuft er mit Vorliebe im Sand). Diese Gemäßigten wollen Phänomenen, weil sie ernste, ja nüchterne Menschen gleich Lombroso oder Crookes beobachtet haben, zwar Glaubwürdigkeit und Realität zuerkennen, weigern sich aber, spiritistische Folgerungen daraus zu ziehen: die Existenz von Geistern, anders verkörperter – oder nach anderen Gesetzen verkörperter Intelligenzen. Zwingend widerlegen läßt sich diese Ansicht natürlich nicht, da sie schließlich auf nichts anderes als den alten Solipsismus hinausläuft – denn nur von *mir* selber kann ich Bewußtsein behaupten, von allen übrigen Mitgeschöpfen – ob

Mitmensch, ob Mittier – nehme ich es nur mit Hilfe eines dürftigen Analogieschlusses an . . . sie könnten um mich herum ebensogut abschnurren wie Automaten . . . alle ihre Reaktionen könnten empfindungs- und bewußtlos statthaben.

Hätte von dieser unangreifbaren Position aus der brave Eckermann sich etwa beifallen lassen, zu behaupten, Goethe sei keine »bewußte Intelligenz« gewesen, sondern eine Puppe, die täglich zwischen 2 und 4 nachmittags vor ihm abzuschnurren pflegte . . . kein Mensch, d. h. keine andere »Puppe«, die ja wieder nur von sich selber weiß, daß sie keine ist – hätte es ihm zwingend widerlegen können.

Da wir aber aus einem uns ähnlichen Gebaren . . . aus ähnlichen Lebensäußerungen, Aktionen und Reaktionen nun einmal auf Bewußtsein zu schließen pflegen, so ist nicht einzusehen, warum Wesen, wenn auch nur scheinbar feinerer Struktur, da sie wie Lebendiges sich bewegen, benehmen, auf Fragen antworten, Aufträge ausführen . . . kurz, alle Merkmale des Bewußtseins tragen, gerade keines haben sollten – daß menschliche Fuß- und Handabdrücke in Ton . . . daß sich bewegende Gestalten, der Sprache und Schrift fähige Gebilde . . . durch »Interferenz« oder andere Eigenschaften unbekannter »Strahlen« oder »Wellen« automatisch entstehen sollten. Aber dem Dogmatiker des Materialismus dünkt selbst der haarsträubendste Umweg Erlösung, rettet er ihn nur vor der Pein, von dem heiligen, gequollenen Aggregatzustand im Protoplasma als *alleinigem* Träger möglichen Bewußtseins abgehen zu müssen; uneingedenk des großen Psychophysikers Fechner und seines hübschen Gleichnisses von Lampe und Kerze, die sich darin einig wußten, Gas könne nie eine Beleuchtungsart abgeben, *da es doch keinen Docht habe!* Folgerung: Sollte Geist nur durch Nervendochte brennen dürfen?

Der Ultraskeptiker dürfte aus allem früher Gesagten sich wohl nur als Resultat herausgenommen haben: auch automatisch registrierte Phänomene bei spiritistischen Versuchen beweisen nichts, man ist doch wieder nur auf die Aussagen der paar Eingeweihten angewiesen, selbst hat man kaum Gelegenheit, dergleichen zu sehen, die Bedingungen des Zustandekommens sind überdies recht selten, langwierig und unsicher . . . kurz, es wird doch alles Humbug sein.

Warum aber wendet der Ultraskeptiker – er entstammt meist den breiten Schichten mit »Durchschnittsbildung« – diese seine Schlußfolgerungen nicht auch auf die Gebiete der theoretischen Physik, Chemie, Biologie an?

Ihm werden doch auch von dort her nur als Gnadenbrocken ab und zu einzelne Resultate von Beobachtungen zugänglich, und auch von ihnen nur solche Teile, die ihn erfahren zu lassen, man für gut hält. Stimmt es wo aber schon gar nicht – *er wird es nie wissen* und im seligen Kinderglauben dahinwandelnd meinen, einbetoniert in ewige Gesetze griffen die Fächer aller *Naturwissenschaften* wie Zahnräder klaglos ineinander und neue Resultate würden stets in geradliniger Verlängerung über Letztgefundenes hinaus erreicht. Das aber spielt sich alles in einer ihm fernen Welt ab, die für ihn versiegelt ist . . . nicht mit einer . . . nein, mit sechserlei Geheimsprachen, weit unzugänglicher, als dem Menschen im Mittelalter etwa die Quellen, aus denen sich das Dogma der Dreieinigkeit ableiten läßt. Da genügte es schließlich, Latein zu lernen, um sich selbst ein Urteil zu bilden . . . hier in diesen Fachsprachen ist schon jedes Zeichen ein ihm fremdes Gedankensymbol. Gewiß, er hat im Gymnasium gelernt, die Formel der lebendigen Kraft z. B. laute $\frac{m v^2}{2}$. Vielleicht hat er sogar den Beweis dafür auswendig gelernt, aber hat er ihn je begriffen? . . . Und warum in der berühmten Kontroverse Descartes–Leibnitz der eine zu der Formel $m v^2$, der andere zu $\frac{m v^2}{2}$ gelangte? Will er ehrlich sein . . . für ihn, den Durchschnittsgebildeten, könnte sie ebensogut »abrakadabra« lauten. Und doch glaubt der »Ultraskeptiker« in spirituellen Dingen mit blinder Hingabe nicht nur an diese Formel, die er nicht versteht, sondern auch an jedes Wort – an jeden Laut, wenn er nur aus dieser, mit sieben Siegeln verschlossenen Welt zu ihm dringt . . . *ja eigentlich bekommt er immer erst das zu glauben, was die Fachleute selbst schon längst überwunden haben.* Baut etwa ganze Monistenbibeln und Welträtsellösungen auf die Existenz des »Bathybius« auf, einer angeblich kernlosen Vorstufe der Zelle, wenn dieser sich schon längst als Zersetzungsprodukt und nicht als Urbaustein alles Lebendigen erwiesen hat. Aber davon erfährt er ja nie etwas. Sogar in unserem alten, zahmen Planetensystem – dieser Kinderstube abgedroschenster astronomischer Gemeinplätze, mit dessen Einrichtungen seit Kepler jeder Hosenmatz sich schon familiär dünkt – steht es gar nicht gut. Da gehen unheimliche Bewegungen im Perihel der Merkurbahn vor sich, die zu ergründen es des Umsturzes der gesamten mathematisch-physikalischen Anschauungen bedurfte. *Aber auch davon erfährt unser »Skeptiker« ja nichts.* Gut, wird er erwidern, dann ist es aber doch eben nur meine persönliche Unbildung, die mich hindert, alle Experimente selbst zu wiederholen und mir Gewißheit zu verschaffen . . . *denn sie stehen jedem offen.* Nun, abgesehen davon, daß chemische, physikalische, biologische Versuche heute so kompliziert geworden sind, daß sie sich – und zwar jeder einzelne über Jahre, oft Jahrzehnte erstrecken, wie Messungen an Ätherschwingungen, sie erfordern auch noch so zeitraubende und schwierig herzustellende Hilfsapparate, daß nur die ganz Wenigen in besonders eingerichteten Instituten auch nur daran denken können, solche Versuche zu unternehmen. Die Fehlerquellen sind dabei so schwer auszuschalten, daß es z. B. auch einem Ramsey durch Jahre nicht möglich war festzustellen, ob ihm wirklich die Transmutation der Metalle gelungen oder ob der Kupferniederschlag – es handelt sich da um fast unvorstellbar geringe Quanten – einer »Verunreinigung« des Versuchsstoffes zuzuschreiben war. Noch heute scheint die Frage unentschieden.

Oder die modernsten biologischen Versuche Woodruffs: viertausend Generationen einzellige Lebewesen, in diesem Fall – Pantoffeltierchen, müssen erst einmal rein gezüchtet werden, damit man beurteilen könne, ob die Fähigkeit, *durch Teilung allein* sich fortzupflanzen, einmal erlischt . . . eine Frage, die nichts Geringeres bedeutet als die Entscheidung, ob die Einzelligen *unsterblich* sind, wie die Haeckelianer behauptet hatten, natürlich ohne Beweis. Nach diesem amerikanischen Versuch – er dauerte sechs bis sieben Jahre – scheint es nicht der Fall. Nun wird man wieder sieben Jahre auf den Kontrollversuch warten müssen, und auch bei diesem können sich Beobachtungsirrtümer einschleichen.

Mag dem so sein, meint der unentwegt Gläubige, hier wird mir doch wenigstens nie etwas Absurdes zu glauben zugemutet oder etwas, wogegen sich meine sinnliche Anschauung oder mein »gesunder Menschenverstand« sträubt, wie etwa bei der Annahme von »Geistern« oder der mystischen Dreieinigkeit. – Wirklich? Ist etwa der Weltäther so anschaulich, der – um die Bedingungen zu erfüllen, um derentwillen seine Existenz angenommen wird, eine *ideale Flüssigkeit* sein müßte von der Zähigkeit des Stahles, röhrenförmig und zugleich in seinen kleinsten Teilen unendlich verschiebbar . . . auch dies nur eine kleine Blütenlese seiner als *zugleich bestehend gedachten Eigenschaften*. Ist das alles etwa anschaulicher als ein Glaubenssymbol? – Oder gar die Denkunmöglichkeiten, wie sie modernste mathematische Physik fordert, in der bei bestimmten Grenzgeschwindigkeiten die Körper . . . zu Schatten von unendlicher Schwere werden müssen. Wo werden in Spiritismus oder Wunderglauben irgendwelcher Art solche Forderungen an die Negierung aller Anschauung . . . aller Erfahrung gestellt? Wo käme man da mit der Philisterphrase vom »gesunden Menschenverstand« hin? Aber davon erfährt ja der »Skeptiker« nie etwas.

Ja, was erfährt er denn nun eigentlich, was ihn veranlassen oder berechtigen würde, kritiklos die Äußerung auch des kleinsten Privatdozenten mit einer Inbrunst und Glaubensstärke aufzunehmen, die jeden Papst hätte vor Neid erblassen lassen?

»Dampfmaschine« wird er antworten . . . oder »Telephon« – oder »Dynamo«. »Vermag ich auch nicht die Richtigkeit der Formel für die lebendige Kraft zu kontrollieren . . . die Maschinen, deren Konstruktion auf ihr sich aufbaut, die seh' ich . . . Ich weiß nicht, wie man die Hertzschen Wellen berechnet . . . ihre theoretische Annahme aber hat zu etwas geführt, das durch mein ganzes Leben hindurchvibriert, *weil schon ein bloßes Abspaltungsprodukt der Naturwissenschaft:* die Technik imstande war, das ganze Dasein auch für den letzten von uns, auch für den dumpffesten von uns von Grund aus umzugestalten . . . darum glaube ich an sie, auch wo sie mir dunkel und unverständlich scheint.«

Und jetzt hat er recht.

Welche Lehre läßt sich daraus für den Spiritismus ziehen?

Auch erst, wenn *seine* Resultate in so mächtigen Erleuchtungen und Erschütterungen *innerlich* durch die Menschen hindurchvibrieren, wie es die Naturwissenschaft im Äußeren an Leib und Leben jedes Menschen vollbracht, selbst an jenem, der von ihr selbst nichts wußte, dann wird er Wert und Gültigkeit haben. Das Hereinragen einer *Geisterwelt* muß aber – wenn sie Bedeutung haben soll – sich eben am *Geiste* und *von innen heraus beweisen.*

Der materielle Verstand verlangt Beweise für die Existenz von Geistern durch materielle Auswirkungen. Doch was immer er in dieser »Linie« bekommen kann, wird und muß ihn stets unbefriedigt lassen. Er geht aus einer Séance mit Staunen geschlagen . . . um dann zu zweifeln. Es liegt im Wesen des materiellen Verstandes, alles zu leugnen, was nicht von der Materie ist – es ist für ihn einfach unmöglich, irgendein Phänomen anders zu erfassen als auf dieser Basis. Es leben heute Menschen, die seit dreißig und vierzig Jahren alle Arten spiritistischer und mediumistischer Erscheinungen gesehen haben, ohne der Überzeugung von Geistwesen um einen Schritt nähergekommen zu sein als am Anfang.

Denn wir haben ja schon anläßlich der Crookesschen Experimente gesehen, daß auch die reinsten, die von Fehlerquellen relativ freiesten vertan sind, *weil, was an ihnen dem äußeren Beweis unterwerfbar war, damit eben schon aufgehört hätte,* »*Geist*« *zu sein.*

Aus einem Verkehr mit »Geistern« darf ich eben nicht äußere »Wunder« in der Körperwelt zu ziehen verlangen . . . das ist

»Niggermystik«, sondern ihre *Wirkungswelt* muß in *mir* sein! Erleuchteter, verklärter, vertiefter muß ich aus dem Kontakt mit ihnen hervorgehen – als ein geistig Wiedergeborener. Wer in eine Trance – in einen mystischen Zustand verfällt, hat nur ein Kriterium für dessen Echtheit, daß er, aus ihm auftauchend, eine neue Innenwelt sich mitbringt, eine so geweitete, so überraschende, daß alles früher Bewußte wie eine arme Schale unter ihm liegt. Ein solcher wird sich aber dann so wenig darum kümmern, ob die äußere Welt des materiellen Verstandes ihm glaubt und weiß, was er besitzt, als es einem mächtigen Gelehrten oder Künstler oder Staatsmann daran gelegen sein könnte, seine Leistungen vor fünf- und sechsjährigen Kindern zu erläutern.

Die Naturwissenschaft als *Lehre von der Körperwelt* muß ihren firnen Verstandesbau immer wieder an der Körperwelt prüfen . . . ja sie *darf* kein anderes Kriterium kennen. Seelisches aber kann nur an Seelischem wieder geprüft werden. Wenn einer ungewöhnliche Erscheinungen hervorzurufen vermöchte, etwa frei in der Luft zu schweben oder derartiges, so würde ich ihm sagen: »Ganz schön, lieber Herr, aber was beweist das? Sie sind vielleicht doch nur ein gewöhnlicher Kommis, der eben jetzt schwebt . . . das kann ja der Magnet zwischen den Kupferspulen auch. Gut, wir kennen ja genug der Schwerkraft entgegenwirkende Kräfte, vielleicht benützen Sie eine von diesen so verständnislos wie ein Affe das Telephon. Aber was beweist das für die Mystik oder für Ihre unsterbliche Seele? Und wenn Sie mir einen vom Tod erwecken, so war er eben nur scheintot, und wenn sich ein verwestes Skelett unter Ihren Händen mit blühendem Fleisch bedeckt, so war das ganze nur Hypnose.«

Wenn einen Menschen von der mystischen Welt nur zu wissen verlangt, was durch Klopflaute, Tischrücken oder Phantome kommt oder was ihm von Zeit zu Zeit durch Medien oder Hellsichtige vermittelt wird – wenn ihn das Fieber nach dem »Wunder« treibt statt Sehnsucht nach Wahrheit, die doch nur von innen kommen kann, so sind die Chancen äußerst gering, daß Wertvolles für ihn dabei herausschauen dürfte. Doch will ich nicht behaupten, daß dem Spiritismus keinerlei Stellung in der Entwicklung der Menschheit zufalle. Er hat Tausende zu selbständigen Schritten in geistige Pfade hinein angeregt. Er ist nur in seiner gegenwärtigen Form eine abnormale und ungesunde Entwicklung. Er stammt aus dem verfrühten Ausbrechen bestimmter Fähigkeiten an einzelnen Individuen, deren übriges seelisches Niveau noch nicht dieser einen Gabe entspricht. Da die Menschen spirituell noch unreif sind, so sind auch die spirituellen Kräfte unharmonisch, ziellos und schlecht beherrscht. Die Hypertrophie eines Sinnes, einer Gabe, der kein *ausgewichteter Geist* entgegensteht, muß auch verzerrte Resultate geben und schwere Schädigungen dem Ausübenden bringen. Besonders Medien sind solchen ausgesetzt, da sie in völlig passivem Zustand alle geistigen Zustände um sie her bei den Séancen aufsaugen müssen. Sie werden überlaufen von gramverwirrten Menschen, die Verbindung mit teuren Toten suchen; sie sind wie Filter, durch die ewig ein dunkler, trüber Strom gepreßt wird, denn frohe Menschen, glückliche Menschen kommen fast nie in Séancen. Es sind immer irgendwie »Besessene«. Menschen, die zu früh eine Schranke niedergerissen haben, die sie bisher gnädig vor infernalischen psychischen Einflüssen behütete. Denn was da auf sie hereinflutet, nach dem Gesetz der Korrespondenz, entspricht eben ihrem Gesamtniveau, dem Freizügigkeit im Spirituellen noch lange nicht zukam. Durch gewaltsame und künstliche Bedingungen einseitiger Clairvoyance sind sie Schädigungen ausgesetzt, die für sie völlig ungefährlich wären im richtigen Moment geistigen Durchbruchs. Wer wollte alle Formen, alle Grade von Einflüssen – von »Geistern«, wenn man will, abschätzen, gegen die wir durch den »Kerker« unserer groben Sinne gnädig abgedichtet sind.

Doch wie das im Treibhaus Gezogene nur kurze Lebensdauer haben kann, entweder, sich selbst überlassen, zum ursprünglichen Typus zurückvariiert oder noch weiter verzüchtet, aus sich Vernichtungskeime gebiert, so ist eigentlich auch der Spiritismus schon wieder eingewelkt. Es wollen keine berühmten Medien mehr auftauchen, nicht weil die Welt geistig verarmt, sondern weil sie das allgemeine, endgültige Ringsumausblühen vorbereitet.

Je mehr wir auf natürliche Weise wegwachsen vom Rohen – Gedankenfehler ausscheiden, um so intensiver wird unser ganzes Sein mit höheren und lichteren Emanationen sich durch die trennenden Schranken hindurchmischen, an ihnen reifen und wachsen in einen Zustand hinein, der dauernden Halt im rein Spirituellen ohne Mediumismus gestattet. Es wird dann kein Hüben und Drüben mehr geben, sondern überall nur Heimat.

»Aber das ist ja doch Geisterglaube«, wird mancher sagen. Gewiß, aber nicht durch materielle Beweise. Das scheinbar Unmögliche kann nur von innen heraus möglich gemacht werden, und die Entwicklung mystischer Sinne ist eine Frage der *Bereitschaft* für sie. Kein Medium, keine »Spiritis«, keine Materialisationen können sie in uns hineinhämmern.

Nur an uns selbst . . . an ein Grenzenloses in uns müssen wir glauben lernen, denn wie es in dem Essay der »Unsterblichkeit im

Fleische« formuliert wurde: »*Gläubigkeit ist die intuitive Kraft, eine Wahrheit zu empfinden, die unsere rein mentale Sphäre noch nicht erreicht hat.*«

Anmerkung: Diese Ausführungen über Spiritismus sind mehr dem Geiste nach Prentice Mulford – ihre wissenschaftliche Basis konnte, da neueren und neuesten Datums, ihm nicht bekannt sein.

Die Geburt der Gedanken

Neue Gedanken sind neues Leben.

Wenn eine Erfindung, eine Entdeckung zum erstenmal im Gehirn ihres Schöpfers aufglänzt, erfüllt sie ihn mit Lust und Entzükken; das Blut seiner Adern strömt nach neuem Rhythmus, jede Zelle scheint verwandelt. Der Autor oder Künstler wird durch eine Konzeption in Ekstasen erhoben . . . ich meine die relativ sehr seltenen, wirklich schöpferischen Geister, nicht die vielen, die an fremdem Feuer ihr eigenes Stallaternchen angezündet und das Glas ein bißchen anders gefärbt haben.

Eine gute Nachricht, mitten hinein in eine Periode der Verdüsterung, Trübsal und Bedrücktheit, die winkende Verwirklichung einer Hoffnung, das Abwenden einer Gefahr – sie sind schließlich doch bloß ein Gedachtes – nur das Gedankenbild des Ersehnten, nicht dieses selbst, und doch, welche Kraft treibt Hoffnung schon durch den Körper. Ein fesselndes Schauspiel, eine Begegnung mit jemandem, der eine starke Anziehung auf uns ausübt, ein Streben, ein Werk, das fasziniert und anregt, das alles ist Nahrung und lebendiges Stimulans für den Körper, und in der Versenktheit und Erregung wird irdische Notdurft ausgeschaltet, nicht nur übertäubt.

Denn wir leben nicht nur vom Brot allein, und unser Wesen verlangt nach immer frischerer, immer neuer geistiger Speise. Ein Kunstwerk, so reizvoll beim ersten Ansehen oder Anhören, verliert seine Leuchtkraft, und Sehnsucht nach passagerem Wechsel ergreift jeden *Ehrlichen* auch gegenüber der wertvollsten Seele, dem liebsten Menschen, von dem er das Beste empfängt.

Vielleicht zeitweiser Wechsel nur. Denn das Drama, die Oper, der Künstler und auch der liebe Mensch können nach angemessener Pause steigernde Eindrücke geben, je nach der Verwandlung und dem Wachstum unserer eigenen Persönlichkeit oder jener des ausübenden Künstlers. So kann man denn jede erhöhende Emotion eine Ernährung nennen, von deren Zusammensetzung für die Menschheit auf ihrem Weg, auch zu leiblicher Vollkommenheit, mehr abhängt als von ihrem Mittagessen. Dies ist »Brot des Lebens«. Wie den Menschen immer nach frischer und frischzubereiteter Speise verlangt, so braucht er frische Gedanken an Inhalt und Form – danach sollte ihn hungern. Diesem gesunden Grundbedürfnis verdankt ja die Tagespresse ihren unerhörten Aufschwung – und diesem Aufschwung wieder die *Menschheit* einen Teil ihres Niedergangs, denn an demselben alten Karussell von Morden, Lügen, Verleumdungen, Tratsch und Kitsch ist immer nur das *Datum oben neu,* und die arme zerlechzte Herde der Hereingefallenen kauft Druckerschwärze statt Leben; merkt nicht, daß der Mord in der Fünfundfünfzigsten Straße sich von dem in der Achtundsechzigsten nur dadurch unterscheidet, daß der eine Mittwoch und der andere Donnerstag breitgequatscht wurde. So legt das Pressegeschmeiß sein Eintagspapier täglich in Millionen Exemplaren in den Mist . . . heraus kriecht immer das gleiche Ungeziefer.

Wiederholung desselben alten Gedankens involviert aber Verfall – Verrottung im Leib und Verrottung im Geist.

Wäre es nicht möglich, wir erhöben uns jeden Morgen mit der Gewißheit, es werde auch dieser Tag und jeder, der nach ihm kommt, eine Lebenserhöhung bringen? Irgendeine Entdeckerfreude: ein Nützliches und Beglückendes für uns wie für andere – *etwas, das Dauer hat* – , oder eine fertige Erkenntnis, die gesternschon endgültig erstarrt schien, blüht plötzlich noch einmal überraschend aus, ganz woanders hin, als man je geahnt: eine Erkenntnis, den Weg weisend in eine Fülle dauernder und zugleich harmloser Freuden; irgendein großes, einfaches Naturgesetz, das nun zum erstenmal zart, lieb und unendlich in einer »Kleinigkeit«, wie man bis jetzt zu sagen pflegte, offenbar wird: dem Fallen eines Blattes, der Färbung eines Seetieres. – *Die Natur unterbreitet dem Lebendigen ja unaufhörlich Myriaden von Vorschlägen,* je nachdem es die Vorschläge angenommen oder abgelehnt hat, ist ein Elefant – eine Blindschleiche – ein Adler – eine Palme – ein Bankdirektor – ein Heiliger daraus geworden. Die Qualle (ohne ihr nahetreten zu wollen) hatte noch relativ wenig Organe, mit ihnen eine nennenswerte Menge aus diesen *Myriaden von Vorschlägen* wählen zu können – und es ist *doch* gegangen. Wir mit unserem weit größeren Empfindungs- – Prüfungs- – Denkfeld, wie könnte für uns jeder neue Morgen erfüllt und reich sein, läge *die große empfindliche*

Membran unseres Geistes diesen Propositionen der Natur frei! Zögen wir nicht vor, sie von Kindheit an vollkritzeln zu lassen mit toten Meinungen, Dogmen, Vorurteilen. – Welcher Wahnsinn, sich sein lebendiges Inneres verbauen zu lassen! Immer irgendeine Mache, einen Ritus, einen Irrsinn und bombastischen Kinkerlitz vor sich und über sein klares Selbst zu setzen!

Sind wir denn auch nur voll zum Bewußtsein erwacht, Empfänger fließender Gedanken aus dem Unendlichen zu sein, und mit diesen Gedanken Einsicht, mit dieser Einsicht Macht ohne Grenzen zur Verfügung zu haben, weil ja die Unendlichkeit aus eben diesen besteht: eine Bank, die auszahlt und auszahlt, ohne daß auch der Ausdauerndste sie je zu sprengen vermöchte. *Wann werden wir endlich aufhören, einander unsere Erfindungen, unsere Güter, unseren Besitz zu neiden, abzuluchsen, abzujagen; lächerlich und kläglich wie Irre, die am Ufer des Mississippi sich um ein abgestandenes Glas Wasser balgen wollten, statt die Hände in den ewigen Strom zu tauchen und zu schöpfen nach Herzenslust.*

Wer schöpfen will, muß sich allerdings zuerst die Hände freimachen, den Krampf alter Bürde abtun von ihnen.

Es gibt Tausende von Dingen, Ereignissen, Szenen in jedem, auch dem glücklichsten Leben, die viel besser vergessen wären; am meisten vielleicht eben diese »glücklichen Erinnerungen«, *weil auch Glück ranzig wird.* Auch der Standard der Freude sollte von Jahr zu Jahr wachsen dürfen und das Morgen immer reizvoller als das Gestern wirken. Wer vergißt, schafft Raum für neue Gedanken, daher für neues Leben . . . Wer sich hermetisch in gegenwärtiges oder vergangenes Glück einschließt, wird auch an ihm alt und grau.

»Vergessen« bedeutet nicht völliges Auslöschen, wäre überdies unmöglich, weil wir ja die Summe unserer Erfahrungen sind. Jede Szenerie, jeder Duft, jedes Wort und jeder Kuß sind organische Bestandteile – sind eingebaut worden in das Ich, ob auch verwischt, begraben, unsichtbar, doch stets bereit, nach rätselhaften Assoziationsgesetzen wieder über die Schwelle zu tauchen. *Nur dem eigensinnigen und manischen Herausheben einer bestimmten Gruppe von Erinnerungen – wodurch sie überwertig wird, sei hier widerraten. Rechte Erfahrung ist das, was man vergessen hat.* Wer siegesrasch geradeaus in die Vollendung fahren will, darf den Wagen hinter sich nicht ungleich belastet haben.

Es gibt Menschen, die mit alten Widersachern vergangene Kämpfe immer wieder geistig durchhadern, und nicht zu leugnen ist ja, daß diese jahrelangen »Geisterschlachten über dem Amselfeld« stets ordnungsgemäß, d. h. für den Abwesenden vernichtend enden. Es spinnt sich da eine fortlaufende Geschichte an, unendlich reich an wohltuenden Varianten, gipfelnd in wonniglicher Schluß-pointe: Schlotternd steht der Hund, Reue im Schwanz, vernichtet an Haupt und Gliedern, vor unserem überwältigenden Resümé all seiner Niedertrachten. Wer meint, daß es damit doch nichts auf sich habe – eine harmlose, billig-solipsistische Genugtuung für Schlechtweggekommene bedeute –, irrt schwer. Es ist das so ziem-lich der kostspieligste Luxus, dem ein Mensch zu frönen vermag: denn er kostet Leben. Wer ihm verfällt, geht wie in einer Wolke von psychischem Leichengift dahin, mesmerisiert sich in ein Scheinle-ben zurück, das längst verwest ist, und opfert imaginärem Triumph im Vergangenen, wirklichen im Kommenden. Jemand hat Rache: »um der Vergangenheit willen handeln« genannt, sie ist also eine um 180° falsch gedrehte Energie. Auch kann keiner einen Körper frisch und schön erhalten, der sich von ausgelaugten Gedanken nährt – von den Exkrementen seiner veralteten Iche! Neuer Influx, junge Zukunft findet die Seelenzellen verklebt. Fleisch, Bein, Mark und Blut sind starre Hülse toten Geistes geworden . . . Solch immer wachsende Krustenlast muß in Schwäche und Jammer hernieder-drücken. Nur wer seine verbrauchten Schalen abwirft, vorwärts-drängend ins Neue, den fliegt junges Leben an mit jungen Gedan-ken, und diese materialisieren sich auch den neuen, ihnen korre-spondierenden Körper. »Jeden Tag sterben können« bedeutet, daß irgendein Gedanke von gestern sicher heute schon zu den Toten gehört. Wo Geister in gesundem Wachstum sich befinden, müssen sie am Ende jeden Tages mit einem Teil ihres Selbst *für immer fertig geworden sein; es ist ausgelebt. Es weiter verwenden wollen, schädigt nur. Psychische Substanz muß abgestoßen werden, wie die Epidermis täglich Zellen abstößt – sonst leiden Hautatmung, Zirku-lation, Ernährung und alles. Wer Gedankenerneuerung zu steigern versteht, durchlebt in Tagen Welten. Glück wird fast unabhängig von Ort und Umständen, er kann es zu sich in den Kerker zwingen, während Leute, von alten Vorstellungen eingekerkert, in Palästen verfaulen . . . es ist ein Weg zu fast völliger Unabhängigkeit vom Physischen – und *Unabhängigkeit ist Macht.* Solang wir noch in irgendeiner Form auf einen Menschen, eine Speise, eine Droge, ein Stimulans angewiesen sind, bleiben wir Sklaven. Nur auf neuen Gedanken, *deren Zeugung wir beherrschen,* gibt es ein Entkommen aus den Gefängnissen materieller und seelischer Armut. *Niemand kann auch im weltlichen Sinn lange arm bleiben, der in unserem Sinne spirituell reich ist.* Doch wird spiritueller Reichtum nie nach mehr verlangen, als er gebrauchen kann, um Tag und Stunde voll auszugießen. Er wird nicht »für das Alter sorgen«, weil er erkannt haben wird, daß dieses »Vorsorgen« selbst schon den »Vorsorglichen« altert, weil er sich Jahre, ja Jahrzehnte voraus schon im Geist als dekrepit, abhängig, eingewelkt *zwangsläufig vorstellt.* Gegen all diese Leiden soll, als Kompensation quasi, etwas Materielles: *Geld* herhalten, sie selbst aber beherrschen als Angstneurose das gesamte Denken des »Vorsorglichen« . . . Ein Musterbeispiel falsch angewandter Gedankenkraft! *Das Erz- und Grundbeispiel.*

Nur die Entwicklung – die Entfaltung – die *Irradiation* der Geistgewalt selbst über die materiellen Sphären kann all dieses Übel verhindern, den Körper unbegrenzt erhalten, verjüngen, verwandeln. Nicht, indem man Jugend in Knechtschaft für »Altersversorgung« vergeudet, *nur im Hinwerfen dieses heute noch kläglichen und kleinlichen Ich in den großen erneuernden Strom werdender Wunder und Erkenntnisse liegt Hoffnung und Heil gegen die Grundschmach von Alter und Tod.*

Solche Geistgewalt beginnen wir zu pflegen und zu entwickeln, sobald wir an ihre Herrschaft über die Welt der Materie glauben – glauben, daß was immer wir als Teil von ihr ausdauernd träumen, denken, als *Willen aus uns stoßen,* wir auch wirklich, realiter erschaffen.

Aus Unwissenheit wurde bisher immer in der falschen Richtung geträumt, gedacht und folglich – erschaffen. »Wir ackern uns mit unseren Käferköpfen« immer tiefer voraus und hinein in die irdische Verwesung. Nur ein Beispiel: Der erste Satz, den das Kind in der Logik zu lernen bekommt, lautet: »*Alle* Menschen sind sterblich, Cajus ist ein Mensch – folglich muß Cajus sterben.« *Alle* Menschen sind aber noch lange nicht *geboren,* geschweige denn gestorben, wie also dürfen sie, die noch gar nicht Existierenden, über die noch keinerlei Erfahrung vorliegt, fälschlich in die Prämisse »alle« eingeschmuggelt werden. Und so lehrt man Kinder Logik!

Wer allerdings noch in den primitiven Vorstellungen der sechziger Jahre des vorigen Jahrhundert lebt, *nach denen Geist höchstens als störende Nebenerscheinung der Mechanik widerwillig geduldet wurde,* wer noch nicht gelernt, das Unbegreifliche und das Wunder bereits darin zu sehen, daß Wasserstoff und Sauerstoff einander anziehen, gewisse chemische Elemente Affinitäten zueinander haben – andere wieder nicht: was Empedokles »Liebe und Haß« nennt und nach ihm hinzustoßen hat zur Materie, damit der Kosmos das »Geordnete« werde – wer tellerflach und viertelgebildet, also ärger als ungebildet, sich hinter einer dogmatischen Taschenphilosophie für Minderbemittelte verkalkt, als hätte sie Ewigkeitswert, wird all dies wundervolle Kommen, soweit seine planen Kräfte reichen, *verzögern – aufhalten* wird es niemand.

Der Advent ist nahe, *nicht weil ich oder ein anderer etwas schreibt oder behauptet,* sondern um der Fülle strebender und stürmisch anwachsender Menschengeister willen – der *Milliarde* von Hirnen, die heute an den Toren jedes Wunsches steht, im Gegensatz zu früheren, schwach bevölkerten Zeitaltern. Das sechste Jahrhundert v. Chr. war gewiß an überragenden Menschen reicher als vielleicht irgendein anderes (Konfuzius, Buddha, Pythagoras, Heraklit, die Eleaten), aber es waren nur einzelne, und ihre *gewiß hochstehenden Völker damals* zu dünn gebreitet auf dem Planeten *für dauernde materielle Auswirkungen.* Was heute ein auch nur mittelmäßiger Mensch *als Wille aus sich herausstellt, findet weit mehr tragende Elemente um sich; der Geistäther ist infolge der Übervölkerung dichter geworden.*

Nie noch waren Umwelt und Wirkungswelt so zur Empfängnis reif wie jetzt.

Es genügt, wenn die Wenigen aus der Vorhut weiterdrängen und nicht müde werden zu verkünden: »Aber so seht doch, da – gerade unter euren Nasen ruht, unausgenutzt, die gewaltigste aller Verwandlungskräfte: der wollende Gedanke: eine Realität, ein Wirkliches und Wirkendes . . . es ballt und entlädt sich, funkt durch den Raum – aufbauend und niederreißend, heilend und tötend, Vermögen schaffend, Vermögen vernichtend – im Guten wie im Bösen tätig zu jeder Stunde, Tag und Nacht – im Schlafen, im Wachen – die Gesichter der Menschen – ihre Leiber meißelnd, färbend und formend zu dauernder Vollendung oder passagerem Verfall.

Ehe du dich, lieber Mitmensch, ganz einem parlamentarischen Interpellationsmodus, einer Suppenanstalt, der Versorgung von Negerkindern mit Wollstrümpfen, dem Sammeln von Stanniol, Briefmarken oder Zahnbürsten aus der Zeit der Karolinger, dem Jagen nach einer neuen Zeckenart unter dem Schwanz des wilden Elefanten widmest, frage dich, ob du einen Teil deines Lebens nicht versuchsweise drangeben möchtest, die hier vorgeschlagenen Wunsch- und Denkmethoden am eigenen Leib zu prüfen. Es bedarf keiner »Bildung« hierzu – keiner Staatsprüfungen, keiner Geldmittel – nicht einmal des Glaubens.

Wir stellen keine Dogmen auf, wir sagen nur: »Versuche selbst.« Sollten sich jedoch etwas wie erste Resultate in der erwarteten Linie einzustellen beginnen, wäre es dann vernünftig, ihnen eine willkürliche Schranke, ein: bis hierher und nicht weiter irgendwo im

Möglichen vorschreiben zu wollen? – *Glaube* – *Vertrauen sind dann nichts anderes als geradlinig verlängerte Erfahrung.*

Im Angesicht der Ausblicke, die sich hier eröffnen – welche andere Tat, welches andere Ziel käme diesem an Bedeutung gleich für die gesamte Menschheit! *Daß es bisher keiner erreichte! – So sei eben du der erste* . . . Zeige *du*, wie man sich aufbauen könne zu einer lebendigen Allmacht – wie man mit anderen Gleichstrebenden am eigenen Leibe beweise: Kraft und Gesundheit können der Vergreisung erfolgreich entgegenstehen – Krankheit auf immer verbannt werden, Reichtum und Genie fließen – natürliche Ergebnisse – aus bisher nur unvollkommen oder unbewußt angewandten Methoden und Gesetzen. *Nicht aber ist das Leben* die passagere, unbefriedigende, hoffnungslose Sache, als die es bis heute selbst im glücklichsten Ausnahmefall galt. Solange der Mensch sterben muß, nachdem er eben angefangen, ein bißchen das Leben zu lernen – solange sind alle seine Genies: Gelehrte, Seher, Philosophen, Künstler doch nur *Fehlschläge;* Inseln des Vergessens auf der Todesfahrt.

Die Menschheit aber verlangt nach Besserem. Ihr Verlangen, ihr Schrei schwillt ständig an durch die Jahrhunderte – formt sich aus dem Unsichtbaren die Erfüllung. Diese wird erst den Wenigen werden, dann den Vielen . . . schließlich allen. Neuem Licht, neuem Wissen, neuen lebendigen Resultaten geht die Menschheit entgegen.

Zeit kennt nur eine Dimension, eine »Richtung«: *vorwärts.* Da wir in ihr vorwärtsfließen, ist es auch besser, vorwärts zu schauen. Eine mächtige, geheimnisvolle, ewige Kraft drängt uns am Band der Zeit ins Ungelebte. Auch die Trägsten, Dumpfesten, Rohesten, Verhorntesten können der Wandlung innerhalb der Zeit nicht widerstehen. *Viele aber treiben dahin, den Rücken gegen die Zukunft, den Blick in die Vergangenheit gewandt.* Durch solche falsche Haltung hofieren sie Übel, Leid, Krankheit und Verfall.

Es klingt ja sehr wunderbar, wie alles Schicksal innerhalb des Lebens, wie Glück und Unglück von so einfachen Bräuchen abhängen sollten: von einer Richtung des Gemüts. Aber die sogenannten »einfachen« Dinge haben sich bei genauerem Zusehen noch immer als die tiefsten, die Kern- und Urphänomene, erwiesen.

Was uns vorläufig und zu allererst beschäftigen muß, ist nicht ein Spekulieren über die Attribute der »ersten Ursache«, uns gilt es, Mittel in der Natur aufzudecken, die bestimmte Resultate in bestimmter Richtung ergeben. Haben wir einmal die lebendige Gewißheit erlangt, *Realitäten aus uns herausdenken zu können* – Realitäten in bezug auf Gesundheit, Armut, Reichtum, Stellung, Geist, dann ist *das erste Vordergrundziel erreicht,* »eine Perle von hohem Preis« – als Zeichen aber, daß *wir weiser* geworden sind an diesem Ziel und *reif für den nächsten Schritt,* werden wir eilen, unserem Nachbar zu helfen, auf daß auch dieser die »Perle von hohem Preis« in sich suche und finde, *denn jeder findet nur, was ihm allein zu finden vorbehalten; er nimmt jemandem damit, nur alle werden reicher, weil mit der Zahl der Wissenden die Gesamtkraft wächst; aus jedem, dem geholfen ward, wird automatisch ein Helfer.*

Das tägliche Einströmen neuer Ideen bringt neue Macht. Ihre schweigende Triebkraft weckt und erregt auch alle anderen Wesen, die bewußt oder unbewußt mit uns zusammenarbeiten.

Auf den höheren seelischen Stufen sind alle Frohen, Vitalen, Serenen, Siegessicheren. Sie haben sich emporgebildet zu dem Gesetz und seine Richtigkeit sich selbst bewiesen. Sie wissen: Ein bestimmter Hang des Gemüts, die Beherrschung der Gedanken erregt dauerndes Einströmen von Glück und Macht – weil Glück und Macht parallel gehen müssen. *Macht, nicht als Knechtung anderer,* sondern: *Wirkungen entfalten können* – Freiheit – Lebensraum. Sie wissen: Jedes Unternehmen, in der Richtung des unendlichen Gesetzes orientiert, *muß* Erfolg haben. Das Leben für sie ist eine Schnur von Siegen, ihrem Herzen so ganz Gewißheit wie uns, daß Feuer brenne und Wasser es lösche. Durch tiefes, dauerndes Begehren (nicht Betteln und nicht ungestümes Drängen) können wir uns mit dieser Insel höheren Lebens in Verbindung setzen und aus ihr neues, kraftspendendes Fluidum ziehen. Diesem wertvollen Kontakt zu den reinsten Intelligenzen wird der Weg geebnet durch das Bemühen, alles trübe, neidische, streitsüchtige Wesen auszutreiben. Ein Gedanke, der uns schadet, ist unrein. Lebenslange Mißzucht der Gewohnheit mag souveräne Beherrschung im Anfang schwierig erscheinen lassen . . . dauerndes Streben: Aspiration, wird aber mit steigender Leichtigkeit alle ruinösen Tendenzen abzutöten vermögen. Unreine Gedanken sind wie *ätherischer Aussatz an einer unsoignierten Seele* – sie versperren uns den Eintritt in »bessere Gesellschaft«. Auf höhere Instinkte, auf feinere Helfer kann die Aura eines Menschen als Kloake oder als Blütenhain wirken.

Manch großer Schriftsteller, Künstler, Heerführer . . . überhaupt *Führer* der Menschheit auf irgendeinem Gebiet des Lebens, mag ein gut Teil seiner Größe auf mediumistischem Weg erlangt haben – Sprachrohr solcher Intelligenzen, solch unsichtbarer Helfer gewesen sein. – Vielleicht blieb sein Wesen in manchem klein, eitel, vulgär, schlechtrassig – irgendwie aber hatte er teil an Größe. In erlesenen Momenten gab sich etwas in ihm ganz und schrankenlos hin, da wurde er zum Medium, zum erlesenen Träger fremder Geistergrade. – Er hatte in diesen empfangenden Momenten die hochempfindliche Membran seiner Seele hinauf- und hingebreitet in die Wirkungswelt von Strahlen und Wirbeln, weit feiner und mächtiger, als sie seinem Alltag vergönnt. Beladen mit Astralgeschenken, kehrte er dann »zu sich« zurück. Denn:

> Der hat's wahrhaftig in der Kunst
> Nicht hoch hinausgetrieben,
> In dessen Werken nicht *mehr* steht,
> Als er hineingeschrieben . . .

Es waren eben Einflüsterungen. – – Für Geistwesen, überfließend in ihrem Reichtum, ist es tiefe Notwendigkeit, ihre Visionen von Süße und Kraft anderen mitzuteilen – mit anderen zu teilen. Sie bedienen sich jedes Mittlers, jedes Mittels, scheint es nur halbwegs tauglich . . . *suchen den Weg geringsten Widerstandes* – das ist Naturgesetz. Solch höhere Intelligenzen sind gleich gestauten Quellen: es strömt und strömt aus ihnen; Geben ist nicht Pflicht, sondern Erlösung. Wenn Gedanken ihre Reife erreicht haben, müssen sie sich eben ablösen wie überschwere Früchte vom belasteten Ast.

Diese Kräfte, Seelen, »Geister«, wie man sie nennen will, aus den oberen Sphären, finden vielleicht auf dem irdischen Stratum des Lebens einen impressionablen Organismus, sie mögen einzeln auf ihn wirken oder, zum Ring geschlossen, eine Atmosphäre um ihn schaffen, in der er, weit über seiner Täglichkeit und kleinen Eigenkraft, für eine Spanne zu schweben vermag – »frei«, wie den mächtigen hochgespannten Kupferspulen mitten inne – von ihnen durch Fernwirkung gehalten – der Magnet »frei« schwebt. Dieser geistige Ring wird auf den eindrucksfähigen Organismus wie ein Stimulans wirken. Hebt, trägt und hält ihn über sich. Für den Augenblick sieht er die Dinge im Licht eines höheren Lebens – reiner, als es um ihn gelebt wird. Er ist inspiriert, berauscht, verklärt, auch weil feine und mächtige Gedankensubstanz eine entflammende Droge ist, proportional wirkend der Zartheit und Feurigkeit des Individuums, durch dessen Nerven sie sich ergießt. Dieses Stimulans heißt auch »persönlicher Magnetismus«. In ihm liegt das Geheimnis jener rätselhaften unerklärlichen Anziehungen von Mensch zu Mensch. Sie sind trunken aneinander – trunken von dem Fluidum, das sie wechselseitig absorbieren: »Frau Minne gab die Kranken zwei, eins dem andern zur Arznei.«

Auf jeder Stufe, auf jedem Gebiet, zu jedem Zweck, ob hoch, ob nieder, wirkt irgendeine Abart der Droge »Geist«.

Da ist kein mächtiges Geschehen, keine Tat, keine Erfindung, kein Kunstwerk, das ganz aus einem Einzelwesen entstanden wäre, unumarmt von dem zeugenden Äther ringsum. Wir sind alle Teile des Ganzen; was ohne Hilfe geschieht, bleibt »unbehilflich«. Wer es anders weiß, weiß es aus Wahn und Dünkel.

Der inspirierte Dichter, Gelehrte, Erfinder, Staatsmann mag mit einem großen Namen hinübergehen, ohne seine ganze Berühmtheit verdient zu haben. Seine Werke waren zum Teil das Resultat der auf ihn konzentrierten Kräfte kooperierender Intelligenzen aus dem Unsichtbaren. Sie entluden sich in ihm, dem klaren und willigen Empfänger, der sie nicht störte, um dann erleichtert aufzusteigen zu Regionen, in denen der Geistäther vielleicht schon zu fein ist, um einem Erdenmedium noch übermittelt zu werden.

Je schneller, je larger man im Geistigen gibt, desto rascher fließt Neues wieder ein . . . Wer geistiges Eigentum ängstlich zurückhält, schwächt und verarmt seine Aufnahmefähigkeit. Wer ein Medium ist, um Kräfte der Welt durch sich hindurch anderen zu vermitteln, muß vorsichtig sein, damit ja nichts in seinem Wesen den freien Durchzug hemme. In dem Augenblick, da er eine Wahrheit, eine Idee, eine Erfindung in sich aufspeichert mit dem Entschluß, sie *ausschließlich* für sich zu behalten, verstopft er die Mediumschaft.

Er wird in jedem Sinn nur ärmer werden durch solches Zurückhalten.

Gibt er reichlich, so wird er wieder reichlich empfangen und aus dem Überfluß jederzeit leicht genügend zurückbehalten können, um aus ihm seine materiellen Bedürfnisse zu decken.

Manchen sind Ideen organisch. Schöpfer sind sie und Absorbierer zugleich. Jene sind es, die zur höchsten Form des Weltwesens hinaufzuleben trachten . . . nach größerer Vielseitigkeit in Geist und Tat drängen. Die heitere Notwendigkeit, unter der solch ein Mensch steht, dieses Schöpferische in ihm, das ihn zu einem Rundumausblühen seiner ganzen Persönlichkeit zwingt, bringt ihm vom Besten aus der ganzen Welt, auf daß er es zu seinem Aufbau verwende und assimiliere. Da er nicht nur ein Medium ist, d. h. ein Durchlässiges, für bestimmte Einflüsse passiv Empfängliches und Geeignetes, sondern *ein ganzer, kleiner Kosmos für sich,* vermag er nach dem Gesetz der Korrespondenz von allem in sich zu ziehen – an allem hat er teil, denn alles ist er selbst –, bleibt, auch im

Absorbieren des Fremden, schöpferisch und originell. Anderer Gedanken gehen mit den seinen neue »chemische« Verbindungen ein, alles was an ihn rührt, wird an ihm umbelichtet, umgeboren – erhält Weihe, Frische und Jugend. Je reiner und naiver die Anschauung, je selbstloser seine geistige Haltung den befruchtenden und ergänzenden Dingen gegenüber, um so rascher entstehen die neuen Gedankenverbindungen in ihm . . . destoorigineller wird alles, was er berührt. Erklärlich ist es nicht, aber die Tatsache bleibt nicht weniger bestehen: die Rechtlichkeit, die Harmlosigkeit sind selbständige Elemente . . . wirkende Faktoren bei solchen geistig-chemischen Prozessen.

Das Medium . . . aus Schwäche oder Selbstsucht, begnügt sich damit, ausschließlich Entlehner zu sein. Es bedient sich fremder Gedanken, ohne von dem rechtmäßigen Besitzer – oder Schöpfer auch nur Notiz zu nehmen, ja ohne sich der Provenienz der angeflogenen Ideen auch nur bewußt zu werden. Aber Intelligenzen, von denen man fix und fertig entlehnen kann ohne eigenes »Veredlungsverfahren«, sind nicht immer erreichbar. Es muß eine Zeit kommen – in diesem oder einem anderen Leben, wo der Geist auf sich allein zurückgeworfen, plötzlich ohne Ressourcen dasteht . . . arm und verkrüppelt durch jene Einseitigkeit, wie sie aller Mediumismus ausbildet. Es wird die Fähigkeit fehlen, geistigen Rohstoff an einem eigenen Zentralfeuer umzuschmelzen.

Um die *Schöpferkraft* im Geistigen ringen, ihre kleinsten Ansätze pflegen, allen noch so augenfälligen Vorteilen der Mediumschaft so früh wie möglich entsagen, das ist unser Rat. Ja, aber woran soll man denn überhaupt erkennen, daß man Medium ist? An der einseitigen Richtung der Einfälle . . . Sie scheinen, wie die Sternschnuppenschwärme, immer aus einem bestimmten Punkt hervorzugehen, so groß der Streukegel dann auch werden mag. Das Kriterium der echten Schöpferkraft wird immer sein, daß sie sich auf allen Seiten des Lebens, wo immer man stehen möge, auf den verschiedensten Gebieten regen wird . . . *zur Stelle sein wird.* Durch alle Gegenden des Herzens aber *läuft sie zündend mit als Fackel des Läufers.* Das Medium hingegen muß immer in einer bestimmten Geistregion stille halten . . . unter einem bestimmten Einfallswinkel bleiben, das ist sein Merkmal.

Anmerkung: Nicht Prentice Mulford hat sich über die unbewiesene Prämisse in dem Logikbeispiel: Alle Menschen sind sterblich . . . Cajus ist ein Mensch, folglich usw. . . . aufgehalten. Diese Bemerkung stammt aus dem reizenden Buch Alexander Moskowskis: »Der Sprung über den Schatten«. Sie ist jedoch so sehr im Geiste Mulfords, daß sich der Bearbeiter es nicht versagen konnte, sie hier dem Ganzen einzufügen.

Die hohe Kunst des Vergessens

In einer Chemie der Zukunft wird man Gedanken vielleicht ebenso bewußt neue Verbindungen miteinander eingehen lassen wie heute in den Laboratorien Sauerstoff, Stickstoff, Kohlenstoff und Wasserstoff. Man wird möglicherweise ihre »Verbindungsgewichte« kennen, sie in eine »Mendellejeffsche Reihe« einordnen und so aus bekannten Elementen – aus »Gemeinplätzen« geniale Einfälle entstehen lassen.

Es gibt keine Kluft zwischen dem, was wir als materiell und immateriell anzusprechen gewohnt sind. Unmerklich blendet das eine in das andere hinüber. In Wahrheit ist die Materie nur sichtbare Form feinerer Elemente, die wir Geist nennen. Unser unsichtbarer und unausgesprochener Gedanke strömt von uns als Substanz, so wirklich wie der Wasserstrom, den wir sehen können, oder der elektrische Strom, den wir nicht sehen können. Er verbindet sich mit dem Gedanken eines anderen, und aus solchen Verschmelzungen bildet sich eine neue und andersartige Idee wie aus chemischen Elementen ein neuer Körper.

Wenn wir in Gedanken die Elemente: Haß, Gram, Trübsinn, Sorge aussenden, so setzen wir damit Körper und Seele schädigende Kräfte in Aktion.

Die Macht zu vergessen schließt zugleich die Macht in sich, unerfreuliche und schädliche Gedanken oder Elemente zu vertreiben und jene nützlichen an ihre Stelle zu rufen, die uns aufbauen statt niederzureißen. Die Art des ausgesandten Gedankens beeinflußt unsere Geschäfte zum Vor- oder Nachteil; beeinflußt andere für oder gegen uns, erfüllt sie mit Vertrauen oder Argwohn.

Der vorherrschende Geisteszustand, die dominierende Färbung des Gemüts formt Leib und Glieder. Sie macht uns häßlich oder erfreulich, anziehend oder abstoßend für andere und, was wichtiger – für uns. Sie bildet unsere Gesten, unsere Manierismen, unseren Gang. Die leiseste Zuckung eines Muskels hat noch eine Stimmung, einen Gedanken zum Untergrund. Ein entschlossener Geist zeigt immer einen festen Schritt; ein zweifelnder, lavierender, unsteter schlurft, schleicht, torkelt dahin, »übel angebracht auf seinem Stengel«. Entschlossenheit strafft jeden Muskel und erfüllt ihn wunderbar mit einem belebenden Fluidum, insonderheit, wenn diese Entschlossenheit auf ein Ziel gerichtet ist, das in seinen Ausstrahlungen auch anderen zugute kommen soll – nicht uns allein. Es ist ein sehr weiser Egoismus, der stets fremdes Wohl in seine Werke einflicht, weil im Geiste ja alle ein Ganzes bilden und ganz andere aufbauende und belebende Hilfen herbeiströmen, etwas zu fördern, das für viele Interesse hat. Auf diesen aufbauenden und belebenden Strömen, aus dem unsichtbaren »Überall« her treibt dann auch das Schiffchen »selbst« seinen persönlichen Erfüllungen zu. Wir alle sind Glieder eines Körpers. Unsichtbare Nerven strecken sich durch den Raum von Wesen zu Wesen; ein übler Gedanke ist eine qualvolle Pulsation durch Myriaden von Geschöpfen hindurch.

Um aber die Prozesse fruchtbarer Gedankenverbindungen des Fremden mit dem Eigenen zu fördern, müssen diese immer möglichst frisch und »chemisch« wirksam, wenn man so sagen darf, erhalten bleiben. Das kann nur durch die Kunst des Vergessens erreicht werden . . . die nichts anderes ist als richtiges Ausscheiden verbrauchter oder verdorbener psychischer Substanz.

Etwas vergessen lernen, ist ebenso wichtig, wie etwas behalten lernen.

Auf den unabsehbaren Vorteil, den es bietet, Peinliches, Trübes, Beängstigendes nach Willen ausschalten zu können aus dem Bewußtsein – insonderheit vor dem Einschlafen, damit der Geist nicht noch durch Stunden in dunklen Sphären sich herumtaste, statt unbeschwert mit Licht beladen, am Morgen wiederzukehren von klareren Wohnplätzen als Täglichkeit sie kennt – auf diesen unabsehbaren Vorteil, der im Vergessenkönnen liegt, ist schon an anderer Stelle hingewiesen worden.

Doch auch die lebendige, die frohe und fruchtbare Idee soll zeitweise ganz aus dem Gedächtnis verschwinden. Um in einer Unternehmung, einem Studium, einer Kunstfertigkeit den größtmöglichen Erfolg zu haben, ist es nötig, daß wir täglich zu bestimmten Zeiten diese Unternehmung, Wissenschaft, Kunst total vergessen. Sonst passiert es, daß wir Geleise ausfahren – den Weg mit dem Ziel verwechseln und uns auf ersteren festlegen, was nie geschehen sollte. Vielleicht sieht ein schweigender Zug unsichtbarer Helfer weiter als wir selbst, einen Schritt, eine Tat, die notwendig zu größtem und dauerndstem Erfolg. Wir selbst aber sind für diesen ganz fremdartigen, ganz überraschenden Weg blind, weil wir uns manisch in eine Sackgasse hineinverdacht haben. Zuweilen wieder scheint nichts vorwärtsgehen zu wollen, während die Ereignisse nur warten, bis unsere Erkenntnis sich genügend geklärt hat. Wer bei einem Unternehmen – mit großem, wertvollem Zweck, nachdem er sein Bestes dafür getan, immer noch auf *unbegreifliche Hindernisse und Belästigungen stößt,* höre sofort auf, mehr als das

Allernotwendigste weiter zu tun. Er verlange eindringlich, daß sein Geist mit Plänen, Grübeln, weiterem Brüten über die Sache aufhöre und vertraue allein auf die mysteriöse geheime Macht hinter *allen echten Dingen*. Er schlafe allein, esse allein und gehe im übrigen sich unterhalten. Ist er sich bewußt, sein Bestes getan zu haben, schalte er sich völlig aus – höre auf, irgend etwas aus sich selbst tun zu wollen.

Es wird ihm die enorme Kraftvergeudung sparen, die aus der Unentschlossenheit in solchen Perioden erzwungener Stagnation kommt.

Gelingt es ihm »wegzudenken«, dann wird eines Tages, mitten in das selige Vergessen hinein, ein Impuls kommen, der ihn handeln, eine Stufe höher steigen heißt. Die Stufe – der Schritt wird in Form einer Gelegenheit, eines Angebots, wie es kein Mensch vorhersehen konnte, erscheinen. Dann soll er sich aufs neue hineinstürzen in seine Unternehmung, die Gelegenheit beim Schopf packen, nicht mehr loslassen und sein Alles geben, so gut er es nur weiß und kann.

Aber dasselbe immerfort in sich herumwälzen – spekulieren, was man tun oder nicht tun sollte, heißt eigentlich nur die gleichen Dinge wiederholen – aus dem Gedankenmaterial einmal über das andere die gleiche Konstruktion bauen . . . einen Gedanken in Form einer Reihensiedlung aus sich herausstellen – aller Variation, auf die es doch in diesem Falle ankäme, unfähig.

Sind wir einmal gewohnt, immer über das gleiche Thema zu reden, es nie zu vergessen, es überall und immer aufs Tapet zu bringen, so werden wir aus der umgebenden Konversation bald herausfallen. Wer nicht durch Selbstvergessen imstande ist, echtes Interesse für das aufzubringen, was um ihn herum gesprochen wird, entschlossen, nur das zu diskutieren, was ihn selbst interessiert, läuft mit Recht Gefahr, in den Ruf eines »Hobbyisten«, eines Sonderlings zu geraten.

Der Monomane ist an seinem Ruf selbst schuld. Er ist ein Mensch, der das Vergessen verlernt hat. Eine Idee – in ihm überwertig geworden – hindert nun, gleich einer Geschwulst, freie psychische Zirkulation.

Andere um ihn herum fühlen diese Einseitigkeit, diese stille innere Manie in Form eines namenlosen Unbehagens, das er verbreitet, ganz gleich, ob er sein »Hobby« schweigend nährt oder nicht, denn wir alle machen uns beliebt oder verhaßt, während wir in der Einsamkeit unseres Zimmers sitzen.

Der Sonderling wird oft zum Märtyrer oder glaubt es zu werden . . . Zum Martyrium ist aber nie zwingende Veranlassung . . . es sei denn der Zwang der Unwissenheit. *Martyrium hat im Grunde stets ein Element von Taktlosigkeit in sich.* Mangel an Urteilskraft und Feingefühl für die Form, in der ein der Menschheit Ungewohntes ihr vermittelt werden sollte. Analysiert man Martyrium, so findet sich immer ein verbohrtes gewalttätiges Bestreben im Märtyrer, irgendeine Idee in verletzender oder antagonistischer Weise anderen aufzuoktroyieren.

Auch Christus ist keine Ausnahme. Man lese nur, welche Drohungen und Flüche gegen jene geschleudert wurden, die etwa seine Jünger nicht in ihr Haus aufnehmen wollten – berechtigterweise, weil diese sich vor dem Essen nicht die Hände zu waschen pflegten wie andere Leute. »Da wird sein Heulen und Zähneklappern« – und »solchen wäre besser« usw. . . . usw. Christus sagt auch: »Ich komme nicht im Frieden, sondern mit dem Schwert.«

Nun aber ist endlich die Zeit der Weltgeschichte gekommen, wo das Schwert in die Scheide gehört. Manche braven Leute gebrauchen unbewußt Schwerter, wenn sie anderen etwas Gutes erweisen wollen. Die eifernden Reformatoren, die das Schwert der Aversion gegen jeden schwingen, so er nicht auf das hört, was sie meinen, daß er unbedingt hören müsse – das Schwert der Vorurteile und noch ein ganzes Arsenal unzeitgemäßer Barbarenwaffen. Ein kommendes Reich des Friedens und der Toleranz wird sich aber aus tiefer Freundlichkeit aufbauen – *oder gar nicht* aufbauen. Von dem Guten, das in ihnen ist, soll man den Menschen künden und als erste Regel ihre Kinder lehren: »Jeder ist ein Gentleman« – nicht aber: »Wir sind allzumal Sünder.«

Die ziehende Kraft des Gemüts

Es ist ein Zustand des Gemüts möglich, der, *dauernd durchgehalten*, uns Geld, Ländereien, Begabung, Anmut, Gesundheit und Glück bringen muß.

Es ist ein Zustand: sanft, entschlossen, sicher, heiter, beherrscht – beharrlich auch einem Ziele zugewandt, dem restlos Gutes entfließen soll: *erst für andere, dann für uns.*

Dann ist da ein anderer Zustand des Gemüts, dauernd durchgehalten, muß er Gedeih und Gesundheit von uns treiben – *illusorisch machen, was Talent und Fleiß sich ermühten.* Nur der kleinste Teil alles Existierenden im Universum kann gesehen, gehört, getastet:

von den groben fünf Körpersinnen aufgenommen werden.

Dann folgen jene feineren Emanationen aus den Geschöpfen: die Aura von Mineralen, Pflanzen, Tieren, Menschen – mit dem Instinkt erfaßbar als Heilwirkung, als Sympathie oder Aversion, doch auch diesen hochübergeordnete Funktionen wie die der Intelligenz, Taten der Seele, bilden ein ätherisches Kontinuum mit Verdichtungszentren, Gegenden hohen oder niederen Geistdrucks, Regionen seliger Calmen und orgiastischer Taifune, denn alles Gedachte oder Empfundene IST.

Noch fehlen unserer Chemie, unserer Physik die feinen Reagenzien und Instrumente, alle Vorgänge des spirituellen Äthers ins Fünfsinnliche zu transponieren oder besser gesagt zu *reduzieren*, doch scheint dies weder nötig noch erstrebenswert, da wir ja *das alles sind*. Γνωδι σεαυτοι: erkenne dich selbst; statt feine, tote Instrumente zu verbessern, verbessere und kläre die inneren Sinne, *damit deine Merkwelt völlig in deine Wirkungswelt hineinwachse.* Jetzt ist das noch ein recht unheimlicher Zustand: Wirkungen, die man weder kennt noch beabsichtigt, noch beherrscht, unaufhörlich hilflos in einen unbekannten Ätherschoß hineinzeugen zu müssen, aus dem sie dann irgendwann, ausgereift zu Gott weiß was, wieder *zurück in unsere Merkwelt* stürzen können.

Wären wir nicht so ungleich noch entwickelt, alle *Realitäten* in der *Wirkungswelt* lägen uns offen; wir könnten weissagen, und es wäre ebensowenig wunderbar, als daß ein Mensch, lehnte er sich zu einem geöffneten Fenster hinaus, zwei Straßenbiegungen übersehend, einen Zusammenstoß »weissage«, von dem weder die rechtwinklig aufeinander Losstürzenden draußen noch die im Zimmer drinnen etwas vorhergesehen.

In dem Maße, als unsere Intuition strebend, suchend, wünschend wächst (das Fenster aufmacht), werden immer mehr solcher Realitäten sich offenbaren. Was immer gedacht wird, wird erschaffen. Denkend erschaffst du unaufhörlich Realitäten. Was du eine Sekunde lang denkst, hat Sekundenrealität. Denkst du es Stunden, Tage, Jahre, so wird es schließlich dir in der Körperwelt erscheinen müssen, *stark und schwer geworden von deinem Fluidum* – – –

Was immer du denkst, zieht seinesgleichen aus dem Unsichtbaren an sich. Verweile innerlich bei irgendeiner Form von Verbrechen, und du wirst verbrecherische Wirklichkeiten aus der verborgenen Seite des Lebens zu dir herüberbringen. Dieses – die verborgenen und unsichtbaren Kräfte sind es, die dir erst die materiellen Bedingungen für das Verbrechen hüben – auf dieser Seite der Existenz in den Weg schieben.

Liest du in deinem Leibblatt jeden Morgen mit Gier von Morden, Einbrüchen, Skandalen und Schrecken zu Land und See, dann ziehst du Unsichtbares von gleicher Art an. Du setzest dich in Rapport mit einer niedrigeren Ordnung spirituellen Geschehens, und also von diesem durchströmt und ihm gleichgerichtet, bist du der seiner Wirkungswelt auch im Leiblichen leichter ausgesetzt. Es wird wahrscheinlicher, daß auch dich etwas aus der Region der Schrecken treffe, besonders wenn du dich jahraus, jahrein auch noch *während einer Mahlzeit (dem ersten Frühstück) – also im Zustand aufnehmender Passivität –* diesen Einflüssen hingibst. Vielleicht erweist es sich doch nicht als gar so »überlebt«, wie der neunmalgerissene weiße Barbar meint, daß die »kindlichen« verinnerlichten Völker des Ostens den Morgen lieber mit einer Sonnenhymne oder dem : om mani padme hum – einweihen *statt mit der Lektüre des »Daily swinickl!«.*

Alles ist strömende Wirklichkeit im Unsichtbaren, und in die Strömungslinie des Niederen, Grauenvollen und Gemeinen gerät, wer seinen Geist darein taucht . . . sei es auch nur als interessierter Zuhörer, *leicht und wohlig angegruselt in der irrtümlichen Meinung, ja »weit vom Schuß zu sein«.* Aber der Kontakt ist dann einmal hergestellt, und mit dem eröffneten Strom treiben die Elemente des Übels und Verbrechens herein. Wer es liebt, von Einbrüchen, Raubüberfällen und Diebstählen zu lesen, der und sein Haus werden eher Einbrüchen und Überfällen ausgesetzt sein. *Er und der Dieb kommen zusammen, weil beide in dem gleichen Gedankenstrom treiben, ohne daß einer von beiden sich der Macht bewußt wäre, die sie zusammenführt.* Keine Macht aber ist so unwiderstehlich wie eben jene, von deren Einfluß . . . ja, von deren bloßer Existenz wir nichts wissen – ihr folglich keinerlei Widerstand entgegenzusetzen versuchen.

Wer zehn Sekunden lang etwas Scheußliches und Grauenvolles sich vorstellt – etwas, *das einem anderen* Qual oder Verzweiflung an Leib und Geist bringen soll, hat eine Kraft in Bewegung gesetzt, um etwas davon auch auf sich selbst herabzuziehen.

Wer zehn Sekunden lang etwas Holdes und Liebliches sich vorstellt – *das einem anderen* Freude – ohne Stachel, ohne Schatten bringen soll, hat eine Kraft in Bewegung gesetzt, um etwas von dieser holden Freude auch auf sich herabzuziehen.

Je länger einer, im Guten oder Bösen, den Sinn auf ein Ding richtet, desto stärker macht er seine unsichtbare Wirklichkeit. Endlich muß es, immer mit neuer Gedankensubstanz genährt, in der »sichtbaren« Welt – sie ist nur die *dichteste Stufe der »Unsicht-*

baren« – zu einem Agens von Freud und Leid ausreifen.

Den Geist willkürlich und unverrückbar auf ein Ziel richten . . . eine gewollte Stimmung, sagen wir die heiterer Entschlossenheit, beliebig lang halten können, ist heute nicht allzu häufig.

Was denken so die Leute um einen herum vor sich hin: den Wochenlohn bekommen, die Qualität des Bieres, vielleicht ein Ausflug. Bei den Weibern, da ist es ein ständiges Lauern: auf das neue Modeheft oder die Schneiderin – die Bridgepartie – die Sommerreise. *Stets Vordergrund und »faute de mieux«, Lauern mit einem vagen Hintergrund von Erotik;* nie stark genug, das Leben zu zwingen . . . nur es zu zerdehnen – in lauter Vor- und Nachmittage, denen man einzeln und langsam den Hals umdrehen kann und muß. Dann sind da wieder andere mit Seelen gleich Affen im Sommerhaus: das springt mit irrer Gier urplötzlich auf ein Stück Dreck los, kein Mensch weiß warum . . . zerrt ein bißchen hier – läßt's fallen – zerrt dort – läßt's wieder fallen! Macht einen Tigersprung in eine Ecke, wo gar nichts ist – beginnt seinen eigenen Schwanz zu jagen – beißt auf einmal einem völlig Unbeteiligten ins Genick – immer voll gänzlich resultatloser Beflissenheit.

Die Oberströmungen im Unsichtbaren sind voll der lichten, holden Dinge – Korrespondenzen aller Güter der Erde *und solcher, die noch kein irdisches Auge geschaut.* Haben erst die Menschen gelernt, diesen höheren Wirklichkeiten zu trauen – *dem so einfachen Mittel, sich mit ihnen in Rapport zu setzen, einzig durch Stimmung* –, dann werden sie ihre Gedanken von der lichten Seite des Lebens gar nie mehr abzuwenden willens und fähig sein.

Sie werden erkannt haben, wie es immer leichter erscheint, immer weniger Mühe kostet, Richtung zu halten im wohltätigen Strom, ist erst einmal sein Niveau erreicht – ist es dem menschlichen Empfänger gelungen, sich *auf die gleiche Wellenlänge abzustimmen,* die kein niedriges Gewirr mehr zu kreuzen vermag; durch alles hindurch, hoch über alles hinweg, ausschließlich von ihresgleichen erregt und durchdrungen!

Wem es zur »zweiten Natur« – besser noch zur »ersten Natur« geworden, in diesen höheren Realitäten zu leben, *ganz in innerer Sonnigkeit,* dem muß Wohlbefinden und Wohlstand auch äußerlich zufließen. Er ist nicht froh, weil es ihm gut geht – es geht ihm gut, weil er froh ist.

Übel jeglicher Art soll nur solange bedacht werden als erforderlich, es auszumerzen: bleibt doch auch keiner länger in einer Senkgrube als absolut zur Reinigung vonnöten. Der letzte Schnupfen, die letzte Verstauchung, das letzte erlittene Unrecht hat so schnell wie möglich aus dem Gedächtnis zu verlöschen, nicht immer wieder zu einem Scheinleben mesmerisiert zu werden durch Brüten, Grübeln und anderen Vorjammern, sowie sich nur irgend Gelegenheit bietet. *Die schönen Possessivpronomina vor Gebresten* wie etwa: *mein* Schnupfen, *mein* Reißen, *mein* Podagra haben nicht nur im Sprachgebrauch, sondern auch aus dem Bewußtsein zu verschwinden.

Dies ganze Geschwätz und Gedenke rund um Elend, Gebrechen und Verbrechen verletzt die Fähigkeit, gute Dinge herbeizuziehen . . . ist eine Methode, um Geld aus der eigenen Tasche und Gesundheit aus dem eigenen Körper zu stehlen . . . Wohlbefinden kann fast unbegrenzt steigern, wer sich mit gesunden, großen Dingen umgibt, wenn nicht in Wirklichkeit, so zumindest in der Phantasie – mit freien, jungen Tieren, mit Wald und Ozean. Wer nicht das Glück hat, Hunde, Rehe, Vögel zu lebendigen Freunden zu besitzen, träume sich mindestens in sie hinein. Wer sich bedrückt – schwach fühlt, ohne die Stadt verlassen zu können, stürze sich im Geist in Sturm und Brandung – *oder besuche einen Zirkus,* genieße am eigenen Körper mit, was die schönen Pferde, die agilen Clowns, die Akrobaten leisten, und beobachte, wie in dieser Atmosphäre physischer Entfaltung die Sorgen von den Gesichtern der Zuschauer unbewußt abschmelzen.

Was wir die »ziehende Kraft des Gemüts« hier nennen, ist nicht *Sehnsucht* nach den Dingen, weil Sehnsucht immer Ungeduld involviert und Leiden bedeutet . . . Ungeduld aber treibt entweder das Gewünschte fort oder verzögert zum mindesten sein Kommen. Läuft der Gedanke etwa: »Jetzt, hier, gleich will ich es haben – dies ewige Warten, wie ist es mir über . . . satt hab' ich's . . . jetzt oder nie«, dann bist du in der falschen Stimmung. *Dann vergeudest du deine Kraft in Zanken und Hadern, weil das Erwünschte nicht da ist, und wirfst die Kraft nicht in den Wunsch, wo sie hingehört, sondern in das Nichtdasein des Gewünschten – stärkst also dieses Nichtdasein. Nie sich zersehen . . . nie sein Herz herausfressen nach etwas.* Das wäre so, als wollte ein Mann in der Rage seinen Wagen zertrümmern, weil er im Schlamm steckengeblieben; besser die Kraft zum Herausziehen verwenden!

Wer die Klippe *zertrümmernder Sehnsucht glücklich vermieden hat, darf aber nicht in einen anderen, sehr begreiflichen Fehler verfallen: sich sozusagen äußerlich nur und flächenhaft als Bild – sei's auch Idealbild seiner selbst – am gewünschten Ziel, in der ersehnten Situation sehen.*

Nehmen wir an, jemand wünsche sich ein schönes Haus von ganz bestimmter Art zu eigen, darin zu wohnen mit einem geliebten Wesen, so wird es ihn wenig oder fast gar nicht fördern, vor dem inneren Auge sich und sein Leben in diesem Hause wie auf einem Film abrollen zu lassen. Nicht als Spiegelbild von außen darf er sich sehen . . . innen muß er sein . . . im Innern seines erhofften Ich, sonst bliebe er ja sein eigener Zuschauer. Die echte »innere Kraft des Geistes« würde, in Worte gekleidet, etwa zu lauten haben: »Mein reines, frohes Sein soll sich auch noch an all diesen Dingen ergänzen. Solch ein Haus, solch einen lieben Menschen brauche ich um mich, *und ich werde sie haben,* vorausgesetzt, ein Wille – weiser als der meine, fände, daß es so recht sei.«

Es muß eben ein Zustand des Herzens sein: ganz positiv und sanft zugleich – sonnig und entschlossen. Nie zweifelnd, verkrampft, ungeduldig oder zersehnt. Um diese – die richtige Stimmung ziehenden Geistes durchzuhalten, ist keineswegs vonnöten, *ja nicht einmal wünschenswert,* das Gewünschte immer im Sinn zu haben. Der Habitus des Gemüts ist es allein, der Gedeihen, Schönheit und Freude herbeizieht, nicht das *unaufhörliche Denken an eine bestimmte, wünschenswerte Sache. Bist du imstande, diese Stimmung im Herzen zu verankern* und dabei ganz innerlich und ruhig etwa zu sagen: » Ich *werde* reisen . . . ich *werde* die schönsten Tropenländer sehen« –, dann magst du ruhig für eine Zeit dieses besondere Ziel wieder vergessen, *dich anderweitig unterhalten,* auf anderen Gebieten Leistungen vorbereiten, ohne die Kraft im geringsten zu verzögern, die dich auf deine Weltreise schicken wird. Nur jedesmal, wenn dieser Wunsch, fremde Länder zu sehen, wiederkehrt, verbinde ihn aufs neue mit der Stimmung unerschütterlicher Entschlossenheit.

An die serene Grundstimmung im Herzen hänge jedesmal, wie mit einer Scharlachschnur, den jeweiligen Wunsch.

Nicht aber soll man jede Viertelstunde oder jede Stunde oder jeden Tag plötzlich auffahren wie von der Tarantel gestochen – und den stieren Blick ins Leere gerichtet – dem unendlichen Bewußtsein seinen Wunsch imperativisch hinschnauzen wie einen Börsenauftrag durchs Telephon und dann den unterbrochenen Disput mit Kohlenmann oder Köchin wieder aufnehmen.

Du verminderst die »ziehende Kraft« zum Guten durch Reizbarkeit; verminderst sie auch, sobald du dich niedergeschlagen oder abhängig fühlst. Die Kraft wirkt dann in verkehrter Richtung – nach der üblen Seite hin . . . desgleichen alle Unrast und Zerfahrenheit. Nach dem Besitz eines anderen gieren – das Gehirn vollstopfen mit erbschleicherischen Plänen – Sorge nähren oder gar Neid und Haß jenen gegenüber, die testamentarisch besser bedacht sein könnten, irgendein fremdes Gut habgierig betrachten – sich an reiche Leute heranmachen in der Hoffnung, daß etwas dabei herausschauen werde – das alles fördert Gemütszustände, *um eine Verbindung mit der größten ziehenden Macht hintanzuhalten.* Sie führen dich in das Strombett der gemeinen, kriechenden, engen Gedanken. Ein Verlust ist auch, sich hineinziehen zu lassen in die hämischen Vorurteile der einen gegen die anderen – auch nur innerlich Partei zu nehmen am albernen Quark der »Vielzuvielen«.

Du verlierst an Macht, läßt du dich in irgendwelche Konversationen ein mit solchen, deren Standard ein tieferer ist . . . mag auch deine Überlegenheit dort leichte Triumphe feiern. Du verlierst auch bei noch so geistreichem, witzelndem Zerfleddern fremder Charaktere oder Angelegenheiten, erzeugst und sendest aus dir dann mentale Kräfte – hinderlich, ja entgegengesetzt dem Heraufkommen jener weit *mächtigeren Haltung der Menschheit gegenüber – einer Emanation aus dir selbst,* die direkt nur in das fremde Beste hinübertrifft, alles andere weit unter und hinter sich lassend . . . *ein Kontakt von Kern zu Kern nur –, er ignoriert so weit wie möglich ihre Gedanken, spricht so wenig wie möglich von ihr und mit ihr . . . hält sie ab von sich mit dem Schild des guten Willens und kämpft jeden Schatten an Haß, Empörung und Verachtung nieder, der als dunkler Zwischenträger mit der Menschheit, wie sie tatsächlich heute ist, dienen könnte . . . Überbringer* all dieser hämischen Mißgunst, ihrer fanatischen, geballten Bosheit gegen den feineren Menschen, den sie auch in seiner Verborgenheit von fern schon wittert. *Wirft dieser feinere Mensch ihr das Seil des Hasses zu,* ist er verloren, nur eine aktive Wand von Wohlwollen dichtet seine Seele genügend ab . . .

Du bedarfst der Macht, um höchste Gesundheit, höchsten materiellen Erfolg . . . ein Hineinwachsen in spirituelle Möglichkeiten ohne Grenzen zu erreichen! Nichts aber schwächt so sehr nach jeder Richtung wie das Heruntersteigen in den übelwollenden und kleinlichen Tratsch. Du steigst damit in die *Sphäre des schlechten Blutes und der Fehlschläge* . . . du kleidest dich in Schwäche . . . wie so viele heute, die elende physische Beschaffenheit und ewigen Mißerfolg allem anderen zuzuschreiben gewillt sind, nur nicht der wahren Ursache. Halte dich soviel wie möglich den beeinflußbaren, hemmungslosen, zielirren Leuten fern, dann bleibt die ziehende Kraft in bester Form; wird nicht verdünnt durch wirre, trübe, unruhige Fluida.

Ist ein Zusammentreffen dennoch unvermeidlich, dann mache dich im Vorhinein positiv, d. h. *Ströme aussendend, nicht absorbierend* . . . weigere dich innerlich, irgend etwas aus dieser Umwelt in dich hereinzulassen; machst du ihre Affensorgen zu den deinen, wandelt sich deine ziehende Kraft in ihr Gegenteil, denn du absorbierst ihre Defekte – mischst dein Vertrauen mit ihrer Skepsis und verkrüppelst deine Entschlossenheit mit ihrem Zaudern.

Sei kein Pöbelsklave – unter welchem Aspekt er immer erscheine: als Luxuspöbel, Gehirnpöbel, Gewaltpöbel oder . . . »all round«-Pöbel.

Eröffne deine Ideen nur wirklichen Freunden . . . also einem . . . wahrscheinlich keinem. Nur wer neidlos *dein* Bestes will – nicht *seine* Vorstellung von deinem Besten (der Fehler vieler Eltern) –, *ist dir wirklicher Helfer, dann aber in wunderbarem Maß.*

Geheimnisse bewahren können, erhöht ihre »ziehende Kraft« sehr. Wände haben Ohren . . . sehr lange sogar. Deine Geheimnisse entschlüpfen in den Äther, kommen aus . . . sprechen »sich« herum, auch wenn niemand in der Nähe ist . . . *Willst du ein Geheimnis ganz besonders hüten – vergiß es –* lasse es, soweit du kannst, im Bewußtsein verblassen . . . erinnere dich seiner nur, wenn es absolut nicht zu vermeiden . . . *spiele nicht in Gedanken damit.* Denn was immer du denkst, machst du; stellst es vorübergehend außer dich heraus *in einer allen zugänglichen Substanz hin.* Es wird dann vielleicht in ein fremdes Gehirn geweht, taucht dort als flüchtige Ahnung, als Verdacht auf und kann, ausgereift durch deine ewige Wiederholung, endlich dort zur Gewißheit werden. Daß Sexualbeziehungen zwischen zwei Menschen – oft lange, ehe sie de facto eintreten, von ganz Fernstehenden beharrlich behauptet werden, ist, abgesehen von gemeiner Tratschsucht, auf das Gesagte zurückzuführen, denn mit nichts beschäftigen sich die Wesenskerne der noch nicht Vereinigten und doch bereits Verliebten häufiger, bewußt und unbewußt – im Wachen und Schlafen – mögen sie auch getrennt oder gar verfeindet sein in ihrer Vordergrundexistenz.

Jeder große Erfolg beruht auf Geheimhaltung, sonst arbeitet bewußte oder unbewußte Mißgunst, hat sie einmal Richtung gewittert, gegen die ziehenden Kräfte. Tausende haben durch unzeitgemäße Offenheit ihr Glück solcherart verkrüppelt.

Auch Maß im Spiel aller Emotionen ist sehr vonnöten, *um den mächtigsten Zustand des Gemüts zu züchten.* – Askese aber – Entsagung in jeder Form, ist zu meiden, reizt sie doch den Stachel unaufhörlicher Sehnsucht . . . und alle inneren Kräfte stellen sich ausschließlich auf das *Entbehrte* ein – werden abgelenkt vom ursprünglichen Ziel, um dessentwillen ja die ganze Askese geübt wurde.

Wenn dich etwas belästigt, fasse den Entschluß, dich nicht mehr belästigen zu lassen . . . mache dich leer und *laß es durch die Anschauung hindurchfallen wie einen Plasterstein durch Nebel.* Dieser Entschluß allein schon wird die ziehende Kraft erhöhen. Wer den Hang hat, Belästigungen nachzugeben, stärkt nur ihre Macht, ihn noch mehr zu belästigen; zieht sie förmlich auf sich. *Den feineren Menschen weißer Rasse erkennt man ja eigentlich daran, daß ihn immer etwas stört. Er hat ja recht. Bei dem optischen, überhaupt sinnlichen Tiefstand des Westens* muß schon jedes Durchschnittszimmer *dem Augenhaften* zehntausend Schauer des Ekels durchs Gebein zagen, *sollte es aber weise sein, sich seine Überlegenheit der plumpen Nebelplebs gegenüber, ausschließen durch immerwährendes Übelbefinden zu bekräftigen? – Die Qualität des besseren Menschen sollte eben sein: Feinheit des »Sehens« mit Kraft des »Über«sehens verbinden zu können!*

Nicht sich abstumpfen – innere Abwehrorgane entwickeln, darauf kommt es an. So wie die Natur – *gegen das Allergröbste* – durch Augenlider gesorgt hat, so ergänze er sie, bildlich gesprochen, durch Ohrenlider! . . . Dichte sein Getast, seinen Geruchssinn nach Bedarf ab! *Es geht dies alles viel leichter, als man glauben sollte, sind nur erst Wollust und Eitelkeit des ästhetischen Märtyrertums überwunden.* Widerstehe dem Teufel und er flieht vor dir.

Der Böse wohnt ja oft recht merkwürdig! Das muß man ihm schon lassen: in knarrenden Fensterflügeln – in verspreizten Schubladen (ein Patent von ihm), im Schmatzen des Nächsten ist er zu Hause – auch im Klima. Wer sich erst einmal angewöhnt hat, es »zu kalt« oder »zu warm« oder »zu windig« oder »zu feucht« zu finden, dem wird es schließlich immer irgend etwas – »zu« sein.

Gerade die *höhere Persönlichkeit* läuft leicht Gefahr, sich zu einem Bündel von Idiosynkrasien zu verzüchten.

Eine widerliche Unart am Nebenmenschen, eine Impertinenz oder Flegelei, gemeine Stimme, knarrende Stiefel . . . diese ganze niedere Umwelt wächst uns rettungslos über den Kopf, *lassen wir ihr nur einmal den Größenwahn durchgehen, uns belästigen zu können.* Was uns belästigt, beherrscht uns – wer wird sich aber von einem Rüpel beherrschen lassen? Das ist gleichwohl der Fall, gelingt es ihm, uns durch schlechte Manieren aus dem Zimmer zu vertreiben, während ER – *bleibt,* wenn wir in seiner Gegenwart nicht mehr

imstande sind, mit anderen liebenswürdig wie immer zu verkehren
. . . wenn dieser Flegel Gewalt über unsere Sprache erlangt, uns
schweigsam und trotzig zu machen vermag!

Nicht jener und seine Unarten . . . *die Stimmung des Belästigt-
seins in uns muß niedergerungen werden* . . . erst wenn wir ihn
psychisch unschädlich gemacht haben, dann gleichsam mit der
Gasmaske vor, können wir darangehen, ihm »auf kaltem Weg«
seine schlechten Manieren mit Worten und Taten zu verweisen.

Nur so ist es möglich, hinausgetragen zu werden über die Sphäre
der Belästigung. Es wird hier weder verlangt noch behauptet, die
Gewohnheit, belästigt zu werden – die Gewohnheit, in morbiden
Schilderungen oder Detektivkitsch zu schwelgen, kurz in allem,
was »die ziehenden Kräfte des Geistes« mindert, sei von heute auf
morgen zu entwurzeln. Bei keinem psychischen Hang, dessen
Entwicklung Jahre, vielleicht ein Leben zur Verfügung hatte, ist
solches zu erwarten.

Wie also ist der Hang zu ändern?

Indem man es nicht allzu krampfhaft versucht. Wegdenken auch
von Fehlern, sonst mästen sie sich an eben dieser ihnen gewidmeten
Aufmerksamkeit. Nie noch hat sich die Menschheit so roh, bösartig
und gemein benommen, wie während ihrer »tiefsten Zerknir-
schung« in den Jahrhunderten des Christentums. Ganz anständige
Leute wurden da vor lauter reuiger Beschäftigung mit ihren ver-
meintlichen »Sünden« zu wahren Canaillen.

Ungeduld ist zu Zorn verpuffte Kraft. Ungeduld, weil die gewünschte Reform an dir selbst nicht rasch genug gelingt, bedeutet
um ebensoviel ziehende Kraft weniger. *Auf solche Art erfließt
Schaden aus guten wie aus bösen Motiven.* »Guter Glaube«, in dem
sie begangen wurden, *annihiliert nicht die Folgen unserer Fehler.*

Es wird die »ziehenden Kräfte« sehr erhöhen, stammt der rufen-
de Wunsch aus *innerer Not* . . . Besteht doch ein großer Unterschied zwischen: Dinge wollen und Dinge brauchen . . . manche
wollen einfach alles, was sie sehen, während ihnen nur weniges
nötig wäre, noch weniger *not tut.*

Was not tut, sind nicht immer die naheliegendsten Dinge,
wiewohl warme Kleidung im Winter gewiß naheliegend und nötig
zugleich ist. Es gibt aber einen *tiefsten Imperativ* für kühne und
phantastische Wünsche! Daß mit ihrer Erfüllung erst die Persönlichkeit sich ganz vollende; daß in ihrem scheinbaren Egoismus
eben eine Tat und Einzigkeit sich auslöse und offenbare!

Wer aus solchem *tiefstem Imperativ heraus* fordert – *das scheinbar Fernste, Unmöglichste – hat außerordentliche Macht hinter*

sich, immer wieder vorausgesetzt, es gelinge ihm, die *sonnige, sichere Stimmung* durchzuhalten – die gehört unbedingt dazu.

Zwei Arten gibt es, das Beste für sich zu fordern: Steigt das »Ich muß« – »Ich verlange« aus einem Untergrund von Despotismus und Arroganz . . . *dann* hat es wenig Tragkraft, wenig geistigen Auftrieb unter den Flügeln. – Außerordentlich aber wird die Wirkung, wenn der innerlichen Stimmung etwa die Worte entsprechen sollten: »Ich verlange gerade *diese* Sache, weil sie mir *not tut*; weil es *recht ist*, daß sie gerade mir werden soll; weil ich fühle, durch sie erst meine ganze Fähigkeit zum Guten entfalten zu können.«

Diese Stimmung ist durchzuhalten: von Monat zu Monat, von Jahr zu Jahr, bis sie unbewußt, bis sie Mark und Blut geworden.

Fühlst du, daß etwas Wahres in all dem hier Gesagten steckt, dann ist der Same der Überzeugung in dich gesenkt . . . dieser Same, diese Intuition, diese Kraft wird die Arbeit für dich verrichten . . . du selbst hast relativ weniger zu tun . . . hauptsächlich *nicht zu stören oder andere stören zu lassen*. Zuerst wird sich eine allgemeine Tendenz zum Besseren mehr ahnen als spüren lassen . . . ein allgemeines Lichterwerden des Lebens; ein Hellsichtigerwerden für Gefahren, wiewohl Furcht von dir abfällt, auch die Lust an Gruseligem und Düsterem vermindert sich in dem Maß, als du dir der *Macht* bewußt wirst, der Freude und des Vorteils, der im immerwährenden Festhalten heiterer, klarer, unschuldiger Ideen liegt. Was ich hier gebe, ist das *Schema* des zu Denkenden . . . ausfüllen muß es jeder selbst, so individuell wie möglich, so lückenlos wie möglich. Wer sie erlangt hat, diese Macht – d. h. gelernt, die ziehende Kraft des Gemüts in die *rechte* Richtung zu bringen (denn nach *irgend*einer Richtung wirkt sie ja stets), der nennt zum erstenmal etwas wahrhaft *sein Eigen* – niemand kann es ihm nehmen – niemand sein ständiges Wachstum mehr hindern *als nur er selbst*.

Eigentum, das nicht Diebstahl ist . . . sogar im Marxschen Sinn.

Hat es erst einmal in der rechten Richtung zu arbeiten begonnen: in der Richtung des Erfolgs, der Gesundheit, des Glücks, dann bist du von niemandem mehr abhängig als von dir selbst und dem unendlichen Bewußtsein. Du bedarfst keiner Stütze mehr und fühlst die Kraft in dir, alles zu vollbringen, was immer du dir vorgenommen. Du wirst nicht mehr nach Geld heiraten, nicht mehr auf den Tod reicher Verwandter warten oder dich an Mächtige heranzusnobben brauchen. Auch dein Körper wird stärker, klarer, anmutiger erscheinen, denn du bist jetzt in eine Strömung eingetreten, die dich aus der Sphäre der Krankheit völlig hinauszutragen vermag.

Dauernder Friede und Heiterkeit sind Beweise, daß diese Macht rechte Richtung hält. *Leid ist Irrtum.*

Gelegentlich mögen Unterbrechungen kommen, Störungen im geistigen Äther – die Kraft versucht in ihr altes Strombett zurückzukehren, vererbter Gewohnheit und Trägheit treu; das sind Rückfälle in die niedere Mentalität, und sie werden im Lauf der Zeit immer seltener und kürzer werden, überströmt von dem Einfluß höherer und höchster Sphären, ist deren Wirkungswelt nur erst einmal der Weg gebahnt.

Auch der Adept des Ostens, der Fakir Indiens, arbeitet mit der »ziehenden Kraft des Gemüts«, nur richtet er sie ausschließlich auf transzendente Ziele jenseits alles Zeitenglücks. – Ungleich uns, *den diesseitigen Menschen*, die Wonne und Geist im Fleische durchleben wollen: *Glück als Pflicht* empfinden und Anmut als Kult.

Alles Fakirtum aber liegt im Ansammeln von Kräften durch Konzentration, inneren Quellen, doch gespeist von außen her durch die schweigenden Gewalten der Ruhe, Unerschütterlichkeit, Sanftmut und Zuversicht. Und noch in einem stehen wir der östlichen Anschauung nahe: Auch für uns bedeutet *Unsterblichkeit* wie bei den Indern, im Gegensatz zum landläufigen occidentalen Begriff, *»nicht nur die Unzerstörbarkeit durch den Tod als vielmehr die Befreiung von der Notwendigkeit, wieder und immer wieder zu sterben«.* Diesem Fluch der Wiederverkörperung sucht der Fakir zu entgehen durch *ein Besinnen . . .* ein sich *Zurückziehen* auf das *gestaltlose* Prinzip alles *Gestalteten* in ihm selbst: den Atman, *»so daß nach Dahinfallen des Leibes er nicht wie die anderen auszieht, sondern bleibt, wo er ist, was er ist und ewig war,* nämlich der Urgrund aller Dinge, für den es keine Vielheit und kein Verschiedenes gibt, der die ganze in Namen und Gestalten ausgebreitete Welt als wesenlos und Blendwerk aus sich heraussetzt wie der Träumer den Traum«. (*Vedanta*, Deussen.) Auch wir lehren die Befreiung von dem Fluch, *»immer und immer wieder sterben zu müssen«,* doch nicht durch Auslöschung *der ganzen dinglichen Welt,* die uns ja noch gar nicht verlassenswert, noch gar nicht ausgelebt dünkt, vielmehr indem wir bewußt lernen, *die Regeneration: Umverkörperung anstelle der Reinkarnation, der Wiederverkörperung,* zu züchten durch die *»ziehende Kraft des Gemüts«,* denn *Regeneration* ist der notwendige Schritt in der Linie geistig-leiblicher Entwicklung des *Organischen*. Schon jetzt ist das Leben, solange es diesen Namen verdient, eine Serie von Regenerationen geworden:

Im Lauf von je sieben Jahren erneuern sich ja *sämtliche Zellen des Leibes,* in dieser Zeit haben wir uns mit einem ganz neuen Körper bekleidet, *haben eine ganze eigene Leiche ausgeschieden und dabei das fortlaufende Bewußtsein beibehalten . . .* nicht einmal *bemerkt haben wir etwas von der ganzen Sterberei,* sprechen immer noch von »dem« Körper, ohne zu bedenken, daß es schon das komplette dritte, vierte oder fünfte nachgelieferte Exemplar ist, das unser Bewußtsein sukzessive gebildet, benutzt und abgestoßen hat.

Daß diese Umverkörperungen im späteren Alter immer unvollkommener, die neuen Zellen träge und degeneriert sich bilden, ist eine Folge der *Stoffwechselzwischenprodukte: der Schlacken, der unlebendigen,* die sich zwischen die Zellen, jene edlen Träger des Lebens, eingeschoben haben und sie in ihren Funktionen behindern. *Nicht wir sterben* – wir werden von den *Fremdkörpern in uns* »*gestorben*« sozusagen. Diese Schlackenbildungen beweisen nur, daß wir noch nicht völlig »lebendig« geworden, »organisiert« sind, zeigen, daß wir noch etwas *falsch machen, Fehler* in den illuminierten, *restlos lebendigen,* organischen Leib *während des Lebens selbst einbauen,* Fehler, die *jene Rückfälle ins Anorganische* (die tödlichen Schlacken), aus dem wir ja entsprungen sind, erst ermöglichen. Das Anorganische, die tiefste Stufe des Bewußtseins, besitzt noch keine Regenerationsfähigkeit: Ein Fels verwittert – Eisen verrostet. Das Organische aber hat mit dieser *Fundamentaleigenschaft: dem Baustoffwechsel,* bereits den *Keim zur Unsterblichkeit des Fleisches in sich entfaltet.*

Regeneration bedeutet somit die Verewigung eines sich stets verfeinernden physischen Zellkörpers, in Wechselwirkung wachsend mit und an dem geklärten, gesteigerten Bewußtsein ; *Reinkarnation* bedeutet den *völligen* Verlust eines noch nicht genügend wandelbaren, daher zerstörbaren Leibes und mit ihm auch der *Erinnerung.* Was helfen aber tausend Inkarnationen, in denen die Kontinuität des Selbstbewußtseins fehlt . . . *Was hilft eine Unsterblichkeit, von der ich nichts weiß . . . die sich in lauter Einzelsterblichkeiten auflöst?* – Wo das fortlaufende Ich sich nicht wiedererkennt!

Je schwächer und dumpfer der Lebensgeist, desto längere Intervalle waren noch nötig, auf daß er durch Reinkarnation einen materiellen Träger forme, belebe und durchdringe. In dem Maße, als der Geist an Beschleunigung und Macht gewann, wurden sie kürzer . . . zählten vielleicht nach Jahren wie früher nach Jahrhunderten oder Jahrtausenden. Bei höchster Kraftentfaltung endlich wird der Geist des restlos umverkörpernden statt des wiederverkörpernden Weges sich zu bedienen vermögen (wie er es ja schon jetzt *innerhalb* des Lebens tut) zur Verewigung und Vollendung des Sinnendaseins . . .

Denn eine spiritualisierende, eine verfeinernde Kraft hat je und je auf den Planeten gewirkt, hat Wandlungen hervorgebracht, an denen gemessen jene letzte: dauernde Regeneration der Zellen, ohne »atavistische Rückfälle« in *anorganische* Schlackenbildung (Tod), viel an Abenteuerlichkeit verliert. Man denke, was schon alles aus einem Schleimpatzen geworden ist . . . je nachdem: ein Adler, ein Elefant oder etwas, das die Neunte Symphonie und den Tristan geschrieben.

Diese spiritualisierende, verfeinernde, unbekannte Kraft, zu der auch die *modernste Biologie,* nach dem Versagen des Darwinismus, als Neovitalismus zurückzukehren beginnt, arbeitet im Menschen so gut wie in der übrigen Natur – allmählich wandelt sie ihn aus einem Geschöpf der Materie in das des Geistes . . . trägt ihn durch all seine physischen Existenzen von einem Grad der Vervollkommnung zum andern, hat neue Gewalten, neue Leben, neue Existenzmöglichkeiten für ihn in Bereitschaft . . . wäre er doch nur nicht gar so bockbeinig, so todversessen, so sehr *Rückblicker von Beruf!* Die große unbekannte Kraft hat ihm in der Vergangenheit die mächtigen Erfindungen gegeben, hat ihn als Antwort auf seine *tiefe äußere Not* illuminiert, für die Mechanisierungsmöglichkeiten der Welt hellsichtig gemacht, so daß er plötzlich in Dampf, Elektrizität und allen physikalischen Kräften Bewegungsquellen zu erkennen vermochte, weil ihm eben Kraft und Bewegung zur Überwindung des Raumes, der Nacht und der Kälte auf einmal *zwingendes Muß* dünkten. Das Erwachen zum Bewußtsein seiner Not ließ ihn »entdecken«, was doch all die Zeit her immer schon rund um ihn gewesen. So hat er durch Mechanisierung der Welt Raum und Zeit *äußerlich* zu überwinden vermocht. Jetzt bleibt ihm noch übrig, *zu seiner tiefsten inneren Not zu erwachen,* um mit Hilfe immanenter Wellenzüge, geistiger Vibrationen und Gewalten *Zeit, Nacht und Kälte auch an seinem Herzen zu überwinden.*

Ist ihm das gelungen durch die »ziehende Kraft des Gemüts« – fallen Stahl, Strom und Dampf dahin, dann bedarf er keiner äußeren Vehikel, keiner mechanischen *Organprojektionen* mehr, denn neue Kräfte, aus seinem spirituellen Leben geboren, werden ihn eines großen Teils materieller Hilfen überheben. Er wird nicht nur *machen,* er wird *sein,* was er will.

Dies immer und immer wieder Umformen des Körpers wird aus den Verwandlungen – aus wechselnden Stadien des Geistes kommen: *Umverkörperung aus Vergeistigung* – nicht durch Medizinen, Lebenselixiere, überhaupt materielle Manipulationen. Es muß sich der seelische Habitus ändern; dieser veränderte Habitus nimmt dann von selbst neue Lebensgewohnheiten an – von außen allein läßt sich die Unsterblichkeit nicht ins Fleisch hineinleben. Ehe das seelische Niveau es nicht auf ganz natürliche Weise fördert, bleiben äußere Mätzchen und Reformen resultatlos. »*Geistige* Wiedergeburt!« . . . All diese Essays handeln ja von nichts anderem, wollen nichts anderes als den Leuten zeigen, was Leben eigentlich erst bedeuten kann, wie das Gedankliche und seine höheren Stufen: das »Seelische« den Stoff beherrschen, bilden und verfeinern . . .

Auch Leben und *Tod*, wie sie einander heute im Organischen folgen, sind ja eine Serie von Regenerationen, nur daß die Methode: »Sterben« noch eine *plumpe, unökonomische*, man möchte sagen – *unelegante* Lösung des Problems der Wandlung darstellt. – Regeneriert wird ja das »Ego« auch, wenn es seinen alten Körper abwirft – das verbrauchte Instrument – weder Ein- noch Ausdrucks mehr fähig. Greis und Greisin haben aber ebensoviel »Geist« wie früher, doch ist dieser sozusagen von den Sinnesorganen abgeschnitten – zieht sich immer mehr von dem unbrauchbar, morsch und dumpf gewordenen Körper zurück, um ihn bald ganz zu verlassen – zieht sich zurück, weil er ihn nicht zu beherrschen vermochte, Jahr um Jahr niedrige Elemente, immer die gleichen verfaulenden Empfindungen in ihn strömen ließ . . . *ihn aus seinen eigenen Exkrementen aufzubauen versuchte.* Das ist der *Degenerationsprozeß* innerhalb des Lebens von heute; Ursache verwesender Sinne und des Todes.

Ein erleuchteter Geist – ein stärkerer, ein vorgeschrittener, wird Mittel und Wege finden, den Körper mit neuem Fluidum zu durchdringen, auf das er, als idealer Träger des Geistes zwischen Sichtbarem und Unsichtbarem, den Mittler bilde.

Vom Leben scheiden wir ja nicht durch den bloßen Verlust physischer Existenzform – aber eine Art des Lebens verlieren wir . . . und wie Emerson sagt: »In dieser Art haben wir halt nichts Besseres« (we have nothing better *in the same line*).

Wir verlieren im Tod jene Serie von Sinnen, die wir irdisch nennen. Wir verlieren die Fähigkeit, im nahen Konnex mit den Sinnendingen zu leben, und wahrscheinlich ist ein entkörperter Geist der Sehnsucht voll nach ihnen und wird versuchen, mit der Körperwelt in Kontakt zu bleiben oder wiederzugelangen durch jene hindurch, die im Körper sind . . . die er beherrschen oder beeinflussen kann. Alle Menschen sind solchen psychischen Einflüssen . . . solchen Vergewaltigungsversuchen aus dem Unsichtbaren herüber, ausgesetzt.

Nach Art unserer eigenen Aspirationen ziehen wir nun verschiedenartige freie Psychen an. Wer sich gegen Kühnes und Feines sperrt, alles Ungewohnte als »lächerlichen Unsinn« ungeprüft ablehnt, ruft und ermutigt ein »Besessensein« von Geistern, so unwissend wie er selbst . . . von »unregenerierten« Geistern, die durch die gleiche Unwissenheit Körper auf Körper verloren haben und noch Körper auf Körper verlieren müssen, bis auch sie endlich in die *unausbleibliche Rotation allgemeiner Vervollkommnung* hineingezogen werden! Warum sollte die lebendige Entelechie außerhalb des Körpers plötzlich gescheiter sein als in ihm? Hört denn ein Dieb auf, ein Dieb zu sein, weil er seinen Überzieher ausgezogen hat? – Ein ultravioletter Fallot eben, nichts weiter . . . und auch an unkörperlichen Idioten dürfte kaum Mangel sein.

Wie in dem Essay: »Das Mysterium des Schlafes oder Unsere doppelte Existenz« ausgeführt wurde, haben wir zwei Serien von Sinnen: körperhafte und dann »jene feineren spirituellen, die wir alle im Embryo besitzen und von denen Gesicht, Geruch, Gefühl, Geschmack, Gehör des physischen Körpers nur rohe Abbilder sind«. Während des Wachens leben wir unsere Körpersinne . . . im Schlaf die spirituellen. Erst, wenn diese zweierlei Leben einander richtig zu durchdringen, gleichsam zu ernähren vermögen, dann entsteht jener ideale Austausch von Vitalität und Geistigkeit, auf dem Vollkommenheit einzig ruhen kann und muß.

Dies künftige Leben bedeutet, sich beider Serien von Sinnen: der vitalen und psychischen gleicherweise bedienen können – gleichzeitig in beiden Welten sein.

»Lohn der Sünde ist der Tod«, meint die Bibel. Wir meinen lieber, das Resultat unvollkommenen Lebens sei der Tod. Die Körper der zitternden, runzligen, schwachen Menschen sind fleischgewordene *Unwissenheit* . . . Falsch denken war ihre Sünde . . . . aus den Gedanken, die er in sich zieht, bildet der Geist erst seinen spirituellen Leib. Der irdische Körper ist die materielle Korrespondenz dieses spirituellen Leibes. Lebt der Geist in Irrtum, so baut er diesen Irrtum in den Körper ein. Verfall ist die Folge.

Kein Vorwurf soll aber jene treffen, die also leiden. Auch sie haben hinaufgelebt zu allem Licht und Wissen, dessen sie eben fähig waren. In irgendeiner Form von Existenz wird mit steigender Entwicklung auch ihr Wissen wachsen. Jede Runzel ist ein *sichtbar gewordener Irrtum*. Wir alle sind »Bildnisse des Dorian Gray«.

Die Charitas entspricht der Erkenntnis, daß alle Menschen »ihr

Bestes« leben, das unendliche Bewußtsein allein kann es »bessern« in ihnen und in uns. Lassen wir daher die Fehler der anderen in Ruhe, verlangen wir aus tiefster Not nach Erleuchtung, Irrtümer zu sehen und zu verneinen, das allein wird uns und anderen helfen.

Mit welcher Vielfalt organischer und organisierter Stoffe bauen wir unseren Körper auf, *und mit wie wenig Gedanken soll der Geist am Leben bleiben?*

Immer die paar alten Vorurteile wiederkäuen!

Das Gesetz ewigen Lebens aber verwirft diese endlosen Wiederholungen. Es sagt: Du bist nicht geschaffen, in ausgefahrenen Geleisen fixer Ideen hin und her zu pendeln. Du hast nicht als John Brown oder John Smith, ohne Wechsel wie ein Meilenstein, in der Ewigkeit zu liegen. Mit deinem John-Browntum, mit deinem John-Smithtum allein diese Ewigkeit ausfüllen wollen, nein, mein Lieber, *daraus wird nichts.* Du sollst einen neuen Geist in diesem Abschnitt haben und einen überlegenen mit gesteigerten Mächten der Perzeption im nächsten Abschnitt. Mit der »ziehenden Kraft des Gemüts« sollst du dich durch immer neue Individualitäten hinaufleben . . . zu allen »Ich« sagen können, verwandelt werden mit Hilfe der Regeneration in sukzessive Typen des Seins – jede klarer als die letzte – jede feiner als die letzte. *Magst du, an der lückenlosen Kette der Bewußtheit dich zurückfühlend, ganz dort hinten zum Herrn John Brown oder John Smith dann immer noch »ich« sagen – es sei dir unbenommen; de gustibus . . .*

Umverkörpertes Leben im Physischen heißt bewußt *gesteigertes* Leben.

Heißt: in jeden neuen Tag mit frischeren Fähigkeiten hinein erwachen, alles immer wieder zum erstenmal sehen. Das Wunder des eigenen Atems pflegen und genießen; stillsitzen können voll lebendiger Ruhe und sich unaufhörlich freuen. Im großoffenen Herzen die Seele der Bäume, Ströme, Tiere und Blumen . . . aller reinen Formen des unendlichen Bewußtseins leben spüren. Es heißt, die Talente in sich bis zur Genialität wachsen fühlen; jubeln in der Zuversicht, alle Möglichkeiten und Entwicklungen immer noch vor sich zu haben, so daß *die Nachfreude am Erreichten stets mit der Vorfreude am Erwarteten an einem hohen Mittag ohne Ende zusammenfließen.* »Magie« wird aus einer noch unerreichbaren Intensität der Freude entstehen. »Magie«, als der heute noch latenten Kraft im Menschenherzen, Gedanken von solcher Gewalt aus sich zu zeugen, daß das Gewünschte in der dichteren Substanz der Dinge sich als ihr materieller Niederschlag bilden muß. *Entzük-*

kung ist etwas Substantielles: etwas ent–zückt uns . . . *zuckt aus uns heraus als Strahl und Kraft.*

Aus allem Vergnügen ziehen heißt, aus allem Leben ziehen. Aus allen Dingen Leben gewinnen aber heißt, Macht gewinnen. Macht: Beherrschung physischer Bedingungen, Beherrschung und Erhaltung des ewig erneuerten stofflichen Leibes.

Langweile ist eine Erkrankung. Nicht wissen, was man mit sich anfangen soll, dasitzen und seine eigenen Gedankenexkremente immer wieder in sich hineinatmen, bis alles verbraucht, plan erscheint vor Ichvergiftung. Versuchen, die Zeit totzuschlagen . . . also das Leben totzuschlagen – wer das vermag, hat zeitweilig die Verbindung mit der großen Quelle verloren – seinen Kontakt mit dem unendlichen Bewußtsein. *Das ist die schwerste »Erkrankung«, die es gibt.* Der alte Salomo war nicht weise . . . aber schon gar nicht weise, als er sein »Alles ist eitel« aussprach. Mit einem Harem voll junger Mädchenkörper ist es nicht getan, vom geistigen Fluidum der Jugend absorbieren können, nur das verjüngt. Wer dem unendlichen Bewußtsein durch Hingebung und Gebet verbunden ist, auf den werden alle lebendigen Dinge immer wieder jungfräulich zu wirken vermögen.

Die Regeneration des Körpers kommt auch aus dem *Mut!* – Das Wagnis auf sich nehmen – völlig dem unendlichen Bewußtsein sein Schicksal anvertrauen! Manche versuchen es bisweilen, kaum scheinen aber die Dinge ein wenig dunkel, wird wieder zu den alten ausgeleierten materiellen Methoden, Übel abzuwenden, gegriffen.

Restloses Vertrauen und mit ihm *eine ganz neue Welt der Ursachen und Wirkungen* ist jedoch erreichbar – ist sie erreicht, so werden die Menschen mehr als Sterbliche sein. *Wer restlosen Mut hat, wird regeneriert werden.*

Mancher Leser denkt vielleicht: Was habe ich mit dem allem zu tun? Das mag wahr sein . . . oder auch nicht. Jedenfalls ist es viel zu weit weg – zu vage. Ich brauche etwas, das mir *jetzt* hilft – denn übermorgen ist zum Beispiel der Zins fällig, und da soll ich mich noch hinsetzen und »unsterblich werden« üben.

Diese Idee der Regeneration aber ist schon heute ein Segen für jeden, der sie als lebendigen Samen in sich auch nur dulden will und kann. Von selbst wird sie nie mehr ganz aus ihm verschwinden, vielmehr als winziger Keim einer seligen Magie vielleicht monatelang im Unterbewußtsein unbemerkt wirken, immer mehr Raum einnehmen und dabei sanft und leidlos die Art des Gemüts verwandeln – sozusagen die Farbe der Gedanken –, die werden sich auf einmal ganz allein *trauen, rosenrot zu werden* – und schließlich *auf die Ereignisse der Umwelt abfärben.* Wie von selbst gleitet es sich in die Linie des regenerierenden Prozesses hinein. Schon sie allein ist etwas so Gesegnetes, von solcher Wohltat, daß ihr zu folgen, wachsende Lust wird bei jedem Schritt, mag auch ihr Ende für das eine kleine Leben noch nicht abzusehen sein. Doch was immer auf ihr geschieht – nichts ist vertan.

Anhang

Verzeichnis der wichtigsten Sach- und Fremdwörter

absorbieren   von lt. ab (weg) und sorbere (schlürfen), wegschlürfen, verzehren, aufbrauchen

Abstraktion   von lt. abstrahere (abziehen), Abziehung, gedankliche Aussonderung und Vernachlässigung von Eigenschaften, Bestandteilen, Merkmalen bei der Betrachtung gegebener Gegenstände

absurd   von lt. absurdus (mißtönend, sinnlos, abgeschmackt), alles was mit der Wirklichkeit oder mit den Denkgesetzen in so schreiendem Gegensatz steht, daß vernünftige Menschen es sofort bemerken müssen: sinnlos, ungereimt, abgeschmackt, undenkbar, albern

Abszeß   von lt. abs (ab) und cedere (gehen), Abgang, Abstoßung, Geschwür

Abszisse   von lt. linea abscissa (abgeschnittene Linie), in der Mathematik die horizontale Linie des Koordinatenkreuzes (zur Bestimmung der Lage von Punkten und Kurven), auf der senkrecht die Ordinatenlinie steht

adäquat   von lt. adaequare (angleichen), angeglichen

Adept   von lt. adeptus (einer, der etwas erlangt hat), ein in eine Kunst oder Wissenschaft eingeweihter Schüler

Affinität   von lt. affinitas = Verwandtschaft

Agens   von lt. agere (handeln), treibende Kraft

Aggregatzustand   von lt. aggregare (ansammeln), Zustand und Erscheinungsform (fest, flüssig und gasförmig) der Körper, der Stoffe, der Elemente

agil   von lt. agere (treiben, handeln), behende, gewandt

Agonie   von gr. agonia (Kampf), Todeskampf

akkumulieren	von lt. ad (an) und cumulus (Haufen), anhäufen
aktiv	von lt. agere (handeln), tatkräftig
Alpha	Anfangsbuchstabe des griechischen Alphabetes = a
all-round	engl. vielseitig, umfassend (ausgebildet, erzogen)
Alternative	von lt. alternare (abwechseln), Wahl zwischen zwei allein möglichen Fällen
ambitionslos	von lt. ambire (herumgehen), im Lateinischen schon mit dem Nebensinn jemanden bittend angehen, um einen Posten zu erlangen; Ambitionen haben = sich mit hochfliegenden Plänen tragen, ambitionslos = ohne Ehrgeiz
Ambrosia	von gr. ambrosios (unsterblich), Götterspeise
Amplitude	frz. Reichweite, Schwingungsweite (Wellenbewegung)
Analogie	von gr. analogos (entsprechend), Ähnlichkeit, Entsprechung, Übereinstimmung
analysieren	von gr. analysis (Auflösung), zergliedern
Anarchie	von gr. an (un) und ârchein (herrschen), Herrschaftslosigkeit, Gesetzlosigkeit, Auflockerung und Abschaffung jeglicher staatlicher Ordnung
annihilieren	von lt. a, ab (von, weg, un) und nihil (nichts), Nihilismus = die Lehre von der Nichtigkeit des Bestehenden: völlig verneinen, vernichten
Antagonismus	von gr. anti (gegen) und agonizesthä (kämpfen), Widerstreit, Gegnerschaft
Antipathie	von gr. anti (gegen) und pathos (Stimmung, Gesinnung), Abneigung, Widerwille
apage!	gr. und lt. = fort! packe dich!
Aspekt	von lt. aspectus (Ansehen, Anblick), Aussicht

Aspiration	von lt. aspirare (anhauchen), Bestrebung, Ehrgeiz
assimilieren	von lt. assimulare = angleichen
Assoziation	von lt. associare (beigesellen), (Ideen-) Verknüpfung, Zusammenschluß
atavistisch	von lt. atavus (Großvater), in einen alten Abstammungstypus zurückfallend
Atman	indisch: das göttliche All-Eine, das alle Einzelwelten und -wesen aus sich entläßt und wieder zurücknimmt. Das eigentliche »Selbst« des Menschen (seine »Seele« nach ihrem tiefsten Gehalte) hat am Atman teil und wird deshalb auch mit diesem Begriff bezeichnet
Attitude	von frz. Haltung, Stellung menschlicher Figuren (z. B. im Schauspiel)
aufoktroyieren	von frz. octroyer (bewilligen, verleihen), jemandem wider dessen Willen etwas aufnötigen
Aura	von lt. Luft, Hauch, Schimmer, Aura eines Menschen = seine Ausstrahlung
Autosuggestion	von gr. autos (selber) und lt. suggerere (jemandem etwas unterlegen, darreichen, anraten), Selbstbeeinflussung
Autotoxine	von gr. autos (selber) und toxikon (Pfeilgift) – Toxine sind durch Zersetzung oder Ausscheidung von Bakterien frei werdende Gifte –, also: Selbstvergiftung
basso ostinato	italienisch, hartnäckiger Baß, der immer ein und dieselbe Formel wiederholt
Beast	engl., Vieh, Tier
Bussole	Winkelmeßinstrument mit Magnetnadel, die über einer Kreisteilung spielt
Calme	frz. Windstille, Gemütsruhe
Canvas (Kanevas)	Hanfleinwand

Clairvoyance	frz. Hellsehen
Colleoni	Condottiere: seine berühmte Reiterstatue (von Verrocchio) steht in Venedig
Cretin	frz. Blödsinniger – Kretinismus, eine Entwicklungskrankheit, die sich hauptsächlich in Geistesschwäche und körperlicher Mißbildung äußert
Defekt	von lt. deficere (zu fehlen, beginnen, auszugehen), Fehler, Mangel
definieren	von lt. definere (abgrenzen), begrifflich bestimmen
Degenerationsprodukt	von lt. de (herab) und genus (Geschlecht) und producere (erzeugen), ein Erzeugnis, ein Ergebnis der Entartung
degenerieren	von lt. de (herab) und genus (Geschlecht), entarten
dekrepit	engl. = altersschwach
Dekrepitität	engl. decrepitude = Altersschwäche
dekretieren	lt. durch Verordnung bestimmen, anordnen
Dematerialisation	von lt. de (ent) und materia (Stoff), Entstofflichung
deplorable	frz. bejammernswert, kläglich
Depression	von lt. deprimere (niederdrücken), Niedergeschlagenheit, Mutlosigkeit
Despotismus	von gr. despotes (Herr, Gebieter), Zwingherrschaft, Willkürherrschaft
Dezennien	von lt. decem (zehn) und annus (Jahr), Jahrzehnte
differenziert	von lt. differre (verschieden sein), verschieden gestaltet, unterschieden
dislozieren	von lt. dis (zer, ent, miß) und locare (stellen, legen), verlegen (Truppen), verrenken (Glieder), verkehrt stellen

divergieren	von lt. divergere (sich auseinanderneigen), auseinandergehen
divin	lt. (divus der Göttliche); divinare = ahnen, weissagen; divin = göttlich, ahnend, weissagend
Diurnist	von lt. dies = Tag, Tagegeldempfänger, Angestellter gegen Taschengeld
Dshin	Geist des arabischen Volksglaubens, meist menschenfeindlich. Die Dshin spielen eine große Rolle in Volkserzählungen und Märchen wie »Tausendundeine Nacht«
düpieren	frz. duper = dumm machen, betrügen
Dyspepsie	von gr. dys (miß) und pepsis (Kochen, Verdauen), schlechte Verdauung
effektiv	von lt. efficere (bewirken), wirklich, tatsächlich
Ekstase	gr. ekstasis = Verzückung
Emanation	von lt. emanare (ausströmen), eigentlich Ausfluß, ist besonders nach der Lehre des Neuplatonismus das Hervorgehen aller Dinge aus dem ursprünglichen, einen, unveränderlichen Vollkommenen durch Ausstrahlung, wobei mit zunehmender Entfernung das Emanierte immer unvollkommener wird. In einem Emanationssystem geht das Unvollkommene aus dem Vollkommenen hervor. Gegensatz: Evolution
Embryo	von gr. embryon (Lämmchen), Kind oder Junges im Mutterleib im ersten Entwicklungsstadium
Emotion	lt. Aufregung, Gemütsbewegung
Entelechie	von gr. telos (Zweck, Vollendung) und echein (enthalten), Entwicklung durch Formung, Verwirklichung des Möglichen, Selbstverwirklichung, die freie, sich selbst bestimmende Tätigkeit
Epidermis	von gr. epi (auf, ober) und derma (Haut), Oberhaut

eskamotieren	frz. escamoter = kunstvoll verschwinden lassen
ethisch	von gr. ethos (Sitte), sittlich
Eugenetik	von gr. eugenes (edelgeboren), in Englisch sprechenden Ländern die Bezeichnung für Rassenhygiene
Evolution	von lt. ex (aus) und volvere (wälzen), Entwicklung im Gegensatz zu Revolution (gewaltsame Umwälzung)
Exkrement	von lt. excrementum (Ausscheidung)
Exorzismus	griech. Beschwörung, Austreibung böser Geister, Teufelsbannung
exzellieren	von lt. ex (heraus) und celere (ragen), Vortreffliches leisten
Facette	von frz. face (Gesicht), kleines Gesicht, kleine Fläche: die Flächen auf eckig geschnittenen Edelsteinen oder Gläsern
de facto	von lt. facere (machen, tun), in der Tat, tatsächlich
faszinieren	von lt. fascinare = behexen, im D. immer nur bildlich, bezaubern
faute de mieux	frz. in Ermangelung eines Besseren
flexibel	von lt. flectere (beugen), biegsam
Fluidum	von lt. fluere (fließen), Fließendes, Strömendes, Ausströmendes, ein Strom von Strahlen oder Kraft
fokussieren	von lt. focus (Herd) – Fokus = Brennpunkt – im Brennpunkt stehen
fossil	von lt. fodere (graben), ausgegraben, vergangenen Epochen angehörig
full of go	engl. voll Schwung, sich in Hochform befindend, temperamentvoll, überströmend

Ganglion	von gr. ganglion = Nervenknoten (im Nervensystem und im Gehirn)
Gedankenassoziation	von lt. ad (zu) und socius (Genosse, Gesell), zwei Vorstellungen miteinander verknüpfen, Gedankenverknüpfung
Gourmet	frz. Feinschmecker
gravitieren	von lt. gravis (schwer); in der Physik: seine Schwere bemerkbar machen, angezogen werden; zu einem Schwerpunkt hinstreben
Grazilität	von lt. gratia (Anmut), Anmut, Zierlichkeit, Geschicklichkeit
de gustibus	zu ergänzen: non disputandum est (lt.): über Geschmack läßt sich nicht streiten
Habitué	frz. regelmäßiger Besucher, Stammgast
Habitus	von lt. habere (haben), Gehaben, Haltung, Aussehen
Hades	gr. Unterwelt
halkyonisch	von Halkyone im griechischen Mythos, Tochter des Äolos und der Ägiale, Gemahlin des Keyx, stürzte sich, als dieser ertrank, aus Schmerz ins Meer, wo beide als Eisvögel (Halkyonen) fortleben. Zeus ließ während ihrer Brutzeit (im Dezember) alle Winde ruhen; daher halkyonische Tage, Tage der glücklichen Ruhe
Heliometer	Instrument zur Bestimmung der Wärmeabsorption in der Luft
Heliotropismus	griech., Eigenschaft vieler Pflanzenteile, bei einseitiger Beleuchtung eine bestimmte Stellung zur Richtung des einfallenden Lichtes anzunehmen. Auch bei manchen niederen Tieren, besonders festgewachsenen, ist starke Abhängigkeit vom Lichte zu beobachten, jedoch sind die Forscher über den tierischen Heliotropismus und ähnliche Erscheinungen nicht einig

hermetisch	gr. luftdicht verschlossen wie mit Quecksilber, das man früher auch Merkur oder Hermes nannte
Hygrometer	gr. (Luft-)Feuchtigkeitsmesser
Hypertrophie	von gr. hyper (über) und trophe (Ernährung), biol. = Überschreitung des normalen Wachstums
Hypothese	von gr. hypothesis (das Unterlegen, Unterlage), Grundlage, Voraussetzung. In der Wissenschaft nennt man eine Hypothese einen noch unbewiesenen Satz oder Behauptung, die man als wahr annimmt und die man nun weiter entwickelt und prüft
Idiosynkrasie	von gr. idios (eigenartig) und synkrasia (Mischung), heftige Abneigung gegen bestimmte Dinge (Speisen, Gerüche)
Imagination	von lt. imago (Bild), Einbildungskraft, Phantasie
imaginär	von lt. imaginarius (scheinbar), eingebildet, nur in der Einbildung vorhanden, außerhalb der Wirklichkeit, der Erfahrung befindlich
immanent	von lt. immanere (darin bleiben), innewohnend, innerlich
immateriell	von lt. im (un) und materia (Stoff), unstofflich, unkörperlich
Impertinenz	von lt. in (an, auf, gegen) und pertinere (sich auf etwas beziehen, etwas betreffen), unbelehrbar auf etwas bestehen, Ungebührlichkeit
impressionable	von frz. impressioner (beeindrucken), leicht beeindruckbar
Impuls	von lt. impulsus = Anstoß, Antrieb
Inaktivität	von lt. in (un) und activus (tätig), Mangel an Tatkraft und Betriebsamkeit
inferior	von lt. Komparativ von inferus (der untere), niedriger, geringer, minderwertig

Inflex	von lt. inflectere (beugen), Beugung
Inkarnation	von lt. caro, carnis (Fleisch), Fleischwerdung
Innervation	neulat., die Versorgung eines Organes mit Nerven; deren Einfluß auf die Verrichtung der Organe durch Zuleitung der Reize
Insolenz	von lt. insolens (ungewöhnlich, übermütig), Anmaßung, Frechheit
Inspiration	von lt. in (in, an) und spirare (hauchen), Anregung, Eingebung, Begeisterung
Insult	von lt. insultatio = beleidigender Anfall, Beleidigung, Beschimpfung
Intensität	von lt. intendere (anspannen), Angespanntheit, innere Kraft
Interferenzerscheinung	von lt. interferre (zwischentragen), Phys.: die beim Zusammentreffen zweier Wellen durch Überlagerung oder Angleichung der Wellen entstehenden Erscheinungen, das gegenseitige Einwirken
Interpellation	von lt. interpellare (in die Rede fallen, mit Fragen bestürmen), Anfrage
Intervall	von lt. intervallum = Zwischenraum
intim	von lt. intimus, Superlativ von interior (innerst), vertraut
Intuition	von lt. intuitio (Anschauung), Erkenntnis der Wahrheit durch bloßes Hellsehen der Seele ohne Vermittlung des Denkens, Eingebung
intuitiv	von lt. intuitio (Anschauung), intuitives Erkennen = ahnungsvolles Erkennen
involvieren	von lt. involvere = einhüllen
Irradiation	von lt. ir (in, ein) und radius (Strahl), Ausstrahlung von Schmerzen

kaprizieren	von frz. caprice (Laune), sich auf etwas versteifen, versessen sein
kat'exochen	gr. mit Vorzug, vorzugsweise, eigentlich
Katharsis	griech., Reinigung, Läuterung
Kautele	von lt. cautela = Vorsichtsmaßregel
Kollaps	von lt. collapsus (Zusammenfall), ein plötzlicher Zusammenbruch der Kräfte, wie bei Herzschwäche
Komplex	von lt. complexus (Umarmung), ein zusammengehörendes Ganzes aus gleichartigen Teilen, Umfang, Inbegriff, Vereinigung; in der Psychologie: eine ein Erlebnis bildende Gruppe von Empfindungen, Wahrnehmungen, Gefühlen, Denk- und Willensakten; in der Medizin: eine Gruppe von gefühlsbetonten Erlebnissen; als Eigenschaftswort: zusammengefaßt, mehrgliedrig
Konnex	von lt. connexus (Zusammenknüpfung, Verbindung), Zusammenhang
kontemplativ	von lt. contemplari (besuchen, betrachten), beschaulich im Gegensatz zu aktiv (tatkräftig)
Kontinuität	von lt. continuus (zusammenhängend), ununterbrochener Zusammenhang, Stetigkeit
Kontinuum (kontinuieren)	von lt. continuus (zusammenhängend), das Zusammenhängende, Fortwährende, Stetige
konvergieren	von lt. convergere = sich einander nähern, bildl. von Ansichten
Konzeption	von lt. concipere (zusammenfassen, erfassen, verfassen, empfangen): a) Abfassung, b) Empfängnis; dann bildl.: Schöpfung (einer künstlerischen Idee), ferner die Idee selbst
Kooperation	von lt. cooperari (zusammenwirken), das Zusammenwirken, Mitwirkung
Korrelat	von lt. correlatus (zusammenbezogen, aufeinander bezüglich, in Wechselwirkung stehend), das

Korrelat einer Sache ist daher etwas, was logisch oder tatsächlich dazu gehört. So sind Pflichten das Korrelat zu den Rechten

korrespondieren

von lt. con (mit) und respondere (antworten, entsprechen), also 1. mit etwas übereinstimmen, einer Sache entsprechen, 2. mit jemandem Briefe wechseln

Kriterium

von gr. = Entscheidungsmittel, Kennzeichen

large

frz. breit, weit, ausgedehnt, bequem, reichlich

latent

von lt. latens = verborgen, doch jederzeit wirksam werden könnend

lavieren

holländisch (Seemansprache): im Zickzack segeln, bildl. nicht gerade aufs Ziel losgehen

Lavoir

frz. Waschhaus, Waschbecken

letal

von Lethe (Namen eines Flusses in der griechischen Unterwelt, aus dem die Schatten der Vergangenheit trinken), vergänglich

limitiert

von lt. limes (Grenze), begrenzt

luminös

von lt. lumen (Licht), lichtvoll, leuchtend

macabre

frz. düster, schauerlich (danse macabre = Totentanz)

Majorität

von lt. major = Komparativ von magnus (groß), das Größersein, die Mehrheit, die Stimmenmehrheit

Manie (manisch)

von gr. mania (Wahnsinn), krankhafte Sucht

Manierismus

von franz. manière (Art und Weise), geistlose Nachahmung eines Stiles

Manipulation

von frz. manipuler (handhaben) oder lt. manipulus (handvoll), Handhabung

Materialisation

von lt. materia (Stoff), Verstofflichung

Matura	von lt. maturus (reif), die Reife, Reifeexamen
Meditation	von lt. meditare (nachdenken), Nachdenken, Sichversenken, Betrachtung, Andacht
Medium	von lt. medium (Mitte), Mittelglied, Mitte: im spiritistischen Sinne Mittler zwischen einer außersinnlichen Welt (Verstorbener) und dem Diesseits
Membrane	von lt. membrana = Häutchen (z. B. Trommelfell)
mental	von lt. mens (Geist), geistig, den Geist betreffend, gedacht, nicht in Worten ausgesprochen
Mentor	im griechischen Mythos Freund des Odysseus, der ihm die Sorge für sein Haus und die Erziehung des Telemachos übertrug; daher: Berater
mesmerisieren	von Mesmer, Franz Anton, der Begründer der Lehre vom tierischen (körperlichen) Magnetismus oder des Mesmerismus
Methode	von gr. methodos (Weg der Untersuchung), planmäßiges Verfahren bei der Forschung, Art der Darstellung, Unterrichtsweise, Lehrgang
Miasme	von gr. miasma (Verunreinigung der Luft), Ansteckungsstoff
Monade	von gr. monas (Einheit, unteilbares Wesen), Einheit, von den Griechen gebraucht sowohl als Grundbegriff der Zahlenlehre als auch schon im metaphysischen Sinne zur Bezeichnung der letzten einfachen Wesenheiten der Dinge. Der eigentliche Begründer der Monadenlehre ist Leibniz. Nach ihm sind die Monaden, aus denen die Dinge der Welt bestehen, unkörperliche, einfache, ewige, strebende, vollkommen selbständige, unter sich verschiedene Krafteinheiten
monoton	von gr.: eintönig
the serene mood	engl., heitere Stimmung, wohltuend, ausgeglichen

242

Morbidität	von lt. morbus (Krankheit), krankhaftes Verhalten, krankhafter Befall. In der Statistik das Ergriffensein von irgendeiner Krankheit im Gegensatz zur Mortalität, der durch sie hervorgerufenen Sterblichkeit
mud-geysir	von engl. mud (Schlamm) und Geysir oder Geiser (eine periodische heiße Springquelle), Schlammgeiser
Myriade	von gr. myrias (Anzahl von 10 000), unzählige Menge
mystisch	von gr. mysterion (Geheimnis), geheimnisvoll
Negierung	von gr. negare (verneinen), Verneinung
Neovitalismus	von gr. neos (neu) und lt. vita (Leben), neue Lehre von der Lebenskraft
Neurose	von gr. neuron (Sehne, Nerv), Nervenkrankheit
Nirwana	bedeutet im Buddhismus die Abwendung des Gemütes vom Lebenswillen, von allem irdischen Begehren, seliges Selbstvergessen durch Versenkung in das Nichts, wodurch die Erlösung vom Leiden erreicht wird
nuanciert	von frz. la nuance (Farben-Abstufung, Schattierung), abgestuft, schattiert
objektivierend	von lt. objicere (entgegenwerfen), Objekt: Gegenstand; Objektivität: Gegenständlichkeit, Sachlichkeit; objektivieren: gegenständlich machend, versachlichend im Gegensatz zu subjektiv (auf das Ich bezogen)
obstinat	von lt. obstinatus (fest entschlossen, hartnäckig), widerhaarig
okkult	von lt. occultare (verbergen), verborgen
om mani padme hum	Beginn der tibetanischen Gebetsformel »O, Du Allmächtiger . . .«
Omega	großes »O« = Endbuchstabe des griechischen Alphabetes

Omen	lt. Vorzeichen, Vorbedeutung
Ornat	von lt. ornare (ausstatten, ausrüsten, schmükken), Würde, Amt und Rang kennzeichnende Tracht
outsider	engl. = Außenseiter
panisch	von Pan, dem Weide- und Waldgott im griechischen Mythos. Er liebte die Musik und erfand die Panflöte (Syrinx), auf der er abends vor seiner Grotte blies, vermochte plötzlichen, »panischen« Schrecken einzujagen
Pantheismus	von gr. pan (alles) und theos (Gott) und ismos (Lehre), Lehre, daß Gott und Weltall eins seien
pathologisch	von gr. pathos (Leiden), mit einer Krankheit zusammenhängend
Pelion und Ossa	zwei Gebirge in Thessalien. Der Pelion galt als Sitz des Kentauren Cheiron. Bekannt ist der Mythos, daß die Giganten den Ossa auf den Pelion wälzten, um den Himmel zu stürmen
Perihel	Sonnennähe bei der Bahn eines Planeten oder Kometen
Peripathetiker	werden diejenigen Philosophen des Altertums genannt, die aus der Schule des Aristoteles hervorgegangen sind, der in den Säulengängen (peripatoi) des Lyzeums zu Athen im Umherwandeln lehrte
Peripherie	von gr. peripheria = Kreisumfang, Umkreis
permanent	von lt. permanens = dauernd, beständig
pervertieren	von lt. pervertere = umkehren, umdrehen, verdrehen
Perzeption	von lt. percipere (wahrnehmen, begreifen), Wahrnehmung, Eindruck
Phänomen	von gr. phänomenon = Erscheinung

Pietätlosigkeit	von lt. pius (fromm), ohne Frömmigkeit, Rücksichtslosigkeit, Ehrfurchtslosigkeit
Placenta	von lt. placenta (Kuchen), Mutterkuchen
plagiieren	von lt. plagium (Verkauf fremder Sklaven), unrechtmäßiges Nachahmen, fremdes geistiges Eigentum stehlen
Positivismus	von lt. ponere (stellen, legen, setzen), derjenige erkenntnistheoretische Standpunkt, der sich nur an das Positive, Gegebene, Erfahrbare hält und nur so weit Erkenntnis reichen läßt, wie die sinnliche Wahrnehmung und Erfahrung reicht, alles darüber Hinausgehende für unwissenschaftlich ansieht
der »Prädestinierte«	von lt. praedestinare (vorausbestimmen), der Vorherbestimmte
Prämisse	von lt. praemittere (vorausschicken), Vordersatz eines Schlusses (nur in der Logik)
Präsenz	von lt. prae-esse (anwesend sein), Anwesenheit, Gegenwärtigkeit
der »Profane«	von lt. profanus (uneingeweiht, unheilig), der Uneingeweihte; das Profane steht im Gegensatz zum Sakralen, zum Geheiligten, damit in übertragener Bedeutung: weltlich, den Alltag betreffend
Protoplasma	von gr. protos (erste) und plasma (Gebilde), Zelleiweiß
Provenienz	von lt. provenire (vor- und hervorkommen), Herkunft
psychical research	engl. Seelenforschung
Psychose	von gr. psychosis (Beseelung), Geisteskrankheit
Quietismus	die Lehre, die den Zustand völliger Gemütsruhe und den Verzicht auf tätige Teilnahme am Leben als Ideal aufstellt
Rastaqueritum	vom französisierten spanischen Wort »rastacueros« (Hochstapler), Hochstapelei

realisieren	von lt. res (Ding, Sache), verwirklichen
Reflexbewegung	von lt. reflectere (zurückbiegen, zurückwenden), von einem Reiz ausgelöste Bewegung oder Gegenbewegung; Reflex im optischen Sinne: Widerschein, Abglanz
refüsieren	frz. ausschlagen, ablehnen
regenerieren	von lt. regenerare (wiedererzeugen, neugebären), wiederherstellen, z. B. Körper- und Geisteskräfte
Regulativ	von lt. regula (Latte, Leiste, Richtschnur, Maßstab), Geschäfts- bzw. Dienstordnung – regulativ Adv. regelnd, ordnend
Reinkarnation	von lt. re (zurück, wieder) und caro, carnis (Fleisch) Wieder-Fleischwerdung, Wiederverkörperung
Relation	von lt. referre (etwas auf etwas beziehen), Beziehung, Verhältnis. So gibt es eine Relation zwischen Begriffen, z. B. Subjekt – Objekt, Ursache – Wirkung, zwischen Dingen, nämlich ihre räumlichen, zeitlichen, kausalen Beziehungen
resorbieren	von lt. resorbere = aufsaugen
Ressource	frz. Hilfsquelle, Hilfsmittel
retardieren	von lt. retardare = verzögern, aufhalten
reüssieren	frz. gelingen, Glück haben
revozieren	von lt. revocare (zurückrufen, widerrufen), widerrufen
Rezeptivität	von lt. recipere (aufnehmen), Aufnahmefähigkeit, Empfänglichkeit
roboten	von russ. rabota (Arbeit), Frondienst leisten, schuften, sich übermäßig oder gar sinnlos abmühen
Rotation	von lt. rotare (sich drehen, rollen), Achsendrehung

Samsara	bedeutet in der indischen Philosophie die immer wiederkehrende Erneuerung des individuellen Daseins mit all seinen Begehren und Leiden
saturieren	von lt. saturare = sättigen, befriedigen
Séance	frz. Sitzung (spiritistische Zusammenkunft)
sensitiv	von lt. sentire (fühlen), sehr empfindlich, überempfindlich
Serenität	von lt. serenus (heiter, hell), Heiterkeit
shine	engl. Schein, Glanz
to shoo	engl. Vögel scheuchen
sine ira et studio	lt., ohne Zorn und Eifer
Solipsismus	von lt. solus (allein) und ipse (selbst), theoretischer Egoismus: derjenige erkenntnistheoretische Standpunkt, der nur an die Existenz des eigenen Ichs und seine Erlebnisse glaubt und alles andere, die wahrgenommenen Körper und anderen Geister, für bloße Erscheinungen hält
Sophisma	von gr. sophos (weise), Spitzfindigkeiten
spastisch	von gr. spasmos (Krampf), krampfartig
Sphäre	von gr. sphära (Ball, Kugel), Erd- oder Himmelskugel, im übertragenen Sinn: Bereich, Lebens- oder Wirkungskreis, Umfang der Tätigkeit des Denkvermögens
Spiritist	von lt. spiritus (Lufthauch, Wind), Anhänger der Geisterlehre
spirituell	von lt. spiritus (Luft), geistig
spontan	von lt. spontaneus = freiwillig, aus dem Augenblick geboren
Stagnation	von lt. stagnare (einen Teich bilden), Stockung
Stew	engl. Schmorgericht (Eintopf)

Stimulans	von lt. stimulus (Stachel, Sporn, Antrieb, Reiz), Reizmittel, anregendes Mittel
Stratum	von lt. stratum = das Ausgebreitete, Schicht
substantiell	von lt. substancia (Wesen), wesentlich, körperlich, (vom Essen) kräftig, nahrhaft
subtil	von lt. subtilis = fein, verfeinernd, verfeinert
sukzessive	von lt. succedere (folgen), allmählich, Schritt für Schritt
Symbiose	gr. gesetzmäßiges Zusammenleben artfremder Organismen zu gegenseitigem Nutzen
Taifun	chin. t'ai feng (starker Wind), Wirbelwind, Sturm
tat twam asi	Sanskrit: »Das bist du«, eine Form der monistischen Brahman-Atman-Lehre von dem Einssein
telepathisch	von gr. tele adv. (fern) und pathos (Leiden, Gemütserregung), Gedanken, Gefühle übertragend; Telepathie: Fernfühlung, Ferngefühl, in der Metapsychik die Übertragung von Vorstellung- und Gedankeninhalten auf eine andere Person ohne Nutzung der normalen Sinneswege
tendieren	von lt. tendere (spannen, wohin streben), hinneigen
Tentakel	Fühlfäden, schlanke, bewegliche Anhänge bei Tieren, meist am Mund, dienen zum Tasten, Ergreifen der Beute, auch zur Fortbewegung
Trance	engl. = ungewöhnlicher Schlafzustand
Transmutation	von lt. = Umwandlung
transponieren	von lt. transponere = hinübertragen, Umsetzen, z. B. ein Tonstück in eine andere Tonart umsetzen
transzendent	von lt. transcendere (darüber hinausgehen), über etwas hinausgehend, in einen anderen Bereich hineinreichend

248

trivial	von lt. trivium (Dreiweg, Kreuzweg), also an jedem Kreuzweg zu finden, d. h. ganz gewöhnlich, abgedroschen
turbulent	von lt. turbulentus = unruhig, aufgeregt stürmisch
Typist	Maschinenschreiber(in)
unsoigniert	frz. soigner (sorgsam hüten, pflegen), ungepflegt
uptown und downtown	Hoch- und Untergrund (bahn)
Vacuumcleanser	engl. Staubsauger
vage	von lt. vagus (umherschreitend, schwankend), zu allgemein, unbestimmt
Yogi	Anhänger des Yoga-Systems, ein indisches, religiös orthodoxes, mystisches System der Philosophie, das durch Verinnerlichung und Askese die Erfassung des Ewigen, die Läuterung der Seele und ihre Erlösung vom Dasein anstrebt. Es bildet auch eine der Grundlagen des Buddhismus

Bitte umblättern:

auf den nächsten Seiten informieren
wir Sie über weitere interessante
Fischer Taschenbücher.

Zen · Yoga · Meditation

**Michael Klostermann
Auroville — Stadt des
Zukunftsmenschen**
Originalausgabe
Band 1700

**Sheldon B. Kopp
Triffst du Buddha
unterwegs...**
Psychotherapie und
Selbsterfahrung
Band 3374

**Jiddu Krishnamurti
Leben**
Band 1992

**John C. Lilly.
Das Zentrum des Zyklons**
Eine Reise in die inneren
Räume
Band 1768

**Gabriele Wosien
Babadschi**
Botschaft vom Himalaya
Originalausgabe
Band 3375

**Karlfried Graf Dürckheim
Zen und wir**
Band 1539

**Heinrich Dumoulin
Der Erleuchtungsweg
des Zen im Buddhismus**
Originalausgabe
Band 1667

**Lama Anagarika Govinda
Grundlagen tibetischer
Mystik**
Band 1627

**Howard Murphet
Sai Baba —
der indische PSI-Meister**
Band 3376

**Bhagwan Sri Rajneesh
Sprengt den Fels
der Unbewußtheit**
Band 3378 (Februar '79)

**Dilip Kumar Roy
Sri Aurobindo kam zu mir**
Band 3377

Fischer
Taschenbücher

Carlos Castaneda
Don Juans Reisen in die Welt der Zauberei

Die Lehren des Don Juan
Ein Yaqui-Weg des Wissens
Band 1457

Eine andere Wirklichkeit
Neue Gespräche mit Don Juan
Band 1616

Reise nach Ixtlan
Die Lehre des Don Juan
Band 1809

Der Ring der Kraft
Don Juan in den Städten
Band 3370

**Fischer
Taschenbücher**

Psychologie

Eine Auswahl

Hans Bender
Parapsychologie – ihre
Ergebnisse und Probleme
(6316)

Morey Bernstein
Protokoll einer Wieder-
geburt (1917)

Charles Brenner
Grundzüge der Psycho-
analyse (6309)

Charlotte Bühler
Das Seelenleben des
Jugendlichen (6303)

Johannes Cremerius (Hrsg.)
Psychoanalyse und
Erziehungspraxis (6076)

Werner Correll
Lernen und Verhalten (6146)

Andrew Crowcroft
Der Psychotiker (6701)

Klaus Dörner
Bürger und Irre (6282)

Fischer Lexikon Psychologie
(FL 6)

Anna Freud/Thesi Bergmann
Kranke Kinder (6363)

Funk-Kolleg
Pädagogische Psychologie
Band 1 und 2 (6115/6116)

Reader zum Funk-Kolleg
Pädagogische Psychologie
Band 1 und 2 (6113/6114)

Hermann Glaser
Sigmund Freuds Zwanzigstes
Jahrhundert (6395)

Georg Groddeck
Psychoanalytische Schriften
zur Literatur und Kunst
(6362)
Das Buch vom Es (6367)

**Peter Groskurth/
Walter Volpert**
Lohnarbeitspsychologie
(6288)

Klaus Holzkamp
Kritische Psychologie (6505)

Jolande Jacobi
Die Psychologie von
C. G. Jung (6365)

Arthur Janov
Der Urschrei (6286)
Anatomie der Neurose (6322)
Das befreite Kind (6345)

C. G. Jung
Bewußtes und Unbewußtes
(6058)
Über die Psychologie
des Unbewußten (6299)
Über Grundlagen der Analytischen Psychologie (6302)

Psychologie

Thomas Kiernan
Psychotherapie (6374)

Egmont R. Koch
Chirurgie der Seele (6704)

Theodore Lidz
Der gefährdete Mensch
(6318)

Gordon R. Lowe
Erkenne dich und die
anderen (6341)

Maikowski/Mattes/Rott
Psychologie und ihre Praxis
(6532)

Tilmann Moser
Jugendkriminalität und
Gesellschaftsstruktur (6158)

Christine Mylius
Traumjournal (1737)

Humberto Nagera (Hrsg.)
Psychoanalytische Grund-
begriffe (6331)

Erich Neumann
Kulturentwicklung und Religion
(6388)

Robert Ornstein
Die Psychologie des
Bewußtseins (6317)

Nossrat Peseschkian
Psychotherapie des
Alltagslebens (1855)
Der Kaufmann und der
Papagei (3300)

Jean Piaget
Theorien und Methoden der
modernen Erziehung (6263)

Hans-Werner Prahl
Prüfungsangst (6706)

Wilhelm Reich
Die sexuelle Revolution
(6093)
Die Entdeckung des Orgons:
Die Funktion des Orgasmus
(6140)
Charakteranalyse (6191)
Die Massenpsychologie
des Faschismus (6250)
Der Einbruch der sexuellen
Zwangsmoral (6268)
Die Entstehung des Orgons:
Der Krebs (6336)

Harry S. Sullivan
Das psychotherapeutische
Gespräch (6313)

Thomas S. Szasz
Die Fabrikation des
Wahnsinns (6321)
Psychiatrie (6389)

Rainer Winkel
Pädagogische Psychiatrie für
Eltern, Lehrer und Erzieher
(6709)

Renate Witte-Ziegler
Ich und die anderen (6323)

Lew S. Wygotski
Denken und Sprechen (6350)

**Fischer
Taschenbücher**

Sigmund Freud
Studienausgabe

**Sigmund Freud
Studienausgabe**
Herausgegeben von
Alexander Mitscherlich,
Angela Richards,
James Strachey †.
(Conditio humana)

**Band I
Vorlesung zur Ein-
führung in die Psycho-
analyse. Und neue Folge.**
663 Seiten, Kart.

**Band II
Die Traumdeutung**
697 Seiten, Kart.

**Band III
Psychologie des
Unbewußten**
465 Seiten. Kart.

**Band IV
Psychologische
Schriften**
334 Seiten. Kart.

**Band V
Sexualleben**
335 Seiten. Kart.

**Band VI
Hysterie und Angst**
358 Seiten. Kart.

**Band VII
Zwang, Paranoia und
Perversion**
361 Seiten. Kart.

**Band VIII
Zwei Kinderneurosen**
257 Seiten. Kart.

**Band IX
Fragen der Gesellschaft**
Ursprünge der Religion.
653 Seiten. Kart.

**Band X
Bildende Kunst und
Literatur**
326 Seiten, Kart.

**Ergänzungsband
(nicht numeriert)**
Schriften zur Behand-
lungstechnik.
480 Seiten. Kart.

**Sigmund-Freud-
Konkordanz und
Gesamtbibliographie**
Zusammengestellt von
Ingeborg Meyer-Palmedo.
80 Seiten. Brosch.

S. Fischer